A GAROTA NO GELO

ROBERT BRYNDZA

A GAROTA NO GELO

TRADUÇÃO DE **Marcelo Hauck**

1ª EDIÇÃO
11ª REIMPRESSÃO

Copyright © 2016 Robert Bryndza
Copyright © 2016 Editora Gutenberg

TÍTULO ORIGINAL: *The Girl in the Ice*.

Todos os direitos reservados pela Editora Gutenberg. Nenhuma parte desta publicação poderá ser reproduzida, seja por meios mecânicos, eletrônicos, seja via cópia xerográfica, sem a autorização prévia da Editora.

EDITORA
Silvia Tocci Masini

EDITORAS ASSISTENTES
Carol Christo
Nilce Xavier

ASSISTENTE EDITORIAL
Andresa Vidal Branco

PREPARAÇÃO DE TEXTO
Silvia Tocci Masini

REVISÃO
Carla Neves
Maria Theresa Tavares

CAPA
Henry Steadman

ADAPTAÇÃO DE CAPA
Diogo Droschi

DIAGRAMAÇÃO
Guilherme Fagundes

Dados Internacionais de Catalogação na Publicação (CIP)
(Câmara Brasileira do Livro, SP, Brasil)

Bryndza, Robert
    A garota no gelo / Robert Bryndza ; tradução Marcelo Hauck. -- 1. ed.; 11. reimp. -- Belo Horizonte : Gutenberg, 2023.

    Título original: The Girl in the Ice.

    ISBN 978-85-8235-404-9

    1. Ficção inglesa I. Título.

16-07308   CDD-823

Índice para catálogo sistemático:
1. Ficção : Literatura inglesa 823

A **GUTENBERG** É UMA EDITORA DO **GRUPO AUTÊNTICA**

São Paulo
Av. Paulista, 2.073, Conjunto Nacional
Horsa I . Sala 309 . Bela Vista
01311-940 . São Paulo . SP
Tel.: (55 11) 3034 4468

Belo Horizonte
Rua Carlos Turner, 420
Silveira . 31140-520
Belo Horizonte . MG
Tel.: (55 31) 3465 4500

www.editoragutenberg.com.br
SAC: atendimentoleitor@grupoautentica.com.br

Para Ján, que compartilha a minha vida
por meio da comédia e, agora, do drama.

PRÓLOGO

A calçada resplandecia ao luar enquanto Andrea Douglas-Brown apressava-se pela deserta rua comercial. O estalido dos saltos altos rompia o silêncio, quebrando o ritmo com frequência – resultado de toda a vodca que tinha consumido. O ar de janeiro estava gelado, e suas pernas nuas doíam de frio. O Natal e o Ano-Novo já haviam passado, deixando um vazio gélido. As vitrines das lojas iam ficando para trás, banhadas em escuridão, interrompida apenas por uma encardida loja de bebidas debaixo de um poste tremeluzente. Um indiano estava lá dentro, debruçado sobre seu notebook, e nem notou a jovem andando com seus passos indignados.

Andrea estava tão tomada pela raiva, tão decidida a deixar o pub para trás, que só se perguntou para onde ia quando as vitrines das lojas foram substituídas por casas grandes, afastadas da calçada. Os galhos de um esqueleto de ulmeiro esticavam-se para o alto e desapareciam no céu sem estrelas. Ela parou e apoiou-se em um muro para recuperar o fôlego. O sangue fervia pelo corpo e o ar gelado queimava seus pulmões quando ela inspirava. Ao olhar para trás, viu que havia se afastado muito e que já tinha subido metade da ladeira. A rua estendia-se abaixo, em uma mancha preta ocasionalmente banhada pela luz alaranjada das lâmpadas de vapor de sódio, e na base do morro, a estação de trem já estava na escuridão. O silêncio e o frio oprimiam-na. A única movimentação era o vapor que saía de sua boca quando a respiração atingia o ar congelante. Ela enfiou a bolsa *clutch* rosa debaixo do braço e, satisfeita por não haver ninguém por ali, levantou a parte da frente do minúsculo vestido e tirou um iPhone da calcinha. Os cristais Swarovski da capa cintilavam preguiçosamente sob a iluminação tênue da rua. A tela mostrava que não havia sinal. Ela xingou, enfiou-o de volta na calcinha e abriu a pequenina bolsa. Aninhado lá dentro havia um iPhone mais antigo, igualmente com uma capa de cristais Swarovski, mas vários deles estavam faltando. Ele também não tinha sinal.

O pânico escalou o peito de Andrea quando olhou ao redor. As casas eram afastadas da rua, enfiadas atrás de cercas vivas e portões de ferro. Se alcançasse o topo da ladeira, provavelmente conseguiria sinal. *E que se foda*, pensou ela, iria ligar para o motorista do pai. Pensaria em uma explicação sobre por que estava ao sul do rio. Ela abotoou a minúscula jaqueta de couro, cruzou os braços por cima do peito e subiu a ladeira, com o celular antigo ainda na mão, como um talismã.

O som do motor de um carro roncou atrás dela, que virou a cabeça, apertando os olhos por causa do farol, sentindo-se ainda mais exposta quando a luz forte atingiu suas pernas nuas. A esperança de que fosse um táxi se desfez quando ela viu que o teto do carro era baixo e não havia nenhuma placa nele. Ela se virou e continuou andando. O som do motor do carro aumentou, o farol ficou em cima dela, arremessando um grande círculo de luz na calçada a frente. Alguns segundos mais se passaram, mas as luzes permaneceram na jovem; Andrea quase conseguia sentir o calor. Ela olhou de volta para a claridade. O carro reduziu a velocidade e seguiu rastejando alguns metros atrás dela.

Ela ficou furiosa quando percebeu de quem era o carro. Jogou o cabelo comprido para trás, virou e seguiu caminhando. O carro acelerou um pouco e emparelhou com ela. As janelas eram fumê. O som arrebentava graves e agudos que lhe tremelicavam a garganta e faziam suas orelhas coçarem. Ela parou abruptamente. O carro freou, depois deu ré, de modo que a janela do motorista ficou ao lado dela. O som silenciou. O motor zumbia.

Andrea inclinou-se e olhou para o vidro preto da janela, mas só o que viu foi o reflexo de seu rosto. Curvou-se e tentou abrir a porta, mas estava travada. Esmurrou a janela com a parte plana de sua *clutch* e tentou abrir a porta novamente.

– Não estou de brincadeira, aquilo que eu falei lá foi sério! – berrou ela. – Ou você abre a porta ou... ou...

O carro permaneceu imóvel, com o motor zunindo.

Ou o quê? Era o que ele parecia dizer.

Andrea enfiou a bolsa debaixo do braço, levantou o dedo do meio para o vidro fumê, saiu andando com seus passos indignados e terminou de subir o restante da ladeira até o topo. Uma árvore enorme elevava-se na beirada da calçada e, posicionando-se entre o tronco e o farol do carro, Andrea conferiu novamente o telefone, segurando-o bem acima da cabeça, em busca de sinal. O céu não tinha estrelas, e uma nuvem alaranjada dava a impressão de estar tão baixa que o braço esticado de Andrea poderia encostá-la. O carro avançou lentamente, centímetro a centímetro, parando ao lado da árvore.

O medo começou a gotejar pelo corpo de Andrea. Parada na sombra da árvore, ela olhou rapidamente para os lados. Densas cercas vivas enfileiravam-se nas calçadas dos dois lados da rua, estendendo-se adiante para dentro de um borrão sombrio. Então, ela avistou algo em frente: uma ruela entre duas grandes casas, e conseguiu compreender o que estava escrito em uma plaquinha: DULWICH 1¼.

– Venha me pegar se for capaz – murmurou ela. Respirando fundo, fingiu que ia atravessar a rua correndo, mas prendeu o pé em uma das grossas raízes salientes na calçada, sentindo muita dor ao torcer o tornozelo. Andrea perdeu o equilíbrio, a bolsa *clutch* e o telefone saíram deslizando, quando ela bateu o quadril na quina da calçada e a cabeça no asfalto, emitindo um baque surdo. Atordoada, Andrea ficou caída exposta à claridade dos faróis do carro.

Eles foram apagados, mergulhando-a na escuridão.

Ela escutou a porta do carro ser aberta e tentou se levantar, porém a rua balançou e rodopiou. Pernas ficaram visíveis, calça jeans... Um par de tênis caro ficou embaçado e tornou-se dois. Ela esticou o braço, esperando que a figura familiar lhe ajudasse a se levantar, no entanto, em um movimento rápido, uma mão com luva de couro apertou com força seu nariz e sua boca. A outra mão envolveu os braços de Andrea e os prendeu contra o corpo dela. O couro da luva na pele era macio e quente, mas a força e a rigidez dos dedos dentro chocaram-na. Ela foi puxada violentamente, arrastada com rapidez até a porta de trás, jogada dentro do carro, ocupando todo o banco. O frio atrás dela se extinguiu quando a porta foi fechada. Andrea ficou deitada, em choque, sem entender bem o que tinha acabado de acontecer.

O carro balançou quando a figura se sentou no banco do passageiro e fechou a porta. O mecanismo que travava as portas fez um clique e zumbiu. Andrea escutou o porta-luvas abrir, um farfalhar e depois ele foi fechado com força. O carro balançou novamente quando a figura passou pelo espaço entre os bancos da frente e se sentou com força sobre as costas de Andrea, expulsando-lhe o ar dos pulmões. Momentos depois, os pulsos dela foram envolvidos por uma tira fina de plástico, fazendo com que ficassem amarrados com firmeza nas costas, cortando sua pele. A figura movimentou-se, com rapidez e agilidade, até a parte de baixo do corpo dela, e coxas musculosas começaram a pressionar seus pulsos amarrados. A dor em seu tornozelo torcido aumentou quando uma grossa fita foi desenrolada com um som vibrante e seus pés foram presos. Ela sentiu um forte cheiro de odorizador de ar de pinho misturado com um penetrante odor de cobre e se deu conta de que seu nariz estava sangrando.

Um lampejo de raiva desencadeou em Andrea uma onda de adrenalina, estimulando sua mente.

– Que porra é essa que você está fazendo? – começou ela. – Vou gritar. Você sabe que eu grito alto pra cacete!

Mas a figura deu meia volta, agora com os joelhos nas costas de Andrea, forçando o ar para fora da garota. Com o canto do olho, ela viu uma sombra se mover, e algo duro e pesado veio abaixo na parte de trás de sua cabeça. Ela sentiu uma nova dor e estrelas irromperam em frente aos seus olhos. O braço levantou-se novamente, desceu esmagador e, em seguida, tudo ficou preto.

A rua permaneceu silenciosa e vazia, e as primeiras partículas de neve começaram a cair, rodopiando preguiçosas antes de atingirem o chão. O carro, elegante e de janelas fumê, arrancou quase sem fazer barulho e deslizou noite adentro.

CAPÍTULO 1

Lee Kinney saiu da pequena casa de esquina onde ainda morava com a mãe e olhou para a rua comercial coberta de branco. Ele tirou o maço de cigarros da calça de moletom e acendeu um. Tinha nevado o fim de semana todo, e a neve continuava caindo, purificando o emaranhado de pegadas e marcas de pneu que já havia no chão. A estação de trem Forest Hill estava silenciosa ao pé da ladeira; os trabalhadores que geralmente passavam apressados por ela, a caminho dos escritórios no centro de Londres, provavelmente ainda estavam enfiados embaixo do edredom, aproveitando uma inesperada manhã na cama com suas outras metades.

Sortudos filhos da mãe.

Lee estava desempregado desde que saiu da escola há seis anos, mas os bons tempos em que vegetava às custas do auxílio desemprego tinham acabado. O novo governo conservador estava tomando medidas duras contra aqueles que estavam desempregados há muito tempo, e agora Lee tinha que trabalhar em tempo integral para receber seu auxílio do governo. Tinham lhe dado um trabalho muito tranquilo como jardineiro municipal no Horniman Museum, só dez minutos a pé de sua casa, onde ele queria ficar naquela manhã, como todo mundo. Porém, não tinha recebido notícia alguma do Jobcentre Plus informando que não precisaria ir trabalhar. Na discussão acalorada que se seguiu naquela manhã, sua mãe disse que se ele não fosse, pararia de receber o auxílio e teria que arranjar outro lugar para morar.

Ele escutou uma batida forte na janela da frente, o rosto espremido da mãe apareceu ali, enxotando-o. Ele levantou o dedo do meio para ela e começou a subir a ladeira.

Quatro bonitas adolescentes caminhavam em sua direção. Elas usavam blazers vermelhos, saias curtas e meias na altura dos joelhos, uniforme da Escola para Meninas de Dulwich. Conversavam entusiasmadas, com seus sotaques refinados, sobre como impediram-nas de entrar na escola, enquanto, simultaneamente, corriam os dedos pelos seus iPhones, com seus característicos fios de fones de ouvido brancos balançando e batendo nos bolsos dos blazers. Elas lotavam a calçada em um bloco e não deram espaço quando Lee passou por elas, por isso ele foi obrigado a descer o meio-fio e pisar em uma lama preta deixada pelo caminhão que joga sal na neve. Ele sentiu a água gelada infiltrar-se na calça de moletom nova, lançando-lhes um olhar de reprovação, mas elas estavam envolvidas demais com a fofoca de sua tribo e gargalhavam aos gritos.

Piranhas ricas arrogantes, ele pensou. Ao chegar ao topo da ladeira, a torre do relógio do Horniman Museum apareceu através dos galhos nus dos ulmeiros. Havia flocos de neve salpicados sobre seus lisos e amarelos tijolos de arenito, grudados neles como pelotas de papel higiênico molhado.

Lee virou à direita em uma rua residencial que se estendia parale-la à cerca de ferro do terreno do museu. A rua era íngreme e as casas ficavam gradativamente mais grandiosas. Ao chegar lá no alto, parou por um momento para recuperar o fôlego. A neve caía em seus olhos, áspera e fria. Dali, em um dia claro, era possível enxergar Londres estendendo-se por quilômetros às margens do Tâmisa até a London Eye, mas naquele dia, uma densa nuvem branca baixou, e Lee conse-guia enxergar apenas a imponente expansão do conjunto habitacional Overhill na ladeira oposta.

O pequeno portão na cerca de ferro estava trancado. O vento soprava horizontalmente, e Lee tremeu em sua calça de moletom. Um pobre coitado, um imprestável, era o responsável pela equipe de jardinagem. Lee devia esperar que o outro aparecesse para deixá-lo entrar, mas a rua estava vazia. Ele olhou ao redor para certificar-se, trepou no portãozinho, entrou no terreno do museu e pegou uma trilha entre duas sebes altas de sempre-vivas.

Protegido do vento uivante, o mundo ao redor parecia inquietante-mente silencioso. A neve ficava mais profunda com rapidez e preenchia suas pegadas ruidosas à medida que atravessava em meio às cercas-vivas. O Horniman Museum e seu terreno ocupavam dezessete acres, e os depósitos em que ficavam os materiais para jardinagem e manuten-ção situavam-se na parte de trás, encostados em um muro alto com o topo curvado. O lugar inteiro era um estonteante borrão branco. Lee perdeu o rumo, chegando a um local mais ao fundo do jardim do que esperava, ao lado da estufa. A construção ornada com ferro forjado e vidro pegou-o de surpresa. Ele retornou, porém após alguns minutos estava novamente em um território desconhecido e se viu em uma encruzilhada no caminho.

Quantas vezes eu já andei por estas porcarias destes jardins?, pensou. Pegou o caminho à direita que levava a um jardim rebaixado. Querubins de mármore posavam sobre plintos de tijolo cobertos de neve. O vento deu um uivo baixo ao soprar em meio a eles e, enquanto Lee passava, teve a sensação de que os pequenos e leitosos olhos vazios dos querubins o estavam observando. Ele parou e levou a mão ao rosto contra o ataque furioso da neve, tentando descobrir o caminho mais rápido até o Centro de Visitantes. A equipe de manutenção do jardim geralmente não tinha permissão para entrar no museu, mas estava congelante, o café poderia estar aberto, e que se foda, ele iria se esquentar como qualquer outro ser humano.

Seu telefone vibrou no bolso, e ele o pegou. Era uma mensagem de texto do Jobcentre Plus informando que "devido ao clima adverso ele não precisaria comparecer ao trabalho". Lee o enfiou novamente no bolso. Teve a impressão de que todos os querubins estavam com a cabeça virada em sua direção. *Estavam viradas para mim antes?* Lee imaginou as cabecinhas peroladas girando lentamente, conferindo seu movimento pelo jardim. Ele sacudiu a cabeça para livrar-se do pensamento e passou apressado pelos olhos vazios, concentrando-se no chão coberto de neve e saindo no silêncio de uma clareira ao redor de um lago desativado que costumava ser usado para passeios de barco.

Ele parou e apertou os olhos enquanto atravessava os flocos rodopiantes. Um descorado barco a remo azul estava parado no centro de um aglomerado oval intacto que tinha se formado no lago congelado. Na ponta oposta do lago ficava uma pequenina cabana de barco, e Lee conseguia enxergar a capa de um velho barco a remo debaixo dos beirais.

A neve infiltrava na calça de moletom já molhada e, apesar da jaqueta, o frio espalhava-se ao redor de suas costelas. Ele sentiu vergonha ao se dar conta de que estava realmente com medo. Precisava achar o caminho para sair dali. Se voltasse pelo jardim rebaixado, conseguiria encontrar a passagem pelo contorno do terreno e sair na London Road. O posto de gasolina estaria aberto e ele poderia comprar mais cigarros e alguns chocolates.

Estava prestes a se virar quando um barulho quebrou o silêncio. Foi baixinho e distorcido, vindo da direção da cabana de barco.

– Ei! Quem está aí? – gritou ele, com uma voz que saiu fina e apavorada. Foi somente quando o barulho cessou e, segundos depois, começou a se repetir, que Lee se deu conta de que era o toque de um celular e que poderia ser de algum de seus colegas de trabalho.

Por causa da neve, ele não conseguia dizer onde a trilha terminava e a água começava, então, permanecendo perto da faixa de árvores que se enfileiravam à margem do lago, Lee cuidadosamente deu a volta na direção do toque do telefone. Era uma música desesperadamente suave, e à medida que se aproximava ele conseguia escutar que o som vinha da cabana.

Ele esticou a mão até o telhado baixo e, agachando-se, viu um clarão iluminando a penumbra atrás do pequeno barco. O toque do telefone parou, e segundos depois a luz se apagou. Lee estava aliviado por ser só um telefone. Drogados e vagabundos regularmente pulavam o muro à noite, e a equipe de jardinagem vivia achando carteiras vazias – dispensadas depois que o dinheiro e os cartões tinham sido tirados –, camisinhas usadas e agulhas. O telefone provavelmente havia sido dispensado... *mas por que jogar fora um telefone? Com certeza a pessoa só o descartaria se fosse muito fodido...* pensou Lee.

Ele deu a volta no pequeno ancoradouro. Os mourões de um píer bem reduzido atravessavam a neve e o píer continuava sob o telhado baixo da cabana de barco. Onde a neve não conseguia chegar, Lee percebeu que a madeira estava podre. Moveu-se lenta e cuidadosamente ao longo do píer e inclinou-se para ficar sob o beiral do telhado baixo. A madeira acima da cabeça dele estava podre e lascada, e teias de aranha penduravam-se aos tufos. Ele estava agora ao lado do barco a remo e conseguia ver que, do outro lado da cabana, em uma saliência de madeira, havia um iPhone.

Um entusiasmo subiu-lhe pelo peito. Poderia vender um iPhone lá no pub, na boa. Deu um empurrão no barco com o pé, mas ele não se moveu; a água congelada estava sólida ao redor dele. Passou pela proa e parou do outro lado do píer. Agachou-se apoiando nos joelhos, inclinou-se para a frente e, usando a manga do casaco, limpou uma camada fina de neve, deixando o gelo espesso exposto. A água debaixo dele estava muito clara, e lá nas profundezas ele conseguiu distinguir dois peixes, salpicados de manchas vermelhas e pretas, nadando preguiçosamente. De onde eles estavam, uma fileira de pequeninas bolhas subiu; elas chegaram à superfície interior do gelo e afastaram-se rolando em direções opostas.

O celular começou a tocar novamente, e ele pulou, o que quase o fez escorregar da ponta do píer. O toque piegas ressoou no telhado. Agora, ele conseguia ver claramente o iPhone encostado na parede oposta da cabana, caído de lado em uma borda de madeira logo acima da linha d'água congelada. Tinha uma capa adornada com brilhos cintilantes. Lee foi até o barco a remo e pôs uma perna dentro dele. Apoiou o pé no banco de madeira e verificou se aguentava o peso, ainda mantendo o outro pé no píer. O barco não se moveu.

Ele levantou a outra perna e entrou no barco, porém, mesmo ali, o iPhone estava fora de seu alcance. Estimulado pela ideia de um grosso maço de cédulas dobradas no bolso da calça de moletom, Lee alçou a perna por cima do outro lado do barco e hesitantemente apoiou o pé no gelo. Segurando na beirada do barco, fez força, arriscando molhar o pé. O gelo aguentou. Ele saiu do barco, colocou o outro pé no gelo, e ficou atento a um rangido revelador de tensão e fraqueza. Nada. Deu um pequeno passo, depois outro. Era como caminhar sobre um chão de concreto.

Os beirais do telhado de madeira eram inclinados para baixo. Para chegar ao iPhone, Lee teria que ficar agachado.

Enquanto se abaixava, a luz da tela iluminou o interior da cabana. Lee reparou algumas garrafas de plástico e um pouco de lixo atravessando o gelo, depois algo o fez parar... Parecia a ponta de um dedo.

Com o coração disparado, ele esticou a mão e apertou-o gentilmente. Estava frio e borrachudo. Havia geada agarrada na unha, que estava pintada de roxo escuro. Ele puxou a manga de seu casaco, colocando-a por cima da mão, e esfregou o gelo ao redor dele. A luz do iPhone lançou um verde sombrio sobre a superfície congelada, e logo abaixo ele viu uma mão esticada na direção de onde o dedo atravessava o gelo. O que devia ser um braço, desaparecia na direção das profundezas.

O telefone parou de tocar e o som foi substituído por um silêncio ensurdecedor. Então ele viu. Exatamente debaixo de onde tinha agachado estava o rosto de uma garota. Seus inchados e leitosos olhos castanhos inexpressivos encaravam-no. Uma mecha emaranhada de cabelo escuro estava fundida ao gelo. Um peixe passou nadando lentamente com o rabo roçando os lábios da garota, que, abertos, davam a impressão de que ela estava prestes a falar.

Lee recuou dando um grito, levantou em um pulo e bateu a cabeça no teto baixo da cabana. Ele ricocheteou, caindo de volta no gelo, com as pernas escorregando.

Ficou deitado por um momento, atordoado. Depois escutou um som baixo de rangidos e estalos. Em pânico, ficou movimentando e esfregando desesperadamente as pernas que escorregavam no gelo, tentando se levantar, para ficar o mais longe que conseguisse da garota morta. Mas, desta vez, ele afundou no gelo e caiu dentro da água gelada. Sentiu os braços moles da garota entrelaçarem-se aos seus, a pele fria e viscosa encostar na sua. Quanto mais lutava, mais os membros deles se enroscavam. O frio era cortante. Ele engolia água suja, chutava e agitava os braços. De alguma maneira, conseguiu erguer-se até a beirada do barco a remo. Ele se ergueu e vomitou, desejando ter alcançado o telefone, mas a ideia de vendê-lo havia desaparecido.

A única coisa que queria agora era ligar para pedir ajuda.

CAPÍTULO 2

Erika Foster estava esperando havia meia hora na encardida recepção da Delegacia de Polícia Lewisham Row. Ela se ajeitou desconfortavelmente em uma cadeira de plástico que fazia parte de uma fileira de assentos parafusados no chão. Estavam sem cor mas brilhavam, polidos durante anos por bundas ansiosas e culpadas. Através de uma janela grande bem acima do estacionamento, o anel viário, um prédio comercial cinza e um centro comercial mal podiam ser vistos, por causa da nevasca. Uma trilha de lama derretida escorria diagonalmente da entrada até o balcão da recepção, onde ficava o sargento de serviço, que observava seu computador com olhos turvos. Ele tinha um papo debaixo do queixo, estava cutucando os dentes e ocasionalmente tirava o dedo para inspecionar os achados antes de sapecá-lo novamente na boca.

– O chefe não deve demorar – comentou ele.

Seus olhos percorreram Erika de cima a baixo, notando o corpo magro coberto por uma calça jeans desbotada, uma blusa de lã e uma jaqueta roxa. O olhar dele parou na pequena mala com rodinhas aos pés dela. Erika olhou para ele, e ambos desviaram o olhar. A parede atrás dela era uma confusão de posters com informações públicas. "NÃO SEJA VÍTIMA DE CRIME!", declarava um, o que Erika achava ser uma coisa muito idiota de se colocar na recepção de uma delegacia nos arredores de Londres.

Uma porta ao lado do balcão da recepção fez um zumbido e o Superintendente Marsh foi até a recepção. Seu cabelo bem curto tinha ficado grisalho nos dez anos desde que Erika o havia visto pela última vez, mas, apesar de seu rosto exausto, ele ainda era bonito. Erika levantou-se e apertou-lhe a mão.

– Detetive Foster, desculpe por te fazer esperar. Como foi o voo? – perguntou ele, levando em consideração aquilo que ela estava vestindo.

– Atrasou, senhor... Por isso o modelito civil – respondeu ela se justificando.

– Essa porcaria dessa neve não poderia ter chegado em pior hora – reclamou Marsh. – Sargento Woolf, esta é a Detetive Inspetora Chefe Foster; ela veio de Manchester para se juntar a nós. Preciso que consiga um carro para ela o mais rápido possível...

– Sim, senhor – disse Woolf concordando com um gesto de cabeça.

– E vou precisar de um telefone – completou Erika. – Preferencialmente alguma coisa mais antiga, com botões de verdade. Odeio *touch screen*.

– Vamos começar – disse Marsh. Ele passou sua identificação e a porta zumbiu, clicou e abriu.

– Vaca convencida – resmungou Woolf, depois que eles passaram e a porta fechou.

Erika seguiu Marsh por um comprido e baixo corredor. Telefones tocavam e policiais uniformizados e funcionários de apoio movimentavam-se apressadamente na direção contrária com seus tensos e impacientes rostos pálidos de janeiro. Os dois deixaram para trás apostas de futebol pregadas na parede e, segundos depois, em um mural de avisos idêntico, havia fileiras de fotos com o título: MORTOS NO CUMPRIMENTO DO DEVER. Erika fechou os olhos e abriu-os apenas quando estava confiante de que tinha passado por ele. Ela quase trombou em Marsh, que tinha parado na frente de uma porta em que estava escrito: SALA DE INVESTIGAÇÃO. Pelas venezianas entreabertas nas divisórias de vidro, ela via que a sala estava cheia. O medo rastejou-lhe garganta acima e ela estava suando por baixo da grossa jaqueta. Marsh agarrou a maçaneta da porta.

– Chefe, o senhor ia me *brifar* antes – começou ela.

– Não temos tempo – ele contestou. Antes de Erika ter a chance de responder, Marsh já tinha aberto a porta e indicado que ela deveria entrar primeiro.

A sala de investigação era grande e aberta, e os mais de vinte policiais ficaram em silêncio, seus rostos ansiosos banhados pela inóspita claridade das lâmpadas fluorescentes. As divisórias de vidro dos dois lados estavam posicionadas de frente para corredores, e ao longo de um dos lados estava um monte de impressoras e fotocopiadoras. Havia trilhas sinalizadas pelo desgaste do carpete fino em frente a elas e entre as mesas, até os quadros-brancos que forravam a parede dos fundos. Quando Marsh avançou na frente dela com passos firmes, Erika rapidamente pôs sua mala ao lado de uma fotocopiadora que soltava papel aos montes. Ela empoleirou-se em uma mesa.

– Bom dia pra todo mundo – cumprimentou Marsh. – Como todos nós sabemos, há quatro dias, foi feita a queixa do desaparecimento de Andrea Douglas-Brown, de 23 anos. Em seguida, o que a mídia fez foi desencadear uma tempestade de merda. Hoje de manhã, logo depois das 9h, o corpo de uma jovem com características que batiam com as de Andrea foi encontrado no Horniman Museum, em Forest Hill. A identificação preliminar mostra que o celular encontrado no local está em nome de Andrea, só que ainda precisamos de uma identificação formal. A perícia forense está a caminho, mas tudo fica mais lento por causa da porcaria da neve...

Um telefone começou a tocar. Marsh parou de falar. Ele continuou tocando.

– Cacete, pessoal, isto aqui é uma sala de investigação. Atende a porcaria desse telefone!

Um policial no fundo o pegou e começou a falar baixinho.

– Se a identidade estiver correta, estamos lidando com o assassinato de uma jovem ligada a uma família muito poderosa e influente, nós precisamos estar sempre à frente neste esquema. À frente da imprensa, para ser mais específico. O nosso está na reta.

Os jornais do dia estavam sobre uma mesa em frente a Erika. As manchetes berravam: FILHA DE IMPORTANTE NOBRE DO PARTIDO TRABALHISTA DESAPARECE e SEQUESTRO DE ANDIE É UMA TRAMA DE HORROR? O terceiro era o mais chamativo, tinha uma foto de página inteira de Andrea sob a manchete: MORTA?

– Esta é a Detetive Inspetora Chefe Foster. Ela veio da Polícia Metropolitana de Manchester para se juntar a nós – terminou Marsh. Erika sentiu todos os olhos da sala virarem-se para ela.

– Bom dia a todos, é um prazer estar... – começou Erika, mas um policial de cabelo preto oleoso a interrompeu.

– Superintendente, eu estava no caso Douglas-Brown quando ela foi considerada desaparecida e...

– E o quê, Detetive Sparks? – questionou Marsh.

– E a minha equipe está trabalhando dia e noite. Estou seguindo várias pistas. Estou em contato com a família...

– A Detetive Foster tem uma ampla experiência em casos delicados de assassinato...

– Mas...

– Sparks, isto não é uma discussão. A Detetive Foster vai, a partir de agora, assumir o comando disto... Ela vai chegar com tudo, mas eu sei que você vai dar a ela o seu melhor – disse Marsh.

Houve um silêncio constrangedor. Sparks recostou-se na cadeira e lançou um olhar de desgosto para Erika. Ela manteve seu olhar fixo e se recusou a desviá-lo.

Marsh prosseguiu:

– E é boca fechada, pessoal. Estou falando sério. Nada de imprensa, nada de fofoca. Okay?

Os policiais murmuraram em consentimento.

– Detetive Foster, na minha sala.

Erika ficou parada no escritório de Marsh, no último andar, enquanto ele vasculhava pilhas de documentos na mesa. Ela olhou pela janela, que proporcionava uma vista mais abrangente de Lewisham. Além do centro comercial e da estação de trem, fileiras irregulares de casas iguais grudadas umas às outras, feitas com tijolos vermelhos, estendiam-se na direção de Blackheath. A sala de Marsh não era um convencional escritório de superintendente. Não havia carros em miniatura enfileirados no peitoril da janela, nenhum porta-retratos da família nas prateleiras. A mesa dele era uma bagunça de documentos aglomerados em pilhas altas, e um conjunto de prateleiras ao lado da janela dava a impressão de ser usado para arquivar o excesso, enfiado à força ali, juntamente com pastas lotadas, correspondências que não foram abertas, cartões de Natal antigos e post-its enrolados, cobertos com anotações em caligrafia comprida e fina. Em um canto, o uniforme cerimonial e o quepe estavam dependurados em uma cadeira, e por cima da calça amarrotada, seu Blackberry piscava uma luzinha vermelha enquanto carregava. Era uma estranha mistura de quarto de garoto adolescente com uma autoridade importante.

Marsh finalmente localizou um pequeno envelope almofadado e o entregou a Erika. Ela rasgou a ponta e pegou a carteira com o distintivo e a identificação.

– Então, de repente, de plebeia eu viro princesa? – disse ela, virando o distintivo na mão.

– Isto não é sobre você, Detetive Foster. Deveria estar satisfeita – disse Marsh, dando a volta e afundando na cadeira.

– Senhor, me disseram, em termos inequívocos, que quando eu retornasse ao serviço, teria tarefas administrativas por no mínimo seis meses.

Marsh gesticulou para que ela se sentasse na cadeira em frente.

– Foster, quando liguei para você, este caso era de uma pessoa desaparecida. Agora estamos investigando um assassinato. Preciso lembrar a você quem o pai dela é?

– O Lorde Douglas-Brown. Ele não foi um dos principais fornecedores durante a Guerra do Iraque? Ao mesmo tempo em que fazia parte do gabinete ministerial?

– Isto não tem a ver com política.

– Desde quando eu me importo com política, senhor?

– Andrea Douglas-Brown desapareceu na minha área. O Lorde Douglas-Brown tem feito uma pressão enorme. Ele é um homem influente que pode fazer carreiras deslancharem ou despencarem. Tive uma reunião com um comissário assistente e alguém da porcaria do gabinete ministerial hoje no final da manhã...

– Então isto tem a ver com a *sua* carreira?

Marsh disparou o olhar na direção dela.

– Preciso da identidade desse corpo e de um suspeito. Rápido.

– Sim, senhor – hesitou Erika. – Posso perguntar por que eu? O plano é me envolver para que eu seja a primeira a cair? Depois o Sparks chega para arrumar a confusão e vira herói? Porque eu mereço saber se...

– A mãe da Andrea é eslovaca. Assim como você... Achei que isso poderia ajudar as coisas, um policial com quem a mãe dela pudesse se identificar.

– Então é uma boa estratégia de relações públicas me colocar no caso?

– Se você quiser enxergar desse jeito. Eu também sei que você é uma policial extraordinária. Recentemente, você teve problemas, sim, mas as suas conquistas são muito mais brilhantes do que aquilo que...

– Não precisa puxar saco, senhor – disse Erika.

– Foster, se tem uma coisa que você nunca dominou é a politicagem envolvida na polícia. Se você tivesse feito isso, poderíamos estar sentados em lados opostos agora.

– É. Bom, eu tenho princípios – afirmou Erika, lançando-lhe um olhar duro. Houve silêncio.

– Erika... Eu te coloquei nisso porque acho que você merece uma trégua. Não morra pela boca antes mesmo de começar o trabalho.

– Sim, senhor – respondeu ela.

– Agora vá pra cena do crime. Me passe as informações no segundo em que souber de alguma coisa. Se aquela é Andrea Douglas-Brown, vamos precisar de uma identificação formal da família.

Erika se levantou e se preparou para ir embora. Marsh continuou, com a voz mais macia:

– Não tive a oportunidade, no funeral, de te dizer o quanto eu senti pelo Mark... Ele era um excelente policial, e um amigo.

– Obrigada, senhor. – Erika olhou para o carpete. Ainda era difícil escutar o nome dele. Ela esforçou-se para não chorar.

Marsh limpou a garganta e retomou seu tom profissional:

– Sei que posso contar com você para conseguir uma condenação rápida neste caso. Quero que me mantenha informado sobre todos os passos que forem dados.

– Sim, senhor – disse Erika.

– E, Detetive Foster...

– Sim, senhor.

– Troque esse modelito civil.

CAPÍTULO 3

Erika encontrou o vestiário feminino, e, trabalhando rápido, vestiu o esquecido, mas familiar, conjunto de calça preta, blusa branca, suéter escuro e jaqueta de couro.

Ela estava enfiando suas roupas civis no armário quando viu o *Daily Mail* amassado na ponta de um dos compridos bancos de madeira. Puxou-o para perto de si e o desamassou. Debaixo da manchete FILHA DE IMPORTANTE NOBRE DO PARTIDO TRABALHISTA DESAPARECE, havia uma grande foto de Andrea Douglas-Brown. Ela era bonita e refinada, tinha cabelos castanhos e compridos, lábios volumosos e brilhantes, e olhos castanhos. A pele era bronzeada, a parte superior do seu biquíni era bem econômica, e ela estava com os ombros para trás para salientar os seios. Ela olhava para a câmera com uma expressão intensa e confiante. A foto tinha sido tirada em um iate, atrás dela o céu era de um azul quente, e o sol chispava no mar. Andrea estava sendo comprimida em ambos os lados por largos e poderosos ombros masculinos, um mais alto, outro mais baixo – o restante de quem quer que eles fossem tinha sido cortado.

O *Daily Mail* descrevia Andrea como uma "aspirante a socialite", o que Erika tinha certeza que a jovem não teria gostado se pudesse ler a matéria, mas ele privava-se de chamá-la de "Andie", como outros tabloides tinham feito. O jornal tinha conversado com os pais dela, Lorde e Lady Douglas-Brown, e com o noivo dela, e todos haviam suplicado para que ela entrasse em contato com eles.

Erika apalpou a jaqueta de couro e encontrou seu bloco de notas, ainda ali, depois de todos aqueles meses. Ela anotou o nome do noivo, um tal de Giles Osborne, e escreveu: A Andrea fugiu? Olhou para a anotação por um momento, depois rabiscou-a furiosamente, rasgando o papel. Enfiou o caderninho com força no bolso de trás da calça e estava colocando a identificação no outro bolso vazio, mas parou, sentindo-a na mão por um momento: um peso familiar, a carteira de couro estava curva depois de anos guardada junto à sua nádega, no bolso de trás da calça.

Erika foi até um espelho acima de uma fileira de pias, abriu a carteira com um movimento brusco e ficou segurando-a diante de si. A foto na identificação era de uma mulher confiante, com o cabelo loiro penteado para trás e que encarava a câmera desafiadoramente. A mulher segurando a carteira que olhava para ela era esquelética e pálida. Seu cabelo loiro saía da cabeça aos tufos com as raízes grisalhas à mostra. Erika se viu tremer por um momento, depois fechou a carteira com a identificação.

Faria um requerimento para tirar uma foto nova.

CAPÍTULO 4

O Sargento Woolf estava aguardando no corredor quando Erika saiu do vestiário feminino. Caminhando desengonçadamente ao lado dela, percebeu que a detetive era um palmo mais alta do que ele.

– Aqui está o seu telefone; já está carregado e pronto pra usar – disse, entregando a ela um saco plástico transparente com um telefone e um carregador de celular. – O carro vai estar pronto pra você depois do almoço.

– E você não conseguiu nada com botão? – repreendeu ela ao ver um smartphone através do plástico.

– Tem botão de ligar e desligar – cutucou ele.

– Quando o meu carro chegar, você coloca isso no porta-malas? – disse ela, referindo-se à sua mala de rodinhas. Ela passou por ele e entrou na sala de investigações. A conversa silenciou. Uma mulher baixa e gordinha aproximou-se dela e disse:

– Sou a Detetive Moss. Estamos tentando encontrar uma sala pra você.

A mulher tinha cabelo crespo e ruivo, e o rosto dela era tão salpicado de sardas que elas agrupavam-se em manchas. Ela prosseguiu:

– Todas as informações estão indo para os quadros assim que chegam e eu vou deixar cópias na sua sala quando...

– Uma mesa está ótimo – disse Erika. Ela aproximou-se dos quadros-brancos, onde havia um grande mapa do terreno do Horniman Museum e, abaixo dele, uma imagem de uma câmera de segurança.

– Esta é a última foto dela de que se tem notícia, tirada na estação London Bridge, embarcando no trem das 20h47 para Forest Hill – informou Moss, em seguida.

Na imagem, Andrea estava subindo no vagão do trem com uma perna nua bem torneada. A expressão fixa em seu rosto era de raiva. Estava vestida para arrasar, de jaqueta de couro apertada sobre um vestido preto curto, com sapatos de salto alto rosa e uma bolsa *clutch* que combinava com eles.

– Ela estava sozinha quando embarcou no trem? – perguntou Erika.

– Estava... tenho aqui o vídeo de segurança de onde tirei a imagem – informou Moss, pegando um notebook e reaproximando-se de Erika. Ela o equilibrou sobre uma pilha de arquivos e maximizou a janela de um vídeo. Assistiram a uma imagem da plataforma do trem vista de lado. Andrea atravessou a imagem e entrou no vagão do trem. Durou apenas alguns segundos, depois Moss fez com que o vídeo ficasse se repetindo.

– Ela parecia estar muito puta mesmo – comentou Erika.

– É. Como se estivesse indo dar na cara de alguém – concordou Moss.

– Onde estava o noivo dela?

– Ele tem um álibi sólido, estava em um evento no centro de Londres.

Repetidas vezes, elas observaram Andrea mover-se através da plataforma e entrar no trem. Era a única pessoa no vídeo; o restante do lugar estava vazio.

– Esse é o nosso comandante, Sargento Crane – informou Moss, apontando para um jovem com o cabelo loiro bem curto que estava simultaneamente ao telefone, vasculhando arquivos e socando uma barra inteira de Mars na boca. Ele tentou engolir a maior parte que conseguia. Pelo canto do olho, Erika viu Sparks desligando o telefone. Ele vestiu o casaco e foi para a porta.

– Aonde você está indo? – perguntou ela. Sparks parou e se virou.

– A perícia acabou de liberar a cena do crime. Caso tenha se esquecido, precisamos de uma identificação rápida, chefe.

– Gostaria que você ficasse aqui, Sparks. Detetive Moss, você vem comigo hoje... e você, qual é o seu nome? – perguntou ela a um policial negro, alto e bonito que estava atendendo a uma ligação em uma mesa ao lado.

– Detetive Peterson – respondeu ele cobrindo o telefone.

– Okay, Detetive Peterson. Você também vem comigo.

– É para eu fazer o que, então? Fico aqui rodopiando os polegares? – reclamou Sparks.

– Não. Preciso de acesso a todas as coberturas das câmeras de segurança do Horniman Museum e das ruas ao redor dele...

– Nós temos isso – interrompeu ele.

– Não, eu quero que você amplie a abordagem e consiga tudo nas 48 horas anteriores ao desaparecimento de Andrea e tudo desde então, e quero um porta a porta ao redor do museu. Também preciso de absolutamente tudo o que você conseguir sobre a Andrea. Família, amigos, puxe detalhes bancários, registros telefônicos e médicos, e-mails e redes sociais. Quem gostava dela? Quem a odiava? Quero saber tudo. Ela tinha computador, notebook? Devia ter, e eu o quero.

– Me falaram que eu não podia pegar o notebook dela; o Lorde Douglas-Brown foi muito específico... – começou Sparks.

– É, e eu estou falando para você pegar o notebook.

A sala de investigação ficou em silêncio. Erika prosseguiu:

– E ninguém, repito, ninguém fala com a imprensa nem compartilha nada em hipótese alguma. Vocês me ouviram? Não quero que falem nem "sem comentários". Bocas fechadas... Isso é o suficiente para te deixar ocupado, Detetive Sparks?

– É – respondeu ele, encarando-a com raiva.

– E, Crane, você vai fazer com que a sala de investigação funcione perfeitamente?

– Já estou trabalhando nisso – disse ele engolindo o resto da barra de chocolate.

– Bom. A gente se reúne aqui às 16h.

Erika saiu, seguida por Moss e Peterson. Sparks jogou seu casaco na cadeira.

– Piranha – xingou entredentes e sentou-se em frente ao computador.

CAPÍTULO 5

Moss olhava por cima do volante para a rua cheia de neve à frente. Erika estava sentada ao lado dela, no banco do passageiro, e Peterson ia atrás. O silêncio constrangedor era quebrado periodicamente pelos limpadores de para-brisa, assoviando e guinchando ao passarem pelo vidro, e parecia que estavam ficando cobertos com coco ralado. South London era uma paleta de tons de cinza sujo. Fileiras de casas decadentes grudadas umas nas outras iam ficando para trás, seus jardins tinham sido cimentados para transformarem-se em estacionamento. Os únicos pontos coloridos eram os latões de lixo com rodinhas colocados do lado de fora em grupos pretos, verdes e azuis.

A rua fez uma curva fechada para a esquerda, e eles pararam atrás de uma fileira de carros que se estendia por toda a primeira curva de mão única da Catford Giratory. Moss ligou a sirene, e os carros começaram a subir na calçada para que eles pudessem passar. O aquecedor da viatura estava estragado, o que deu a Erika uma boa desculpa para manter as mãos trêmulas bem enfiadas nos bolsos da comprida jaqueta, com a esperança de que fosse a fome que estivesse deixando-as assim, e não a pressão do trabalho que tinha pela frente. Ela viu um pacote de tirinhas de doce de alcaçuz vermelho enfiado em um vão debaixo do rádio.

— Posso pegar um? — pediu ela, quebrando o desconfortável silêncio.

— Claro, vai nessa — disse Moss. Ela enfiou o pé e eles aceleraram por uma brecha no trânsito, com as rodas de trás derrapando para o lado na rua congelada. Erika pegou uma tirinha no pacote, empurrou-a para dentro da boca e mastigou. Pôs os olhos em Peterson pelo retrovisor. Ele estava debruçado com atenção sobre um iPad. Era alto, magro e tinha um rosto oval de menino. Ele a fazia lembrar-se de um soldadinho de madeira. Peterson levantou a cabeça e capturou o olhar dela.

— Então... O que vocês me contam sobre Andrea Douglas-Brown? — perguntou Erika, engolindo o doce de alcaçuz e pegando outro.

– O superintendente não te *brifou*, chefe? – perguntou Peterson.

– *Brifou*, sim. Mas imagine que não tenha *brifado*. Eu abordo todos os casos partindo do pressuposto de que não sei de nada; vocês ficariam surpresos com a quantidade de novos *insights* que surgem.

– Ela tinha 23 anos – começou Peterson.

– Ela trabalhava?

– Não tem histórico de emprego...

– Por quê?

Peterson deu de ombros e disse:

– Não precisava trabalhar. O Lorde Douglas-Brown é dono da SamTeck, uma empresa de segurança privada. Desenvolvem GPS e *softwares* para o governo. Na última avaliação, ela valia trinta milhões.

– Tinha irmãos? – perguntou Erika.

– Sim, ela tem um irmão mais novo, David, e uma irmã mais velha, Linda.

– Então pode-se dizer que Andrea e seus irmãos são filhinhos de papai? – perguntou Erika.

– Sim e não. A irmã, Linda, trabalha, embora seja para a mãe. Lady Douglas-Brown é dona de uma floricultura chique. David está na universidade fazendo mestrado.

Eles chegaram à rua principal de Catford, de onde a neve havia sido retirada e o trânsito movia-se normalmente. Passaram por lojas barateiras, financeiras e mercados com produtos exóticos em pilhas altas que ameaçavam despencar nas calçadas cheias de neve lamacenta.

– E o noivo da Andrea, Giles Osborne?

– Eles vão... eles *iam* fazer um casamento dos grandes no verão – disse Moss.

– O que ele faz? – Perguntou Erika.

– Administra uma empresa de eventos, coisa de primeira, como a Henley Regatta, lançamentos de produtos, casamentos da alta sociedade...

– Andrea morava com ele?

– Não. Ela morava na casa dos pais, em Chiswick.

– É em West London, né? – perguntou Erika.

Peterson confirmou com um gesto de cabeça pelo retrovisor.

Moss prosseguiu:

– Você tem que ver o lugar onde eles moram. Juntaram quatro casas, escavaram os porões; deve valer milhões.

Eles passaram por uma loja Topps Tiles que parecia estar fechada, o estacionamento dela era um quadrado de neve grande e vazio. Depois, por um Harvester Restaurant onde uma árvore de Natal alta estava sendo lentamente enfiada em um triturador de madeira por um homem com protetores de orelha. Um conjunto de pubs decrépitos entrava aos poucos no campo de visão dos policiais. Em frente a um dos bares, chamado The Stag, uma mulher de olhos fundos escorada em uma porta verde descascada fumava um cigarro. Ao lado dela, um cachorro enfiava a cabeça em um saco de lixo, e a calçada com neve estava coberta de comida velha.

– Mas então o que diabos Andrea Douglas-Brown estava fazendo aqui sozinha? Um pouco fora de mão para filha de um milionário que mora em Chiswick, não é? – indagou Erika.

Uma rajada de neve envolveu brevemente o carro e, quando foi limpa, o Horniman Museum ficou à vista. O edifício de arenito era ladeado por iúcas e palmeiras, que, endurecidas pela neve, pareciam fora de lugar. Moss diminuiu a velocidade do carro ao chegar no portão de ferro e parou ao lado de um guarda. Erika baixou o vidro, ele curvou-se e apoiou a mão coberta por uma luva de couro na porta. A neve rodopiava carro adentro e grudava no acolchoado interno da porta. Erika mostrou a identificação.

– Peguem a próxima à esquerda. É um subidão. Nós mandamos um caminhão limpar a neve lá, mas vai devagar – alertou ele. Erika acenou com a cabeça e fechou o vidro. Moss entrou à esquerda e eles começaram a subir o morro. Ao se aproximarem do topo, enxergaram uma barreira na estrada, vigiada por outro guarda. Na calçada, do lado esquerdo da fita policial, havia um grupo de jornalistas bem-agasalhados? Eles demonstraram interesse na chegada do carro de polícia, e flashes de câmeras ricochetearam no para-brisa.

– Sai fora – rosnou Moss enquanto tentava engatar a terceira marcha. A caixa arranhou ruidosamente e a viatura deu uma guinada para a frente antes de derrapar. – Merda! – gritou, agarrando o volante. Ela afundou o pé no freio, mas eles continuaram a deslizar. Pelo retrovisor, Erika via a rua desaparecer gradualmente atrás deles. Os fotógrafos reagiram ao drama e dispararam mais flashes.

– Vira pra esquerda de uma vez, agora! – gritou Peterson, abaixando rapidamente a janela e esticando o pescoço para o lado. Erika agarrou o painel. Moss inclinou-se na direção do volante, conseguindo fazer a viatura parar de deslizar e foi guiando-a para uma vaga sem neve no meio-fio, que tinha sido recentemente desocupada. As rodas firmaram-se no asfalto descoberto e eles derraparam até parar na vaga.

– Isso foi pura sorte – disse Peterson, dando um sorriso seco. A neve entrava pela janela e grudava em seus curtos cachos.

– Isso foi pura neve, cacete – xingou Moss, respirando fundo.

Erika tirou o cinto de segurança, constrangida por sentir as pernas tremendo. Todos saíram do carro enquanto os fotógrafos zoavam às gargalhadas e ao mesmo tempo perguntavam aos berros sobre a identidade do cadáver. A neve passava voando horizontalmente por eles enquanto sacavam suas identificações. A fita foi levantada para deixá-los passar. Quando Erika estava passando embaixo dela, sentiu-se satisfeita por estar de volta, a fita da polícia sendo levantada para ela, a sensação do distintivo na mão novamente. Outro guarda direcionou-os para o portão de ferro que dava acesso ao terreno do museu.

Uma enorme tenda branca da perícia forense cobria o ancoradouro, e a base dela estava ficando manchada por causa da neve revirada. Um dos assistentes na cena do crime estava de macacão aguardando Erika, Moss e Peterson, que vestiram roupas adequadas antes de entrarem.

Holofotes dentro da tenda estavam acesos na neve e iluminavam a madeira podre do telhado baixo. Eles espiaram onde três peritos forenses estavam dando assistência ao responsável pela cena do crime e escovavam cada centímetro do interior. Um barco a remo brilhava sobre o pequeno píer de madeira, e um mergulhador da polícia, lustroso em sua roupa preta, emergiu do lago gelado espirrando água e trazendo consigo um cheiro morno e bilioso. Lixo e névoa o rodeavam, onde nacos de gelo derretiam sob a claridade das luzes.

– Detetive Foster – disse uma voz masculina rouca.

Erika teve que erguer a cabeça para olhar para a alta figura que surgiu de trás do ancoradouro. Ele puxou a máscara para baixo, revelando um rosto orgulhoso e bonito, com grandes olhos escuros. Suas sobrancelhas eram pinçadíssimas, o que resultava em duas linhas imaculadas.

– Sou Isaac Strong, patologista forense – apresentou-se. – Conheço a Moss e o Peterson – completou.

Ambos o cumprimentaram com um gesto de cabeça. Ele fez com que dessem a volta pela parede externa do ancoradouro, e chegaram a uma maca de metal, posicionada de comprido na parte de trás da tenda. A garota morta estava nua sobre ela, exceto por um vestido rasgado e enlameado, embolado ao redor da cintura. Abaixo dele, tiras rasgadas de uma calcinha preta. Seus lábios volumosos estavam ligeiramente abertos, e um de seus dentes da frente, quebrado perto da gengiva. Os olhos arregalados encaravam com um olhar leitoso e seu cabelo comprido emaranhava-se a folhas e detritos da água.

– É ela, não é? – perguntou Erika em voz baixa. Moss e Peterson fizeram que sim.

– Okay – disse Isaac, quebrando o silêncio. – O corpo foi encontrado congelado no gelo. Neste estágio inicial eu arriscaria, e repito, *arriscaria*, dizer que ela está na água por pelo menos 72 horas. A temperatura ficou abaixo de zero três dias atrás. Além disso, o celular dela ainda estava funcionando quando foi encontrada; um jovem que trabalha aqui o ouviu tocando.

Ele entregou a Erika um iPhone, salpicado com cristais Swarovski, ensacado em um plástico transparente.

– A gente sabe quem estava ligando? – perguntou Erika, agarrando-se à ideia de que essa poderia ser uma pista inicial.

– Não. A bateria acabou pouco depois que nós o retiramos da água. Usamos os procedimentos para detectar digitais, mas ele está uma sujeira.

– Cadê o cara que a encontrou?

– Os paramédicos estão com ele na ambulância ao lado do Centro de Visitantes. Ele estava em pânico quando os guardas chegaram à cena. O gelo quebrou e ele caiu em cima do corpo; vomitou, urinou e defecou por causa do choque, por isso estamos tentando eliminar o DNA dele rápido – disse Isaac. Ele aproximou-se do corpo na maca. – O inchaço do rosto e os sulcos no pescoço poderiam indicar estrangulamento, e a clavícula direita dela está quebrada – informou, usando a mão com luva de látex para inclinar gentilmente a cabeça da mulher. – Estão faltando tufos de cabelo, mais ou menos na mesma altura, em cada uma das têmporas.

– Quem fez isso pode ter ficado atrás da garota e puxado o cabelo dela – comentou Moss.

– Há evidência de violência sexual? – perguntou Erika.

– Vou precisar de tempo para examinar melhor. Há vergões e arranhões na parte interior das coxas, nas costelas e nos seios...

Ele mostrou viçosas linhas vermelhas debaixo de cada seio e pôs a mão cuidadosamente por cima para mostrar as marcas de dedos na caixa torácica.

– Os pulsos estão dilacerados, o que pode indicar que as mãos dela foram amarradas, mas os braços não estavam atados quando ela foi pra água. Também havia hematomas na parte de trás da cabeça, e encontramos fragmentos de esmalte de dente entranhados no canto dianteiro do pilar do cais... Ainda estamos procurando os resíduos do dente. Ela pode ter engolido, então é possível que eu ache depois.

– Quando ela desapareceu, estava de salto alto rosa e bolsa rosa. Algum sinal deles? – perguntou Moss.

– Ela só estava de vestido e calcinha, sem sutiã... e sem sapato.

Isaac suspendeu cuidadosamente as pernas dela e continuou:

– Os calcanhares estão severamente lacerados.

– Arrastada descalça – disse Erika, recuando à imagem dos pés dela, ferozmente ralados e rasgados, deixando exposta a carne rosa.

– Um dos nossos mergulhadores tirou isso da água – informou Isaac, entregando um pequeno saco de plástico transparente. Ele continha uma carteira de motorista. Olharam atentamente a foto, em silêncio, por um momento.

– É uma foto intensa. É como se ela estivesse aí, olhando para nós, do além-túmulo – comentou Peterson.

Erika achou que ele estava certo. Geralmente, nas fotos de carteira de motorista, os olhos estão um pouco entediados, ou o sujeito parece meio imobilizado pelas luzes, mas Andrea tinha um olhar confiante.

– Jesus – disse Erika, olhando da foto de Andrea para o cadáver imundo de olhos arregalados na maca. – Quando você consegue definir a causa exata da morte?

– Já dei a vocês o suficiente para prosseguirem. Tenho que fazer a autópsia – indignou-se Isaac.

– O que você vai fazer hoje – afirmou Erika, encarando-o fixamente.

– Está bem. Hoje – disse Isaac.

O terreno estava tranquilo do lado de fora da tenda da perícia. A neve tinha parado de cair, um grupo de oficiais vasculhava silenciosamente em volta do lago, e o branco aglomerava-se ao redor de suas pernas escuras à medida que avançavam com dificuldade pelos montes de neve.

Erika sacou seu celular e ligou para Marsh.

– Senhor, é Andrea Douglas-Brown.

Houve um pausa.

– Merda.

– Estou indo conversar com o garoto que a encontrou, depois vou informar os pais – avisou Erika.

– Suas impressões? Foster?

– Sem dúvida estamos lidando com assassinato, talvez estupro com estrangulamento e afogamento. Tudo o que tenho está sendo levado para o pessoal da delegacia.

– Temos algum suspeito em vista?

– Não, senhor. Vou entrar de cabeça. Vamos organizar uma identificação formal com a família. O pessoal da perícia vai da cena do crime direto pra autópsia, e eu mantenho o senhor informado em relação a isso.

– Se eu pudesse falar pra mídia que temos um suspeito... – começou Marsh.

– Sim, senhor. Eu sei. Conversar com a família é a nossa primeira linha de investigação. Há uma grande chance de que o assassino fosse conhecido dela. Quando Andrea desapareceu, não houve testemunha, ninguém viu pegarem a garota. Ela pode ter se encontrado com o assassino aqui.

– Pega leve, Foster. Não aposta todas as suas fichas na suposição de que Andrea estava se encontrando com alguém para dar uma trepada sórdida.

– Em momento algum eu falei que ela estava se encontrando com alguém para dar uma trepada sór...

– Lembre-se de que esta é uma família muito respeitada que...

– Já fiz isso antes, senhor.

– Sim. Mas saiba com quem você está lidando.

– Sim. Uma família de luto. E tenho que fazer a eles as perguntas habituais, senhor.

– Sim, mas isto é uma ordem: pega leve.

Quando Erika desligou o celular, estava formigando por causa da atitude de Marsh. Se tinha uma coisa que ela desprezava no Reino Unido era o sistema de classes. Mesmo em uma investigação de assassinato, parecia que Marsh queria que a família tivesse algum tipo de tratamento VIP.

Moss e Peterson saíram da tenda com um guarda, passaram pelo lago e atravessaram o jardim rebaixado. Erika se perguntou se as estátuas de olhos vazios tinham visto Andrea ser arrastada, berrando por sua vida.

O rádio na lapela do policial que os acompanhava chiou.

— Acabamos de encontrar uma pequena bolsa *clutch* rosa em uma cerca viva na London Road — disse uma vozinha.

— Onde fica a London Road? — perguntou Erika.

— Na área comercial — disse o policial, apontando para trás de uma fileira de árvores.

Depois de meses de inatividade, Erika estava lutando para botar seu cérebro para funcionar de novo. Toda vez que fechava os olhos, via o corpo de Andrea, a pele rasgada e machucada, os olhos vazios arregalados. Havia tantas variáveis em uma investigação de assassinato. Uma casa de tamanho mediano podia ocupar uma equipe de peritos durante dias, mas aquela cena do crime estava se estendendo por dezessete acres, com evidências esparramando-se por áreas públicas e soterradas debaixo de uma grossa camada de neve.

— Traga ao Centro de Visitantes, pra ambulância — disse Erika para o policial, que passou a ordem rapidamente.

Momentos mais tarde, ela, Moss e Peterson saíram das cercas vivas. No final de um sutil declive coberto de neve ficava a caixa de vidro futurística do Centro de Visitantes. Um pátio em frente a ele tinha sido remexido por uma ambulância, que estava estacionada com as portas traseiras abertas. Lá no fundo havia um jovem de vinte e poucos anos sentado debaixo de uma pilha de cobertores. Seu rosto estava acinzentado e ele tremia. Ao lado das portas da ambulância, uma mulher baixa observava um membro da equipe forense manipular cuidadosamente as roupas do garoto e etiquetar, de luva, os sacos transparentes que continham a calça de moletom, a blusa e o tênis dele. A mulher tinha as mesmas sobrancelhas espessas que o rapaz, mas em um rostinho fino.

— Eu quero recibo — exigia ela. — E quero por escrito o que está sendo levado. O Lee comprou essa calça de moletom em novembro, e esse tênis também é novo! Ainda temos 13 semanas de prestação para pagar. Quanto tempo você vai ficar com eles?

— Isso tudo agora é prova de investigação de assassinato — disse Erika, quando chegaram à ambulância. — Sou a Detetive Inspetora Chefe Foster, estes são a Detetive Moss e o Detetive Peterson.

Eles mostraram suas identificações e a mulher mal olhou para as fotos.

— Qual é o seu nome? — incitou Erika.

— Grace Kinney, e o meu Lee não fez nada a não ser aparecer para trabalhar. E porque ele está sendo forçado a esperar no frio, vai ficar doente e eles vão cortar o pagamento dele!

– Lee, você pode contar pra gente exatamente o que foi que aconteceu?

Lee fez que sim com seu rosto pálido e assombrado. Ele contou como tinha chegado para trabalhar, depois seguiu o som do celular tocando, o que o levou à descoberta do corpo de Andrea debaixo do gelo. Um policial o interrompeu ao chegar perto das portas da ambulância segurando uma pequena bolsa *clutch* em um saco plástico transparente. Em outro saco plástico, havia: seis notas de 50 libras, dois absorventes internos, um rímel, um batom e um perfume em spray.

– Isso pertencia à garota morta? – perguntou Grace, dando uma espiada.

O policial imediatamente os escondeu atrás dele.

– Agora ela já viu – repreendeu Erika. – Srta. Kinney. A senhora tem que entender que isso é evidência de uma investigação delicada e...

– Vou ficar de boca calada, não se preocupe – disse Grace. – Mas o que uma menina com uma bolsa de marca e um maço de notas de 50 estava fazendo por aqui, só Deus sabe.

– O que você acha que ela estava fazendo? – perguntou Erika.

– Não estou querendo fazer o seu trabalho para você, mas não precisamos do Sherlock Holmes para chegar à conclusão de que estava rodando bolsinha. Ela provavelmente trouxe um cliente para cá e o negócio deu errado – opinou Grace.

– Lee, você reconheceu a garota morta?

– Por que o meu Lee ia reconhecer uma prostituta?

– Nós não... nós não achamos que ela seja prostituta.

Grace parecia não se dar conta do tormento de Lee. Ele puxou o cobertor ao seu redor e franziu a testa, o que uniu as duas espessas sobrancelhas.

– Ela era bonita – afirmou ele, em voz baixa. – Mesmo morta, debaixo do gelo... Foi horrível, o jeito que ela morreu, não foi?

Erika confirmou com um gesto de cabeça.

– Eu vi isso no rosto dela – comentou Lee. – Desculpe, qual foi a pergunta?

– Você a reconheceu, Lee? Já tinha visto a garota por aqui? – perguntou Erika.

– Não. Nunca tinha visto – respondeu ele.

– Nós achamos que ela podia estar em um dos pubs da rua comercial quando desapareceu. Que pubs atraem o pessoal mais jovem? – perguntou Peterson.

Lee deu de ombros.

– O Wetherspoon's fica cheio no fim de semana... e o Pig and Whistle. É logo acima da estação.

– Você sai muito, Lee? – perguntou Peterson.

Lee deu de ombros. Peterson continuou:

– O Wetherspoon's, o Pig and Whistle, algum outro pub?

– Ele evita esses lugares, não evita? – disse Grace, lançando um olhar para Lee.

– Isso, isso. Evito. Evito esses lugares – disse Lee.

Grace prosseguiu:

– Esse lado de cá costumava ser bacana. Nada de luxo, mas bacana. Aquela espelunca velha daquele Wetherspoon's era um agradável Odeon. Os piores são The Glue Pot e The Stag. Vou te contar uma coisa, se o mundo estivesse inundado de mijo e aqueles dois botecos estivessem acima da linha-d'água, você não ia me ver lá. E eles estão lotados daquelas porcarias daqueles imigrantes... sem ofensa, meu amor – completou ela, para Peterson. Erika notou Moss segurar o riso.

Grace continuou, ainda sem se dar conta do tormento de Lee.

– Vou te contar uma coisa, quando vou à rua comercial me sinto estrangeira no meu próprio país. Poloneses, romenos, ucranianos, russos, indianos, africanos... E o Lee me conta que eles estão todos lá no Jobcentre, com as mãos estendidas, pegando tudo que podem. Vocês deviam fazer uma batida naqueles pubs da rua comercial, um monte deles trabalha nos bares e dá uma escapulida na hora do intervalo para ir assinar o auxílio desemprego. Mas não, fazem vista grossa para isso. É o meu Lee que tem que sair neste tempo e trabalhar 40 horas semanais para ter direito a 60 contos por semana de benefício. Isso é nojento.

– Há quanto tempo você trabalha no terreno do museu? – perguntou Erika.

Lee deu de ombros e respondeu:

– Trabalhei quatro semanas antes do Natal.

– E aposto que vai ser culpa dele não poder trabalhar porque uma prostituta imbecil deixou alguém ir lá e...

– Chega – disse Erika.

Grace pareceu repreendida e falou:

– Aposto que ela é filha de alguém. Vocês sabem quem ela é?

– Não podemos falar neste momento.

Isso aumentou o interesse de Grace.

– Não é aquela moça, a bacanuda que desapareceu? Qual era o nome dela, Lee? Angela? Ela parecia com aquela moça do jornal?

Os olhos vazios de Lee estavam imóveis, aparentemente revivendo o momento em que tinha ficado cara a cara com Andrea através do gelo.

– Como eu disse, ainda temos que identificar o corpo – falou Erika. – Vamos entrar em contato com o Jobcentre para você, Lee, e avisar a eles o que está acontecendo. Fique por aqui. Provavelmente teremos que conversar de novo.

– Você acha que ele vai sair do país, é? – repreendeu Grace. – Até que ia ser uma boa, só que a gente ia ser as únicas pessoas indo embora daqui!

Erika, Moss e Peterson saíram quando os paramédicos começaram a preparar a ambulância para ir embora.

– Mulher barra pesada – comentou Moss.

– Mas nos deu mais informação do que Lee – disse Erika. – Vamos dar uma olhada naqueles pubs. No The Glue Pot e no The Stag. Será que Andrea esteve em algum deles na noite em que desapareceu?

CAPÍTULO 6

Houve um novo ataque furioso de neve quando eles saíram do museu, então dispensaram o carro e pegaram o trem para a London Bridge, depois o metrô para Chiswick. O metrô estava abarrotado e quente, e tiveram que ficar em pé na maior parte da viagem, formando um grupinho apertado, com Erika imprensada entre seus dois novos colegas. O corpo magro de Peterson contrastava com a massa atarracada de Moss, que pressionava seu outro lado. Erika gostaria de ter cinco minutos para si, um pouco de espaço e ar fresco para reunir seus pensamentos. Em 25 anos de investigações policiais, havia informado a centenas de pessoas que elas tinham perdido entes queridos, porém, desde que experimentou o outro lado da perda, sentia-se diferente. A dor ainda era muito forte. E dali a pouco tempo teria que dar a notícia aos pais de Andrea e observar a agora familiar tristeza consumi-los.

A neve tinha parado de cair quando saíram da estação Turnham Green do metrô. A área comercial de Chiswick era refinada em comparação a South London. As ruas eram limpas, as caixas de correio recentemente pintadas, açougues sofisticados e lojas de produtos orgânicos misturadas com fileiras de casas e suas janelas guilhotina sem uma manchinha sequer. Os bancos e supermercados tinham vitalidade e brilho. Até a neve parecia mais branca.

A casa dos Douglas-Brown ficava no fim de uma rua sem saída e afastada da movimentada área comercial. A gigantesca casa georgiana tinha sido jateada com areia, e a remoção de anos de fuligem e poluição deixou exposta uma alvenaria com tijolos da cor de manteiga. Ela dominava as outras casas, embora estivesse parcialmente escondida pelas árvores altas que cresciam em um pequeno parque no centro da rotatória, no final daquela rua sem saída. Havia muitas pegadas na neve onde um grupo de fotógrafos movia-se sem destino, com câmeras penduradas por cima de seus casacos de inverno e vapor subindo de seus copos descartáveis de café. O interesse deles foi despertado quando Erika, Moss e Peterson aproximaram-se da casa e entraram pelo portão da frente. Obturadores de câmeras começaram a abrir e fechar e flashes ricocheteavam na tinta preta muito lustrosa da robusta porta da frente dos Douglas-Brown. Erika respirou fundo e apertou a campainha. Um elegante toque ressoou bem lá no fundo.

— Vocês são policiais? — gritou uma voz atrás deles.

— O cadáver, ele é da Andie? — berrou outra. Erika fechou os olhos por um momento, sentindo que os fotógrafos eram uma presença pesada atrás deles. *Que direito eles têm de chamá-la de Andie, porra? Nem os pais dela a chamam assim.*

A porta da frente foi aberta, apenas parcialmente, e uma idosa minúscula, de cabelo escuro, olhou para eles pela abertura. Ela levantou a mão para proteger os olhos dos flashes das câmeras que se intensificaram.

— Bom dia, precisamos falar com Simon e Diana Douglas-Brown, por favor — disse Erika, e os três policiais mostraram as identificações. Eles esperavam que a senhora os conduzisse para dentro, mas ela os olhou por baixo de suas pálpebras baixas, com os flashes das câmeras refletindo em seus olhos negros.

— Estão se referindo ao Lorde e à Lady Douglas-Brown?

— Sim. É sobre o desaparecimento da filha deles, Andrea — disse Erika, em voz baixa.

— Sou a governanta dos Douglas-Brown. Por favor, me deem as suas identificações — disse a pequenina mulher. — Aguardem aqui enquanto confirmo quem vocês são. — Ela recolheu as carteiras e fechou a porta. Novos flashes ricochetearam na pintura.

— Vocês podem confirmar que ela foi estuprada? — gritou uma voz.

— Vocês podem confirmar que foi assassinato? E se foi, acreditam que teve motivação política? — gritou outra.

Erika deu uma olhada de lado para Moss e Peterson e eles continuaram encarando a porta. Os segundos tiquetaqueavam. Eles quase conseguiam sentir o calor dos flashes nas costas.

— O que ela acha que a gente está tentando fazer? Vender uma porra de um vidro isolante? — resmungou Moss, em voz baixa.

— Lorde Douglas foi enganado em um esquema com câmera escondida no ano passado — disse Peterson, pelo canto da boca. — O *News Of The World* o filmou tentando subornar um contratante de defesa do Teerã.

– O Fake Sheikh? – murmurou Erika. Ela estava prestes a falar mais, quando a porta foi aberta, um pouco mais desta vez. Os obturadores das câmeras atrás deles se intensificaram.

– É, parece que está tudo em ordem – disse a mulher baixinha, devolvendo os documentos e acenando para que entrassem, fechando a porta e deixando de fora o frio e os fotógrafos.

O estreito corredor de entrada transformava-se em uma galeria, onde uma elegante e acarpetada escadaria serpenteava por três andares. Bem no alto, um vitral derramava uma padronagem de cores suaves sobre as paredes creme. Havia um lustroso relógio de pé na base da escada, com seu pêndulo balançando silenciosamente. A governanta conduziu-os por um corredor, passando diante de uma porta que dava para uma ampla cozinha de aço e granito, e de um enorme espelho com moldura banhada a ouro, abaixo do qual havia um vaso de viçosas flores igualmente impressionante. Chegaram a uma porta de carvalho e foram conduzidos a um escritório com vista para o jardim coberto de neve nos fundos da casa.

– Por favor, aguardem – disse a governanta, de olho neles enquanto saía da sala e fechava a porta. Debaixo de uma janela ficava uma robusta mesa de madeira escura. Com exceção de um reluzente notebook prata, a superfície de couro dela estava vazia. Uma estante de livros preenchia a parede à esquerda, e, à direita, um grande sofá capitonê e duas poltronas. A parede acima deles estava coberta com fotos emolduradas de Simon Douglas-Brown, que Erika reconheceu das matérias na imprensa sobre o desaparecimento de Andrea. Era um homem baixo com aparência viril, e tinha intensos olhos castanhos.

As fotos listavam as conquistas, começando com uma cabeça cheia de cabelos, quando sua empresa de tecnologia entrou na Bolsa de Valores de Londres, em 1987, progredindo, na proporção em que seu cabelo ficava mais ralo, através de uma série de fotos com a rainha, Margaret Thatcher, John Major e depois Tony Blair. Erika notou que sua majestade era alguns bons centímetros mais alta do que Lorde Douglas-Brown. Havia quatro fotos tiradas com Tony Blair, mostrando o quanto Douglas-Brown tinha se envolvido nas operações do governo trabalhista.

Duas fotos, maiores do que o resto, tinham lugar de honra no centro daquela composição. A primeira era um retrato oficial em que Douglas-Brown estava em um local com tapete vermelho e paredes revestidas com madeira, usando uma capa de arminho. Uma legenda abaixo dela mostrava que havia sido tirada no dia de sua posse, quando foi condecorado cavaleiro e tornou-se Barão Simon Douglas-Brown de Hunstanton. Na segunda foto ele fazia a mesma pose, porém, desta vez com a presença de sua pequena e muito magra esposa, Diana, ao lado dele em um elegante vestido branco. Ela tinha cabelo escuro e parecia uma versão mais velha e reduzida de Andrea.

— Onde fica Hunstanton? — perguntou Erika.

— Na costa de Norfolk. Eles têm um Sea Life Centre muito legal lá — disse Moss, inclinando-se na direção da foto com um rosto inexpressivo.

— Então a mulher dele virou *Lady Diana* — disse Peterson.

— Isso mesmo — disse Moss. — E não parece que o título trouxe muita sorte para ela também!

— Isso é uma piada pra vocês dois? — repreendeu Erika. — Porque eu não me lembro de nada engraçado quando o corpo da Andrea foi retirado do gelo.

Moss e Peterson desculparam-se apressadamente. Os três olharam para a última das fotos em um silêncio constrangedor. Lorde e Lady Douglas-Brown com o presidente Barack Obama e a esposa, Michelle. Os Obama eram muito mais altos do que os Douglas-Brown, que tinham esticado os rostos em sorrisos que beiravam a obsessão. Fora de foco, sem dúvida havia uma comprida fila de lordes, ladies, diplomatas, figurões da indústria e suas esposas magrelas, aguardando serem enquadrados para tirarem uma foto idêntica. Um encontro de meros segundos, preservado para a eternidade na parede do ego.

Uma tosse os despertou e fez com que tirassem os olhos das fotos, virassem e se deparassem com Simon e Diana Douglas-Brown à porta. Erika sentiu-se imediatamente culpada por julgá-los, porque as duas pessoas em pé, esperançosamente, diante deles não passavam de pais aterrorizados.

— Por favor, contem para nós o que está acontecendo. É Andrea? — pediu Diana.

Erika detectou um sotaque sob o inglês bem falado de Diana, muito parecido com o dela própria.

— Por favor, sentem-se — disse Erika.

Diana viu as expressões deles e pôs as mãos sobre o rosto.

— Não, não, não, não, não! Não é ela. Não o meu bebê. Por favor, não o meu bebê!

Simon pôs um braço ao redor da esposa.

– Sinto muito por informar que o corpo da sua filha foi encontrado hoje de manhã no terreno do Horniman Museum, em South London – disse Erika.

– E você tem certeza que é ela? – perguntou Simon.

– Tenho. Encontramos a carteira de motorista da Andrea no... com ela, e um telefone celular registrado no nome da Andrea na cena – confirmou Erika. – Estamos fazendo tudo o que podemos para descobrir a causa da morte, mas preciso dizer a vocês que temos uma suspeita. Acreditamos que Andrea foi assassinada.

– Assassinada? – questionou Diana, antes de afastar-se e afundar no sofá próximo à prateleira de livros, com as mãos ainda sobre o rosto.

A pele morena de Simon perdeu a cor, dando-lhe uma palidez esverdeada.

– Andrea, assassinada? – repetiu Diana. – Quem a mataria?

Erika aguardou um pouco antes de falar:

– Lamento, mas precisaremos que os senhores venham formalmente identificar o corpo de Andrea.

Houve outro silêncio. Um relógio badalou nas profundezas do casarão. Diana tirou as mãos do rosto, levantou o olhar para Erika e a analisou.

– *Odkial ste?* – perguntou ela.

– *Narodila som sa v Nitre* – respondeu Erika.

– Nada de eslovaco, não agora. Vamos conversar em inglês – disse Simon.

– O que uma mulher de Nitra está fazendo aqui me contando que a minha filha está morta? – perguntou Diana, fixando o olhar em Erika. Era desafiador. – Como você, moro na Inglaterra há mais tempo do que na Eslováquia – explicou Erika.

– Você não é nada como eu! Cadê o outro policial, aquele que veio aqui antes... o Sparks? Não quero o destino da nossa filha dependendo das habilidades de uma eslovaca.

– Sra. Douglas-Brown... – disse Erika, sentindo a raiva aumentar por dentro.

– *Lady* Douglas-Brown.

Erika irritou-se:

– Sou policial há 25 anos. Detetive Inspetora Chefe há...

– Posso lhe garantir que estamos fazendo tudo o que podemos para encontrar a pessoa que fez isso – disse Peterson, entrando na conversa e disparando um olhar para Erika.

Erika se recompôs, pegou seu caderno, folheou-o até encontrar uma página em branco e disse:

– Caso me permita, Lady Diana, gostaria de lhe fazer algumas perguntas.

– Não. Eu não permito – respondeu Simon, endurecendo os olhos escuros. – Você não está vendo que a minha esposa está... nós estamos... Preciso fazer algumas ligações. De onde você disse que é?

– Nitra, na Eslováquia Ocidental, mas, como eu disse, estou na Inglaterra há mais de 20 anos.

– Não estou pedindo para você me contar a porcaria da história da sua vida. Estou perguntando se você é da Polícia Metropolitana.

– Sim, nós somos da delegacia Lewisham Row – informou Erika.

– Certo. Bom, preciso fazer algumas ligações. Descobrir como andam as coisas. Estou lidando diretamente com o Comissário Assistente Oakley...

– Senhor, eu estou conduzindo a investigação.

– E eu trabalhei com o Comandante Clive Robinson em vários comitês diretivos da polícia.

– E, embora eu respeite isso, tem que entender que agora eu estou conduzindo esta investigação e preciso fazer algumas perguntas a vocês dois! – tarde demais, Erika percebeu que tinha levantado a voz e gritado. Houve silêncio.

– Chefe, podemos dar uma palavrinha? – perguntou Peterson.

Ele olhou para Moss e fez um leve aceno com cabeça, quase imperceptível. Erika sentiu o rosto ruborizar.

– Chefe. Uma palavrinha. Agora – disse Peterson.

Erika se levantou e o seguiu até o corredor. Peterson fechou a porta. Ela recostou-se na parede e tentou desacelerar a respiração.

– Eu sei – disse ela.

– Olha só, não estou aqui pra te dar lição de moral, chefe. Você foi jogada no meio de uma situação de merda e entendo isso, mas não pode ser agressiva com os pais da vítima. Porque neste exato momento, é isso que eles são. Pais. Deixa o sujeito fazer pose, mas nós sabemos como vai funcionar daqui em diante.

– Eu sei. Merda – xingou Erika. – Que merda...

– Por que a mãe dela quis saber de onde você era na Eslovênia?

– Eslováquia – corrigiu Erika. – É uma atitude eslovaca muito conhecida. As pessoas da Bratislava acham que são melhores do que todas as outras... Suponho que ela seja de lá.

– E isso faz com que ela se ache melhor do que você – terminou Peterson.

Erika inspirou e fez que sim com um gesto de cabeça, tentando se acalmar.

Dois homens de macacão estavam se aproximando pela outra ponta do corredor, puxando uma enorme árvore de Natal. Erika e Peterson afastaram-se para deixá-los passar. A árvore tinha secado, estava marrom em alguns lugares e, com os galhos raspando nas paredes, as agulhas do pinheiro esvoaçavam e espalhavam-se pelo grosso carpete azul e verde.

Parecia que Peterson falaria mais alguma coisa, mas pensou melhor e tomou um rumo diferente:

– A hora do almoço já passou há muito tempo. Parece que um pouquinho de açúcar não ia te fazer nada mal, hein? – disse ele, analisando o rosto branco de Erika. – Sei que você é a chefe, chefe, mas o que você acha de ir embora e se encontrar com a gente em um pub ou em uma cafeteria aqui perto?

– Vou entrar e pedir desculpa.

– Chefe, deixa a poeira baixar, tá? Nós vamos recolher a maior quantidade possível de informações que conseguirmos, depois vamos lá encontrar com você.

– Tá. Okay. Mas se você puder...

– Vou dar um jeito de fazer eles irem lá identificar o corpo. Pode deixar.

– E nós vamos precisar do notebook da Andrea... e... é isso, recolha o máximo que conseguir agora.

Peterson confirmou com um gesto de cabeça e voltou para o escritório, Erika ficou parada por um momento. Tinha estragado tudo e ia embora sem nada.

Estava prestes a dar uma olhada pela casa quando a governanta de pálpebras baixas reapareceu.

– Vou lhe mostrar a saída, posso? – disse ela com obstinação.

As duas seguiram o rastro de agulhas de pinheiro mortas até a porta da frente. Quando Erika foi colocada no degrau do lado de fora, em frente aos flashes das câmeras, teve que morder com força o lábio inferior para engolir o choro.

CAPÍTULO 7

A luz estava começando a se dissipar quando Moss e Peterson encontraram-se com Erika em um café na área comercial de Chiswick. Ela tinha passado uma hora frustrante à janela, observando a luz desaparecer em um dia que deixava a impressão de ter sido muito longo, mas sentindo que não havia conquistado nada. Não era do feitio dela sair rugindo em um interrogatório e estragar tudo – especialmente com os pais da vítima.

O café estava tranquilo quando Erika chegou, mas tinha enchido de figuras estilosas, e um bando de mamães boazudas tinham demarcado um canto do lugar com uma barreira de carrinhos de bebê.

Peterson e Moss compraram café e sanduíches, depois juntaram-se a Erika na mesa em que ela estava.

– Olha, obrigada por interferir lá; não sei o que aconteceu. Acho que o meu bom senso estava desligado – explicou Erika, constrangida.

– Sem problema – disse Peterson, rasgando a caixa de um sanduíche e dando uma mordida gigante.

– Diana Douglas-Brown estava fora de controle, mas, também, este não foi o melhor dia da vida dela, né? – concordou Moss, dando uma mordida no seu sanduíche.

– É, mas eu não devia... Enfim. O que mais vocês têm para me contar? – perguntou Erika. Ela esperou um momento até que os dois terminassem de mastigar.

– Simon e Diana não sabem por que Andrea estava em South London – disse Moss. – Ela tinha combinado de ir ao cinema com David e Linda, o irmão e a irmã. Os dois esperaram por ela no Odeon de Hammersmith, mas ela não apareceu.

– O irmão e a irmã estavam em casa?

– Estavam. David estava dormindo no andar de cima e Lady Diana não quis acordá-lo.

– Acordá-lo? Ele não tem mais de 20 anos? – perguntou Erika.

– Ao que parece, David ficou acordado desde a madrugada – disse Moss. – Eles ficaram se revezando para vigiar os telefones durante a noite, caso Andrea ligasse. Parece que ela já tinha desaparecido antes.

– Quando? Temos registro disso?

– Não. Não deram queixa. Há uns dois anos ela viajou sem avisar em um fim de semana prolongado. Depois descobriram que ela tinha ido pra França com um cara que havia conhecido em um bar. Ela voltou quando o limite do cartão de crédito estourou.

– Pegaram o nome da pessoa com quem ela fugiu?

– Pegamos, um tal de Carl Michaels. Ele era estudante na época. Não era nenhum malandro. Foi só um fim de semana da pesada, com o bônus adicional do Visa Platinum da Andrea – disse Moss.

– Vocês viram a irmã, Linda? – perguntou Erika.

– Ela levou uma bandeja de chá. Achamos que fosse a empregada. Ela é muito diferente da Andrea: desmazelada, um pouco gorda. Ela trabalha na floricultura da mãe – disse Peterson.

– E como ela reagiu à notícia? – perguntou Erika.

– Ela deixou a bandeja cair, apesar de... – hesitou Moss.

– O quê? – perguntou Erika, desejando novamente que não tivesse que escutar tudo aquilo em segunda mão.

Moss olhou para Peterson.

– Pareceu um pouco fingida – disse ele.

– Fingida? – indagou Erika.

– Você sabe... como uma atriz ruim. Eu não sei... As pessoas reagem de maneira meio esquisita. Pra mim, a família toda me deixou a impressão de ser meio destrambelhada – acrescentou Peterson.

– Por outro lado, que família não é destrambelhada? – disse Moss. – Ainda mais quando você joga dinheiro no negócio, a coisa toda fica mais acentuada.

Um celular começou a tocar, e Erika levou alguns momentos para perceber que era o dela. Pegou-o e atendeu. Era Isaac, contando que o clima ruim deixou as coisas mais lentas. Os resultados da autópsia estariam prontos pela manhã.

– Eu queria muito que eles fizessem a identificação do corpo hoje à noite – disse Erika, depois de desligar o telefone.

– Isso pode ser bom pra gente. Vai dar ao Sir Simon a oportunidade de se acalmar – disse Peterson.

– Ele falou mais alguma coisa? – perguntou Erika.

– Falou. Ele quer o Sparks de volta ao caso – disse Moss.

Continuaram mastigando em silêncio. Tinha escurecido. Os faróis de um carro arrastaram-se diante deles iluminando a incessante neve que caía do lado de fora.

CAPÍTULO 8

Erika, Moss e Peterson chegaram à Lewisham Row logo depois das 19h. Foram direto para a sala de investigação, que estava cheia de policiais aguardando ansiosamente para compartilhar as descobertas do dia. Erika livrou-se da comprida jaqueta de couro e foi para os enormes quadros-brancos alinhados na parede ao fundo da sala.

— Okay, todo mundo. Sei que foi um longo dia, mas o que é que nós conseguimos?

— Como você se comportou quando conheceu a família? Como o Sir Simon te recebeu, Detetive Foster? – sorriu maliciosamente Sparks, recostando-se na cadeira.

Neste exato momento, o Superintendente Marsh abriu a porta da sala de investigação e falou:

— Foster. Quero falar com você.

— Senhor, acabei de começar a *brifar* todo mundo sobre os acontecimentos do dia...

— Okay. Mas vá ao meu escritório no segundo em que terminar – vociferou ele antes de bater a porta com força.

— Então me parece que correu tudo bem, hein? – alfinetou Sparks, com o sorriso sórdido tingido pelo branco azulado da tela de seu computador.

Erika ignorou-o e se virou para o quadro-branco. Ao lado da foto da vítima havia imagens de Linda e David. Ela percebeu com interesse que Andrea e seu irmão eram muito atraentes, porém Linda tinha sobrepeso e era matrona, seu nariz era pontudo e a pele um pouco mais branca que a dos irmãos.

— São todos filhos dos mesmos pais? – perguntou Erika, batendo no quadro com o pincel atômico, o que pegou a sala de investigação desprevenida.

O Sargento Crane olhou ao redor surpreso e disse:

— Pressupomos...

– Por que pressupõem isso? – questionou Erika.

– Bom, eles parecem bem...

– Bacanas? – indagou Erika. – Não se esqueçam de que nós olhamos primeiro para a família, antes de tudo, como suspeitos. Não se deixem cegar pelo fato de eles morarem em uma área nobre de Londres e terem influência e poder. Crane, investigue os filhos, mas, é claro, seja discreto. Agora, nós sabemos que Andrea tinha marcado de se encontrar com David e Linda no cinema na quinta-feira passada, às 20h, mas ela não apareceu. Pra onde ela foi? Ela ia se encontrar com um amigo, um amante secreto? Quem estava investigando especificamente a vida da Andrea?

Uma indiana baixinha, na faixa dos vinte e poucos anos, levantou-se:

– Agente Singh – disse a policial. Ela veio à frente e Erika entregou-lhe o pincel atômico.

– Andrea estava em um relacionamento com Giles Osborne, de 27 anos, pelos últimos 12 meses. Eles ficaram noivos recentemente. Ele é dono da Yakka Events, uma empresa de festas e eventos sofisticados, com sede em Kensington.

– Yakka Events. O que significa *Yakka*? – perguntou Erika.

– É a palavra aborígene para trabalho. O site da empresa informa que entre o ensino médio e a faculdade ele passou um ano na Austrália.

– Aprendendo a servir canapés e champanhe com os aborígenes? – perguntou Erika.

Uma centelha de sorriso percorreu a sala de investigação.

– Estudou em uma instituição particular. É de família abastada. Tem álibi para a noite em que Andrea desapareceu.

– Eu já interroguei o cara. Descobrimos isso na semana passada – interrompeu Sparks.

– E o que me diz dos registros telefônicos e das redes sociais da Andrea? Creio que foram solicitados.

– Foram – confirmou Singh.

– Onde eles estão?

– Estou trabalhando nisso. Fiz a solicitação hoje de manhã, e esperamos recebê-los em 24 horas – respondeu Crane.

– Por que não foram solicitados antes, quando ela foi declarada desaparecida? – questionou Erika.

Houve silêncio.

– Ficaram preocupados de estar se intrometendo na vida de gente rica e influente?

– Eu tomei a decisão de não seguir em frente com essa solicitação – disse Sparks. – A família ainda estava com a impressão de que Andrea tinha ido para algum lugar; estavam monitorando as redes sociais dela e compartilhando as informações com a gente.

Erika revirou os olhos.

– Quero esses registros no segundo em que chegarem e tudo o que conseguirem arrancar do HD do celular da Andrea – ela ordenou a Crane. – E você, Sparks, que me parece cheio de novidades. O que conseguiu descobrir nas câmeras de segurança?

O Detetive Sparks recostou-se na cadeira, que rangeu.

– Não são boas notícias, infelizmente. Até alguns dias atrás, três das câmeras da London Road estavam estragadas. Ou seja, não temos nada dos arredores das plataformas da estação de trem nem da área comercial que leva ao Horniman Museum. É claro que as ruas de trás ainda não estão sendo monitoradas, então estamos às cegas em relação aos acontecimentos da noite do dia 8.

– Merda – xingou Erika.

– Nós a vimos saindo do trem na estação Forest Hill às – Sparks folheou suas anotações – 21h06. Ela sai, atravessa a plataforma e passa pela bilheteria. Era um trem não tripulado, e só mais duas outras pessoas saíram no mesmo horário.

– Conseguimos descobrir quem são? Podem ter subido com ela.

– Estou trabalhando nisso – terminou Sparks.

– E o que me diz do porta a porta?

O Sargento Crane inclinou-se para a frente na cadeira e respondeu:

– Não foi lá essas coisas, chefe. A maioria das pessoas ou estava viajando depois do feriado de Natal, ou dormindo.

– E os pubs?

– O Wetherspoon's e o Pig and Whistle têm câmeras de vigilância. Ela não foi a nenhum deles. Existem outros quatro pubs na rua comercial.

– Grace Kinney mencionou dois: o The Glue Pot e o The Stag.

– Estivemos em todos eles. Dois lugares escrotos também, chefe, e ninguém que trabalha lá se lembra de ter visto a moça.

– Dá uma olhada nas escalas de serviço dos funcionários, descubra quais deles são dali. Verifique de novo. Ela estava toda produzida pra sair à noite. É grande a chance de ela ter ido a algum desses pubs.

— E se ela estivesse indo a uma festa na casa de alguém? – perguntou Singh.

— Okay, e as lojas de bebidas? Ela foi a alguma delas para comprar cigarro ou bebida?

— As lojas de bebidas têm câmeras, mas a imagem tende a ser ruim e ninguém a viu – informou Crane.

— E no lado de fora da casa onde encontraram a bolsa dela?

— Sim, número 49, e, infelizmente, nada também. A proprietária do imóvel é uma velhinha gagá que mora com uma cuidadora; nenhuma das duas viu nem ouviu coisa alguma.

Houve um desconfortável silêncio.

— Talvez você devesse dar um descanso para a sua equipe. Foi um dia longo – disse Sparks.

— É. Okay. A gente se encontra aqui de novo amanhã às 9h. Provavelmente já vamos ter o resultado da autópsia e os registros do celular e das redes sociais.

Erika desejou boa noite para os policiais e, quando era a última na sala de investigação, olhou para o quadro-branco em silêncio e inclinou-se na direção da foto de Andrea.

— Olha só pra você; só 23 anos. Tinha a vida inteira pela frente. – Andrea a encarava de volta, desafiadoramente, quase debochando dela.

Erika deu um pulo quando seu celular tocou.

— Você planeja me deixar esperando por mais quanto tempo? – vociferou Marsh.

— Puta merda, desculpa, senhor. Estou subindo.

CAPÍTULO 9

– Então, o que você está me contando é que não tem nada? – falou Marsh. Ele estava com o rosto vermelho, enquanto andava de um lado para o outro em sua sala. Erika tinha acabado de salientar o progresso feito no primeiro dia de investigações.

– Estamos no primeiro dia, senhor. Como eu disse, a identificação da vítima foi positiva; e eu a mantive longe da imprensa. Acho que existem um ou dois pubs que talvez ela possa ter ido na noite em que desapareceu.

– *Que talvez ela possa ter ido... o que isso significa?*

– Significa que o ponto cego em toda a London Road e ao redor da estação de trem foi um empecilho para nós. Precisamos de tempo e recursos para nos concentrar nas pessoas, fazer perguntas... Todo mundo trabalhou pra cacete, especialmente com o clima deixando o processo mais lento...

– E que merda você achou que estava fazendo batendo boca com os Douglas-Brown?

Erika respirou fundo para se estabilizar.

– Admito, senhor, que devia ter lidado melhor com os pais da vítima.

– E devia mesmo, cacete. Eu achei que Lady Diana e você teriam algo em comum, já que você é eslovaca.

– É, bom, na verdade, esse foi o problema. Ela achou que eu era comum. Que eu não era boa o suficiente para conduzir uma investigação de assassinato.

– Tá, você não escolheu ser policial para que as pessoas fossem legais com você, Detetive Foster. Eu posso te mandar fazer um curso... como lidar com o público.

– Esse é outro problema, nós não estamos lidando com eles como se fossem público. Na verdade, o Sir Simon está conduzindo a investigação? Parece que ele acha que está no comando... Enfim, quem foi que contou ao senhor o que aconteceu? Ele ligou para o senhor, não ligou? Tem o seu número pessoal?

– Você está pisando em uma camada fina de gelo, Detetive Foster – alertou Marsh. – Ele, na verdade, ligou para o Detetive Sparks, que transmitiu a mensagem pra mim.

– Fez ele muito bem.

Marsh disparou um olhar na direção dela:

– Coloquei meu pescoço em risco para te pôr neste caso...

– Não quero a sua piedade, senhor!

– ...e se você não tiver cuidado, vai embora antes mesmo de ter começado. Você precisa aprender a manter a boca fechada. Te coloquei neste caso porque é uma policial boa pra cacete. Uma das melhores que eu conheço. Apesar de, neste momento, eu estar reavaliando o meu julgamento.

– Desculpa, senhor. Foi um dia longo... condições difíceis e sem dormir. Mas o senhor me conhece, não fico dando desculpa e vou descobrir quem fez isso.

– Okay – disse Marsh, acalmando-se. – Mas você deve desculpas sinceras aos Douglas-Brown.

– Sim, senhor.

– E tenha uma noite decente de sono. Você está um horror.

– Obrigada, senhor.

– Onde você está hospedada?

– Em um hotel.

– Bom. Agora cai fora daqui e volta pra trabalhar amanhã com a cabeça no lugar – disse Marsh, gesticulando para que ela fosse embora.

Erika estava furiosa quando saiu da sala de Marsh; furiosa por ter tomado um esporro, e furiosa consigo mesma por ter feito asneira. Ela voltou para a sala de investigação e pegou o casaco. A foto de Andrea a encarava de maneira atrevida do centro do quadro-branco. As anotações à mão sobre o caso borraram à luz forte, e Erika esfregou seus olhos vermelhos. Era como se estivesse vendo tudo através de um vidro embaçado. Ela não conseguia compreender os detalhes. Cansaço e raiva inundaram-na novamente. Erika vestiu o casaco e saiu da sala de investigação, apagando a luz, e encontrou o Sargento Woolf no corredor.

– Eu estava indo lá te falar. A gente arranjou um carro pra você. É um Ford Mondeo azul – disse ele, estendendo um chaveiro com alarme. O papo debaixo do queixo estava ainda maior do que de manhã.

– Obrigada – disse Erika, pegando a chave. Eles foram para a entrada principal, e Woolf penava um pouco para acompanhar os passos largos de Erika.

– Só que eu não coloquei a sua mala lá. Operei minhas costas há alguns anos. Tive que remover um disco. Está atrás da minha mesa...

Eles chegaram à recepção, onde uma mulher magra e desgrenhada estava apoiada na mesa de Woolf, usando o telefone. Usava calça jeans rasgada e imunda e uma jaqueta parka manchada e coberta de queimaduras de cigarro. Seu cabelo grisalho comprido estava amarrado para trás com um elástico, e debaixo de seus olhos havia profundos círculos escuros. Duas garotinhas desleixadas ao lado dela incentivavam com gritos estridentes um menino de cabelo raspado sentado na mala de Erika. Ele estava de calça de moletom branca manchada e girava os quadris, segurando com uma mão a alça da mala e a outra no ar, como se montando em um cavalo selvagem. Woolf foi apressado para trás da mesa, pôs o dedo no telefone e interrompeu a ligação.

– Eu estava falando, porra! – rosnou a mulher indignada, exibindo uma boca de dentes tortos e marrons.

– Ivy. Este telefone é da polícia – disse Woolf.

– É, e ele não tocou nos últimos dez minutos. Você é sortudo, porque os criminosos estão todos descansando!

– Pra quem você quer ligar? Posso fazer isso pra você – disse Woolf.

– Eu sei usar uma merda de um telefone!

– Quem é essa mulher? – perguntou Erika.

Ivy puxou o telefone para longe de Woolf, deu uma olhada rápida em Erika dos pés à cabeça e falou:

– Eu e o Droopy somos conhecidos de longa data, não é Droopy? Chamo ele de Droopy. É um feioso filho da puta da porra, né?

– Você! Sai da minha mala – falou Erika para o menino, que não podia ter mais do que 7 ou 8 anos. Ele a ignorou e continuou berrando e cavalgando a mala. Woolf engalfinhou-se com Ivy para pegar o telefone e por fim conseguiu arrancá-lo dela.

– Vocês deviam deixar eu usar essa porcaria desse telefone. É só uma ligação local e, além disso, eu pago o seu salário!

– Como você paga o meu salário? – questionou Woolf.

– Tenho dinheiro. Pago imposto, e é isso que paga o seu salário!

Erika foi tirar o menino de cima da mala, mas ele inclinou-se sobre a policial e afundou os dentes nas costas da mão dela. A intensidade da dor a surpreendeu.

– Solta agora – disse Erika, tentando manter-se calma. Ele levantou o olhar para ela com um sorriso sórdido e mordeu com mais força ainda. Uma dor intensa espalhou-se por sua mão. Ela xingou e deu um tapa no rosto dele com força. Ele berrou, soltando a mão de Erika, caiu da mala e despencou no chão fazendo um barulho seco.

– Quem você acha que é, sua vaca? – rosnou Ivy, arremessando-se na direção dela. Erika tentou esquivar-se, mas estava com as costas coladas na parede. Woolf pegou Ivy bem na hora em que uma lâmina comprida cintilou a centímetros do rosto de Erika.

– Ivy, vem cá, segura a onda... – começou Woolf, imobilizando-a por debaixo das axilas, mas ainda lutando para segurá-la.

– Não me manda segurar a onda, seu puto gordo e ridículo! – xingou Ivy, ameaçadoramente. – Se você encostar nos meus meninos, eu corto a sua cara sem o menor problema, piranha. Não tenho nada a perder.

Erika tentou controlar a respiração quando viu o canivete automático a poucos centímetros do rosto.

– Solta a faca. Solta – disse Woolf, finalmente conseguindo agarrar o pulso de Ivy, e torceu-o para que ela largasse o canivete, que retiniu no chão e foi encoberto pelo pé do sargento.

– Você não tinha que pegar tão pesado, Droopy – disse Ivy, esfregando o pulso.

Woolf manteve o olho nela enquanto se abaixava para pegar o canivete do chão. Ele apertou o pequeno botão e a lâmina desapareceu para dentro do cabo. O garotinho e as duas meninas tinham parado de fazer bagunça. Eram só crianças e pareciam estar com mais medo daquilo que Ivy iria fazer em seguida. Erika não conseguia imaginar a vida que eles deviam levar. Ela olhou para o garotinho, que estava segurando a parte de trás da cabeça.

– Desculpa, desculpa... Qual é o seu nome?

Ele recuou, afastando-se dela. O que poderia falar pra ele? Que tinha tido um dia ruim? Erika prestou atenção nas roupas imundas deles, em seus corpos subnutridos...

– Quero fazer uma queixa – disse Ivy com gosto.

– Ah é? Quer mesmo? – disse Woolf movendo Ivy na direção da porta principal.

– Quero! *Brutalidade policial...* tira a mão de mim... brutalidade policial contra menor!

– Você vai ter que preencher um formulário – disse Woolf. – Antes de passar uma noite na cela por ter puxado uma faca para um policial.

Ivy apertou os olhos.

– Não, porra, não tenho tempo... Vamos, meninos. AGORA!

Ela deu uma última olhada para Erika, e eles saíram atrás dela pela porta principal. Erika viu os casacos de relance quando eles passaram pela janela.

– Merda – xingou Erika, desmoronando no balcão e esfregando as costas da mão. – Não devia ter batido naquele menino.

Havia um talho branco e roxo de marcas de dentes profundas na pele dela e um borrão de sangue misturando-se com a saliva do garotinho. Woolf foi até uma caixa onde estava escrito FACAS APREENDIDAS e depositou nela o canivete automático de Ivy. Em seguida deu a volta no balcão e pegou um kit de primeiros socorros. Colocou-o na mesa ao lado de Erika e abriu a tampa.

– Você a conhece? – perguntou Erika.

– Ah, conheço. Ivy Norris, ou Jean McArdle, Beth Crosby... às vezes ela usa Paulette O'Brian. Meio que uma celebridade local. – Ele colocou uma solução alcoólica em um curativo esterilizado e o pressionou nas costas da mão de Erika, sobre as marcas da mordida. O desagradável ardor contrastava com o reconfortante cheiro de hortelã. Woolf prosseguiu: – Ela é viciada em drogas há muito tempo, prostituta, tem uma ficha do tamanho da Muralha da China. Costumava oferecer os serviços especiais de mãe e filha, se é que você me entende, até a garota morrer de overdose.

– E os pais dos filhos dela?

– Na verdade são netos, e quem sabe? A lista de possibilidades é do tamanho do catálogo telefônico. – Woolf tirou o curativo, pegou um novo e começou a limpar a mordida ensanguentada novamente.

– São sem-teto?

Woolf fez que sim.

– Não podemos levá-los para os serviços sociais de emergência, abrigos para sem-teto? – perguntou Erika. Ela ainda estava vendo Ivy, em pé no estacionamento, fumando sob a iluminação fria e falando sozinha pelos cotovelos. As crianças estavam amontoadas ao redor dela, desviando dos braços que Ivy não parava de gesticular.

Woolf deu uma risada sombria e disse:

– Ela foi expulsa da maioria dos abrigos e albergues por prostituição.

Ele levantou a gaze e colocou um curativo grande e quadrado nas costas da mão da detetive.

– Obrigada – disse Erika, flexionando os dedos.

Woolf começou a guardar os itens do kit de primeiros socorros.

– Agora, eu tenho que te falar uma coisa. Você precisa ir a um médico por causa dessa mordida. Tomar uma antitetânica, você sabe como é... Crianças de rua, nada saudáveis.

– É – disse Erika.

– E eu tenho que fazer o registro disso tudo. De tudo que aconteceu. Ela puxou uma faca pra você. Ele te mordeu...

– É, e eu bati nele. Bati em um menino, porra... Tudo bem, faça o seu trabalho, e muito obrigada.

Ele aceitou o agradecimento, sentou-se novamente e pegou alguns formulários. Erika se virou para olhar lá fora, mas Ivy e as crianças tinham ido embora.

CAPÍTULO 10

O frio do lado de fora estava cortante. A entrada principal da delegacia Lewisham Row estava acesa, mas o estacionamento era uma poça de escuridão. Longas fileiras de carros cobertos de geada cintilavam sob os postes da rua e, além deles, o trânsito arrastava-se constantemente. A mão de Erika ainda estava latejando. Ela apontou o chaveiro com alarme para a esquerda e apertou, depois fez o mesmo para a direita. Um carro na ponta do estacionamento pulsou duas vezes suas lanternas alaranjadas. Ela xingou e começou a andar arrastando a mala pela neve funda.

Erika guardou a bagagem no porta-malas e entrou. O carro estava gelado, mas tinha cheiro de novo. Ela o ligou e apertou o botão que trancava as portas. Quando o ar quente tinha aquecido um pouco o interior, saiu da vaga e seguiu lentamente na direção da saída.

Ivy estava em pé na calçada do lado de fora. As crianças, amontoadas debaixo dos braços dela, tremiam incontrolavelmente. Erika parou ao lado deles e abriu a janela.

— Pra onde você está indo, Ivy? — perguntou ela.

Ivy se virou, o vento pegou um filete de seu comprido cabelo grisalho e pressionou-o contra o rosto dela.

— O que você tem a ver com isso? — atacou Ivy.

— Posso te dar uma carona.

— Por que a gente ia entrar em um carro com uma vaca espancadora de criança?

— Desculpa. Eu estava descontrolada. Tive um dia ruim.

— Você teve um dia ruim... Tenta ser eu, querida — bufou Ivy.

— Posso levar vocês pra onde precisarem ir, e as crianças vão se esquentar — argumentou Erika olhando para as pernas nuas das menininhas abaixo de seus vestidos finos.

Ivy apertou os olhos.

— O que eu vou ter que fazer em troca?

– A única coisa que você vai ter que fazer é se sentar no carro – disse Erika. Ela pegou uma nota de 20 libras. Ivy foi pegá-la, mas Erika puxou-a de volta e segurou longe do alcance dela. – Você fica com ela quando eu te deixar em algum lugar, contanto que não haja mais facas nem mordidas.

Ivy olhou com firmeza para o menino e ele consentiu obedientemente.

– Tá bom – concordou ela antes de abrir a porta de trás, as crianças pularem lá pra dentro e engatinharem pelo banco. Quando Ivy entrou ao lado de Erika, ela soltou uma repugnante baforada de mendigo. Erika engoliu o medo pela proximidade de Ivy.

– Cintos de segurança – disse a policial, pensando que seria mais seguro para ela se todos estivessem amarrados.

– É, a gente não ia querer agir fora da lei – riu Ivy, puxando o cinto e prendendo-o com um clique.

– Aonde você quer ir?

– Catford – respondeu Ivy.

Erika pegou o telefone e clicou no aplicativo do Google Maps.

– Puta que pariu – reclamou Ivy –, eu te mostro o caminho. Vire à esquerda.

O carro era ótimo de dirigir e quando as luzes da rua atingiam o para-brisa, a incomum combinação de Ivy, seus netos e Erika acomodava-se em um silêncio quase confortável.

– Então... Você tem filhos? – perguntou Ivy.

– Não – respondeu Erika. Ela ligou o limpador quando uma rajada de neve atingiu o vidro.

– Você é sapatão?

– Não.

– Não me incomoda. Eu não tô nem aí pras sapatas. Dá pra tomar uma na boa com elas e as moças mandam bem no esquema *faça você mesmo*... tentei uma vez, saca? Não gostei do gosto.

– De quê? Da bebida que tomou com elas? – brincou Erika.

– Muito engraçado. Por falar nisso, tô achando que vou entrar na onda de sapata de novo. Vou ter que dividir a grana, mas estou ficando enjoada do gosto de pau.

Erika olhou para ela.

– Qual é, querida, você não achou que eu trabalhava na Marks and Spencer's, né?

– Onde você mora? – perguntou Erika.

– Por que que eu ia te falar onde é que eu moro, porra?

Ivy deu uma guinada na direção dela, mas o cinto travou e segurou-a no lugar.

– Calma aí... Você acabou de me falar que está "enjoada do gosto de pau". Achei que perguntar o seu endereço não seria indelicado.

– Não vem tentar bancar a esperta comigo. Eu te saquei. Gosta do seu trabalho? Tem algum amigo? – Silêncio. – Não, eu achei que não, não larga o serviço nunca, né? Gente da sua laia vende até a mãe... Esquerda aqui.

Erika deu seta e virou.

– Eu não estou morando em lugar nenhum agora – disse ela, pensando que seria uma boa ideia oferecer alguma informação sobre si mesma. – Meu marido morreu recentemente, eu fiquei fora, e...

– E você pirou o cabeção, né?

– Não, mas cheguei perto – disse Erika.

– O meu marido foi esfaqueado. Anos atrás. Sangrou até morrer nos meus braços... Entra aqui. Mas você tá bem, não tá? Trabalho bom. Eu podia ter sido policial ou coisa melhor – zombou Ivy.

– Você conhece bem esta área, então? – perguntou Erika.

– Conheço. Morei para os lados de cá a vida toda.

– Que bares você recomenda?

– *Que bares eu recomendo?* – disse ela imitando Erika.

– Okay, que bares você conhece?

– Conheço todos. Igual eu te falei, tô aqui há anos. Já vi um monte de lugar abrir e fechar. Os barras-pesadas é que duram mais.

Passaram pelo Catford Broadway Theatre, a fachada iluminada ainda tinha a propaganda da pantomima de Natal.

– Larga a gente aqui – falou Ivy.

A rua comercial de Catford estava deserta. Erika parou ao lado de uma faixa de pedestres, em frente a uma casa de apostas Ladbrokes e uma agência da Halifax.

– Não tem casa nenhuma – disse Erika.

– Te falei, não tenho casa!

– Onde vocês vão ficar, então?

– Eu tenho umas coisas pra resolver. Anda, acorda elas – Ivy xingou o garoto.

Erika olhou pelo retrovisor. As duas meninas estavam dormindo com as cabeças encostadas uma na outra. O menino encarou-a com o rosto branco.

– Desculpa por eu ter te batido – disse Erika.

O rosto dele permaneceu impassível.

– Deixa disso, me dá o dinheiro – falou Ivy, soltando o cinto de segurança e abrindo a porta do carro. Erika ficou apalpando dentro do casaco e tirou uma nota de vinte. Ivy pegou o dinheiro e enfiou em uma prega da jaqueta.

– Antes de você ir, Ivy, o que você sabe sobre os pubs em Forest Hill? O The Stag?

– Tem uma stripper lá que faz qualquer coisa desde que o potinho dela esteja cheio de moedas – respondeu Ivy.

– E o The Glue Pot? – perguntou Erika.

A linguagem corporal de Ivy mudou completamente. Os olhos ficaram arregalados.

– Não sei nada sobre aquele lugar – afirmou ela com a voz rouca.

– Você acabou de falar que conhece todos os bares por aqui. Qual é, me fala do The Glue Pot.

– Eu nunca vou lá – sussurrou Ivy. – E não sei de nada, tá me ouvindo?

– Por que não?

Ivy ficou em silêncio olhando pra Erika.

– Eu daria uma olhada nessa mão. O pequeno Mike, ele é HIV positivo...

Ela desceu, bateu a porta e desapareceu entre as lojas com as crianças sendo arrastadas atrás dela. Erika estava tão focada na reação de Ivy ao escutar o nome do pub que não captou o que ela tinha acabado de falar. Abriu rapidamente a porta e os seguiu até a entrada do beco úmido. Espreitou lá dentro, porém estava escuro demais para distingui-los nas sombras.

– Ivy – chamou ela. – Ivy! O que você quer dizer com nunca vai lá? Por que não?

Erika começou a entrar no beco, as luzes da rua rapidamente começaram a definhar. Ela sentiu algo macio e pegajoso debaixo dos pés.

– Ivy. Eu posso te dar mais dinheiro, você só precisa me contar o que sabe...

Ela pegou o celular e acendeu a luz. O beco estava cheio de seringas vazias, camisinhas, embalagens e etiquetas de preço.

– Estou investigando um assassinato – continuou ela. – O The Glue Pot foi o último lugar em que essa menina foi vista...

A voz dela ecoou. Não houve resposta. Ela chegou a uma cerca de arame de três metros de altura com pontas de metal na parte de cima.

Do outro lado, só conseguia ver um terreno miserável com alguns galões de gasolina velhos. Ela olhou ao redor.

– Pra onde diabos eles foram? – perguntou entredentes. Ela voltou pelo beco, mas não conseguia ver a saída, somente as altas paredes de tijolo dos dois lados.

Quando chegou ao carro, a sua porta ainda estava aberta, o alarme apitava suavemente. Ela olhou ao redor e entrou. Tinha sido sua imaginação? Passou alguns segundos perturbada pela possibilidade de todo aquele episódio ter sido uma alucinação... Ivy, as crianças... então sentiu uma dor latejar nas costas da mão e viu o curativo quadrado.

Apressada, apertou o botão para travar todas as portas, depois arrancou cantando pneu. Uma onda de adrenalina subiu-lhe pelo corpo. Algo na reação de Ivy sobre o The Glue Pot não estava certo. Ela tinha ficado aterrorizada. Por quê?

Erika não ligava para o quanto estava tarde nem para o quanto precisava dormir. Ela daria uma conferida naquele pub.

CAPÍTULO 11

Erika voltou de carro para Forest Hill e estacionou umas duas ruas atrás da região comercial, em uma tranquila área residencial. O pub ficava no meio da rua principal, em uma construção de tijolos de dois andares com uma fachada cor de vinho. *The Glue Pot* estava escrito de branco, o "t" era o desenho de um pincel pairando sobre um pote de cola branca. Era uma placa irritante, boba e não fazia o menor sentido. Havia quatro janelas, duas em cada andar, com grossos peitoris de pedra. As do segundo andar eram escuras. Das duas inferiores, uma estava fechada com tábuas, deixando a outra brilhar por trás de uma cortina de renda.

Apesar do frio, a porta externa estava aberta. Uma placa prometia que se você tomasse duas taças do vinho da casa, podia beber o restante da garrafa de graça. Erika entrou e viu que o acesso ao bar era por uma porta interna com um vidro de segurança todo rachado. O bar estava quase vazio; somente dois jovens fumavam sentados em uma das muitas mesas de fórmica. Eles olharam para Erika quando ela passou, reparando em suas pernas compridas, e depois voltaram para as cervejas. Uma pequena pista de dança em um dos lados estava cheia de pilhas de cadeiras, e um jingle da Magic FM tocava no som, seguido dos acordes de abertura de *Careless Whisper*. Erika foi para um balcão comprido, baixo e emoldurado por copos dependurados, que ficava lá no fundo. Uma jovem atarracada estava sentada assistindo a *Celebrity Big Brother* em uma televisão portátil minúscula.

— Vodca dupla com tônica, por favor — pediu Erika.

A garota se levantou, pegou uma taça de vinho, empurrou-a sob um dosador, mantendo os olhos na tela. Ela estava com uma camisa desbotada da turnê Showgirl, de Kylie, totalmente esticada por seios grandes e corpo troncudo. Ela ajeitou a parte de trás da camiseta, puxando-a para baixo, por cima de sua bunda grande.

— Está procurando *au pair*? Babá? — perguntou a garota por provavelmente ter sacado o leve sotaque de Erika, que também detectou um indício de sotaque na garota. Polonês? Russo? Não sabia dizer. A garota colocou o copo sob o dosador novamente.

– Sim – disse Erika, decidindo encenar. A garota pegou uma garrafa plástica de água tônica e completou a taça de vinho até a borda. Ela pôs a bebida no balcão, depois deslizou por ele um cartãozinho quadrado e uma caneta.

– Você pode pagar para colocar um cartão no quadro, são 20 libras. Toda terça-feira a gente põe um cartão novo. Fica 23,50 por isso e pela bebida – disse ela.

Erika pagou e se sentou, tomando uma golada da bebida. Estava quente e sem graça.

– Por que você não mandou o seu marido? – perguntou a garota, observando o que Erika tinha escrito no cartão.

– Como se eu precisasse que o meu marido bebesse mais!

A garota gesticulou a cabeça demonstrando familiaridade. Erika foi até o quadro de cortiça na parede ao lado do balcão, que a garçonete tinha lhe mostrado. Estava abarrotado com centenas de cartões, um sobre o outro, com textos escritos à mão em eslovaco, polonês, russo, romeno, todos oferecendo serviços de construção, babá ou *au pair*.

– Aqui é sempre tranquilo assim? – perguntou Erika, olhando o bar vazio ao seu redor.

– É janeiro – a mulher deu de ombros, enxugando cinzeiros com um pano velho. – E não tem futebol.

– Minha amiga conseguiu uma *au pair* em um anúncio daqui – disse Erika, voltando para o banco no balcão. – Vêm muitas mulheres aqui? Jovens? Que parecem ser *au pair*?

– Às vezes.

– Minha amiga disse que uma garota estava procurando trabalho, que eu devia encontrá-la aqui.

A mulher parou de enxugar um cinzeiro e encarou-a com um olhar frio. Erika deu mais um gole depois pegou seu celular. Acessou a foto de Andrea e o virou.

– É ela.

– Nunca vi – disse a garota, um pouco rápido demais.

– Sério? Minha amiga falou que ela estava aqui poucos dias atrás...

– Eu não vi – a mulher levantou uma bandeja com alguns copos vazios e começou a sair.

– Ainda não acabei – falou Erika, colocando sua identificação policial no balcão.

A mulher hesitou e colocou a bandeja de volta no balcão. Quando se virou, ela viu o distintivo e deu a impressão de entrar em pânico.

– Não, está tudo bem, só preciso que você responda às minhas perguntas. Qual é o seu nome?

– Kristina.

– Kristina...?

– Só Kristina – insistiu ela.

– Okay, só Kristina, vou te perguntar de novo. Você viu esta jovem aqui?

A mulher olhou para a foto de Andrea no celular e sacudiu a cabeça tão furiosamente que suas bochechas balançaram.

– Você estava trabalhando aqui na noite do dia 8? Era uma quinta-feira, pouco mais de uma semana atrás.

A garota pensou e negou novamente.

– Tem certeza? Ela foi encontrada morta hoje mais cedo.

A garota mordeu o lábio.

– Você é a proprietária?

– Não.

– Você só trabalha aqui?

– Isso.

– Quem é a proprietária ou o proprietário?

Kristina deu de ombros.

– Qual é, Kristina. Eu consigo essa informação facilmente com o fornecedor de cerveja. E aqueles homens estão fumando aqui, mesmo depois da proibição. Você sabe o quanto isso vai gerar de multa? Milhares de libras. E ainda tem a agência ilegal de empregos. Você acabou de me cobrar 20 libras para colocar o anúncio. Eu posso fazer uma ligação e em cinco minutos termos uma equipe de policiais aqui, e você será responsável...

Kristina começou a chorar. Seu peito enorme levantava, o rosto ficou vermelho e ela esfregava seus olhinhos redondos e brilhantes com a ponta de um pano de prato.

– Se você puder responder só algumas perguntas – disse Erika –, garanto que você só será vista como uma empregada inocente.

Kristina parou de chorar e recuperou o fôlego.

– Tudo bem... Está tudo bem, Kristina. Nada de ruim vai acontecer. Agora, por favor, olhe para esta foto de novo. Você viu essa garota aqui na noite do dia 8? Quinta-feira passada. Ela foi sequestrada e morta. Se você puder me contar alguma coisa, vai me ajudar a encontrar quem fez isso.

A garota baixou os olhos inchados para a foto de Andrea.

– Ela estava sentada ali, no canto – revelou ela, finalmente.

Erika virou-se e viu a pequena mesa ao lado da pista de dança. Também notou que os dois homens que estavam bebendo tinham ido embora, deixando seus copos de cerveja pela metade.

– Você tem certeza de que era esta garota? – perguntou Erika, levantando novamente a foto no telefone.

– Tenho. Lembro o quanto ela era bonita.

– Ela estava sozinha? Ela se encontrou com alguém?

Kristina respondeu que sim com um gesto de cabeça e disse:

– Tinha uma moça com ela, jovem, de cabelo loiro curto.

– Curto igual ao meu? – perguntou Erika.

A garota fez que sim.

– Mais alguma coisa?

– Elas tomaram uma bebida ou duas, eu não sei, o movimento estava grande naquela noite... e... e...

Erika conseguia ver que ela estava ficando mais perturbada e com medo.

– Continue, Kristina. Está tudo bem, eu prometo.

– Eu não sei quando ela foi embora, a amiga... Mas quando olhei de novo, tinha um homem sentado com ela.

– Como ele era?

A mulher deu de ombros.

– Alto, moreno... eles discutiram.

– Como assim, alto e moreno? Pode me dar um pouco mais de detalhe? – pediu Erika, tentando esconder a frustração. Era um excelente avanço, mas Kristina estava sendo muito vaga. Ela tomou uma decisão e pegou seu celular.

– Kristina, quero que você venha comigo pra delegacia e faça o que chamamos de retrato falado da mulher e do homem que você viu sentados com a Andrea.

– Não, não, não, não – começou Kristina, arredando para trás.

Erika ligou para o telefone da recepção da delegacia Lewisham Row. Ele começou a tocar.

– A sua informação pode nos ajudar a encontrar quem matou essa mulher, a Andrea.

– Mas... eu estou no trabalho... e...

– Eu posso pedir aos agentes que venham até aqui então. Vai dar tudo certo...

Um policial em serviço atendeu o telefone.

– É a Detetive Erika Foster. Preciso de uma viatura aqui no pub The Glue Pot, na London Road, em Forest Hill, e quem nós temos em serviço que pode fazer um retrato falado?

Houve um movimento, e Erika percebeu que Kristina tinha saído às pressas por uma porta na parte de trás do bar.

– Merda! Espera aí, te ligo de volta.

Erika pulou por cima do balcão, passou por uma porta e chegou a uma cozinha pequena e imunda nos fundos. Uma porta estava aberta. Erika saiu até o beco. Ele estendia-se comprido e vazio em ambas as direções. A neve começou a cair de leve. O silêncio era sinistro.

Erika percorreu o beco todo nas duas direções. As casas de costas para ele estavam escuras e as ruas nas duas pontas, vazias. Começou a nevar mais forte, e o vento assobiava entre as construções. Erika protegeu-se do frio congelante enrolando-se em seu casaco.

Ela não conseguia se livrar da sensação de que estava sendo observada.

CAPÍTULO 12

Dois policiais uniformizados foram chamados ao The Glue Pot, mas uma extensa busca não gerou resultado algum. Kristina tinha desaparecido. O apartamento em cima do pub estava desocupado, cheio de porcaria e mobília quebrada. Já tinha passado da meia-noite quando os policiais disseram a Erika para desistir e ir dormir. Eles permaneceriam ali em frente ao pub e à primeira luz do dia localizariam o proprietário. Se Kristina voltasse, eles a prenderiam.

Erika ainda se sentia amedrontada quando voltou para o carro, estacionado a alguns quarteirões de distância. As ruas estavam silenciosas, e todo o barulho parecia amplificado, o vento lamuriando ao soprar ao redor dos edifícios, um mensageiro do vento na varanda de uma casa... Era como se ela conseguisse sentir o olhar de uma das janelas negras das casas que a rodeavam.

Pelo canto do olho, viu uma sombra se mover em uma janela. Virou-se, mas não havia nada. Somente uma janela escura. Alguém a estava observando das sombras? Ela se deu conta de que precisava desesperadamente descansar. Iria se hospedar no primeiro hotel que encontrasse. Erika entrou no carro, trancou as portas, recostou-se no confortável banco e fechou os olhos.

É um dia escaldante em uma rua decadente de Rochdale, e o equipamento de proteção policial gruda em sua pele. Ela se mexe desconfortavelmente, agachada contra a parede baixa de uma casa geminada que avultava-se no calor. Dois policiais estão ao lado dela, espelhados por outros três no lado oposto ao portão da frente. Mark está com eles. É o segundo da fila.

Depois de semanas de vigilância, a casa está gravada no cérebro dela. Fachada de concreto aparente, latões de lixo com rodinhas transbordando, um medidor de gás e de energia na parede com a tampa arrancada.

Atrás da porta da frente, escada acima, uma entrada à esquerda leva ao quarto dos fundos. É onde eles produzem a metanfetamina. Uma mulher foi vista entrando ali com uma criança pequena. É um risco, mas eles estão preparados. Erika tinha repassado várias e várias vezes a operação com sua equipe de policiais. Só que agora, eles estão posicionados do lado de fora. É real. O medo ameaça passar por cima de Erika, mas ela esquiva-se dele.

Ela acena com a cabeça, e a equipe, toda vestida de preto, movimenta-se furtivamente, lançando-se pelo caminho até a porta da frente. O sol centelha no medidor que gira, uma, duas vezes, quase junto com o baque do aríete. Na terceira tentativa, a madeira estilhaça e a porta da frente explode ruidosamente.

Começa o pandemônio.

Tiros são disparados. A janela acima do medidor de eletricidade explode de fora para dentro. Os disparos vêm da casa atrás deles. A cabeça de Erika gira. A casa bonita do outro lado da rua. Janelas guilhotina. Números em bronze na porta. Paredes internas pintadas com Farrow & Ball. O casal tinha sido tão receptivo, tão despretensioso quando a polícia realizou a vigilância.

Tudo fica claro quando os olhos de Erika são atraídos para a janela do andar de cima. Ela vê uma sombra escura, em seguida uma dor explode em seu pescoço e ela sente gosto de sangue. De repente, Mark está ao lado dela, agachando-se para ajudar. Ela tenta falar, contar a ele – "Atrás de você" –, mas a garganta de Erika está cheia de sangue. Na histeria, aquilo é quase engraçado. Então ressoa o barulho de algo se quebrando e a lateral da cabeça de Mark explode...

Erika acordou sem ar, tentando recuperar o fôlego. Estava rodeada por um brilho sinistro que a oprimia. Ela expirou, e o ar saiu em um longo fluxo. Foi somente quando ela viu o volante em frente de si que conseguiu se orientar. Estava de volta ao presente. Sentada no carro. Uma camada de neve tinha caído e cobria totalmente as janelas.

Era um sonho familiar. Ela sempre acordava no mesmo ponto. Às vezes o sonho era em preto e branco, e o sangue de Mark parecia chocolate derretido.

Ela inspirava e expirava, o batimento cardíaco foi ficando mais lento, a realidade voltava a apoderar-se de sua mente. Ela escutava vozes abafadas e passos; pessoas andando ao lado do carro. As vozes ficavam mais altas e depois se afastavam.

Ela olhou para o relógio digital no painel. Eram quase 5h. Tinha dormido por quatro horas, embora não se sentisse nem um pouco melhor por causa disso. Ajeitou-se no banco com o corpo endurecido e gelado e ligou o carro. Ao acionar o aquecedor, sentiu um jato congelante.

Quando o carro esquentou, Erika ligou o limpador de para-brisa e aguardou a rua tomada de branco aparecer, devido à nova camada de neve. Ao ver o curativo nas costas da mão, lembrou que tinha que ir ao médico, mas os acontecimentos da noite anterior obrigaram-na a seguir em frente nesse momento.

Andrea estava naquele pub... Quem eram a mulher e o homem com quem ela tinha falado? E por que a garçonete sumiu?

Era mais fácil forçar o sonho a desaparecer de sua lembrança agora que tinha um problema a resolver. Erika engatou a marcha e arrancou na direção da delegacia.

CAPÍTULO 13

A delegacia de Lewisham Row estava tranquila às 5h. O único som era o distante barulho do corredor de celas. O vestiário das mulheres estava vazio, e Erika tirou a roupa imunda, foi até os enormes chuveiros coletivos e deixou a água o mais quente que conseguia tolerar. Ficou debaixo dela, saboreando o calor e, quando o vapor subiu, os azulejos do banheiro estilo vitoriano desapareceram, e Erika, com eles.

Às 6h, ela estrava de roupas limpas e sozinha na sala de investigação comprando café e chocolate em uma máquina automática de vendas. Da parede, Andrea Douglas-Brown olhava superconfiante para ela.

Erika chegou à mesa em que foi alocada, inseriu a senha no computador e acessou a intranet. Há oito meses não entrava em seu e-mail de trabalho – não por algum tipo de abstinência; ela não tinha acesso. Rolando a tela, viu mensagens de ex-colegas, newsletters, spam e uma notificação para que comparecesse a uma audiência. Aquilo quase a fez rir: a notificação era para comparecesse a uma audiência disciplinar por não acessar o sistema de e-mails, sendo que tinham barrado o acesso dela.

Com um longo movimento do mouse, ela selecionou todas as mensagens antigas e pressionou *delete*.

Sobrou apenas um e-mail do Sargento Crane, encaminhado tarde na noite anterior:

Segue no anexo o perfil do facebook da Andrea DB com o histórico de 2007-2014. Mais os registros do celular dela, recuperado na cena do crime.

CRANE

Erika abriu o arquivo anexo e apertou "imprimir". Momentos depois, a impressora ao lado da porta ganhou vida, começou a zumbir e cuspir papel. Erika pegou a pilha de páginas e a levou para a cantina, com esperança de encontrá-la aberta para tomar um café decente... porém ela estava às escuras. Encontrou uma cadeira no fundo, acendeu a luz e começou a examinar o perfil do facebook de Andrea Douglas-Brown.

Era composto de 217 páginas, quase nove anos, que transformavam a Andrea de 14 anos em uma mulher provocante e sedutora de 23. Nos seus primeiros posts, ela era uma jovem bem conservadora, mas assim que os garotos começaram a entrar em cena, começou a se vestir de maneira mais provocante.

Os anos de posts de Andrea no facebook eram um interminável borrão de fotos de festas e selfies. Centenas de fotos com homens e mulheres bonitas, raramente as mesmas pessoas mais do que algumas poucas vezes. Ela parecia ser uma festeira da pesada, e daquelas que festejavam só em lugares caríssimos. As boates que frequentava eram do tipo que você tem que fazer uma reserva, e parecia que nunca faltavam garrafas de champanhe para entupir aquelas mesas nas fotos.

Ao longo dos anos, havia pouca interação com os irmãos no facebook. A irmã mais velha, Linda, tinha curtido alguns dos posts relacionados à família, assim como o irmão mais novo, David, mas eram somente os posts associados às férias anuais que a família Douglas-Brown tirava na Grécia e, nos últimos anos, em uma vila em Dubrovnik, na Croácia.

As férias foram o que mais interessou Erika. Elas duravam três semanas, todos os meses de agosto e seguiam um padrão similar. No início de cada uma delas, Andrea postava algumas fotos de bem com a família — uma foto em grupo durante uma refeição em um restaurante bacana ou da família reunida do lado de fora de uma tenda em um almoço casual em trajes de banho. Nesses almoços, Andrea sempre usava biquíni e fazia pose, com o cabelo escuro caído por cima de um dos ombros enquanto encenava escolher algo para comer. Em contrapartida, Linda ficava encurvada, com uma montanha de comida no prato, aparentando um pouco de irritação por estarem atrasando a comilança dela. Linda parecia ganhar peso a cada período de férias e estava sempre coberta com camisas de mangas compridas e leggings. David, em contrapartida, começou como um menino magricelo de 13 anos que usava óculos, aconchegado debaixo do braço fino de sua mãe, e lentamente transformou-se em um belo jovem.

Andrea parecia mais próxima de David; em muitas das fotos ela estava dando-lhe um enorme abraço, que ele, com seus óculos tortos, parecia relutante em aceitar. Quase não havia fotos de Linda e David juntos. Sir Simon e Lady Diana não revelavam nada nas fotos, faziam as mesmas caras entrava ano, saía ano: sorrisos largos, embora vagos. Lady Diana de maiô e sarong aqui, Sir Simon de short grande e largo, um pouco alto demais sobre sua barriga cabeluda, ali.

À medida que cada período de férias passava, Andrea rapidamente perdia interesse no tempo com a família e começava a postar fotos de garotos. No início, elas eram um pouco distantes, como se ela os espreitasse de longe. Os grupos de garotos não sabiam que estavam sendo fotografados enquanto fumavam de bobeira ou jogavam futebol na praia sem camisa. Depois, Andrea focava em um garoto em particular e passava a última semana de férias aparentemente obcecada, tirando uma infinidade de fotos. A impressão era de que ela gostava de *bad boys*: mais velhos e morenos, com torsos musculosos, tatuagens e piercings. Em uma foto, tirada no verão de 2009, Andrea estava fazendo pose montada em uma Harley Davidson gigante, com um biquíni minúsculo e fingindo pilotá-la, enquanto um rapaz de cabelo escuro, que provavelmente era dono da moto, tinha sido relegado à garupa. Ele estava com uma das mãos na parte de baixo do biquíni dela e segurava um cigarro cuja ponta brilhava perto da pele bronzeada de Andrea. Ela encarava a câmera com um olhar que dizia: *Eu estou no controle.*

Erika escreveu na margem: Quem tirou esta foto?

Ela nem notou quando as persianas foram levantadas no balcão da cantina, e policiais de olhares exaustos começaram a se enfileirar para o café da manhã. A detetive continuou lendo, fascinada pela vida de Andrea.

Em 2012, uma amizade nova entrou em cena, uma garota chamada Barbora Kardosova.

Nome eslovaco?? Erika escreveu na margem.

Barbora era morena e bonita como Andrea, parecia que tinha se tornado amiga íntima rapidamente, e chegou a se juntar à família nas férias de 2012 e 2013. Em Barbora, Andrea parecia ter encontrado uma parceira de crime, no caso, caçar garotos, embora tivessem passado a persegui-los de um jeito mais sofisticado: tiravam fotos com uma série de homens morenos gostosões em boates caras ou, em igualmente caras, espreguiçadeiras.

A impressão era de que Andrea fez de Barbora uma verdadeira amiga e postava fotos em que elas compartilhavam momentos mais tranquilos, quando Andrea não usava maquiagem e dava muito menos importância para a câmera. De muitas maneiras, Andrea era mais bonita quando não estava carregada de maquiagem e divertia-se com um sorriso autêntico no rosto. Em uma das fotos, as garotas posavam lado a lado em frente a um espelho, vestindo pulôveres enormes que iam até os joelhos. Os suéteres gigantes eram estilo tia velha. O de Barbora tinha um bordado de gatos caçando bolas de lã, enquanto no de Andrea o bordado era de um gato laranja gigante reclinando-se em uma cesta. O flash da câmera do celular estava refletido no canto superior do espelho. A irmã de Andrea, Linda, tinha comentado: *"Sai do meu quarto sua vadia do caralho!"*.

Andrea tinha curtido o comentário e postado ☺.

Então, no final de 2013, Barbora desapareceu abruptamente sem explicação e excluiu Andrea. Erika voltou algumas folhas para conferir se não estava faltando nada. Barbora não apareceu uma vez sequer nas fotos depois desse momento. Ela nem mesmo "curtiu" algum post. Aproximadamente seis meses depois, em junho de 2014, o perfil de Andrea no facebook foi desativado. Não havia explicação nem mensagem para os amigos dizendo que ela tinha a intenção de sair da rede social.

Erika transferiu sua atenção para os registros telefônicos. Em compa-ração, eles eram insípidos e escassos. Crane tinha anotado os números, que consistiam de chamadas regulares para o noivo de Andrea, Giles Osborne; para um delivery de comida chinesa local no sábado; e nos sete sábados que antecederam o Natal, votos telefônicos para o *The X Factor*. O restante das chamadas era para a família, a floricultura que a mãe tinha em Kensington e a secretária do pai. Não havia nenhuma ligação na noite em que desapareceu, ainda que o celular tivesse sido encontrado com ela na cena do crime. Os registros telefônicos cobriam oito meses e retrocediam somente a junho de 2014.

Um estalo tomou conta do lugar quando uma caneca estilhaçou no chão de pedra. Erika levantou o olhar e se deu conta de que o dia já estava claro e a cantina estava enchendo. Ela conferiu o relógio e viu que eram 8h50. Por não querer se atrasar para o *briefing*, juntou seus papéis e foi embora. Trombou com o Superintendente Marsh no corredor.

– Li o livro de registros de ontem à noite – disse ele, suspendendo uma sobrancelha.

– Sim, senhor. Vou explicar tudo. Tenho uma boa pista.

– Que é?

– Vou contar no *briefing* – falou ela, quando chegaram à sala de investigação. Ao entrarem, Erika viu que toda a equipe já estava disposta às mesas. Ficaram em silêncio.

– Okay. Bom dia a todos. Vou começar informando que o Sargento Crane conseguiu puxar o histórico inteiro do facebook da Andrea e os registros telefônicos, um trabalho excelente e rápido. Andrea era bem ativa na rede, mas depois, em junho de 2014, ela desativou o perfil. Os registros telefônicos dela também só vão até junho. Por quê? Ela mudou o número?

– Ela conheceu Giles Osborne em junho passado – informou o Detetive Sparks.

– Sim. Mas por que ela mudou o número e desativou o perfil no facebook mais ou menos na mesma época?

– Talvez ela estivesse começando uma fase nova na vida. Alguns caras ficam com ciúme quando uma mulher tem alguns ex e um histórico – comentou Singh.

– Ela obviamente usava o facebook pra conhecer homens, aí ficou noiva e não precisava mais disso – disse Sparks.

– Mas os registros telefônicos dela são... eles são quase robóticos demais. Você está me dizendo que ela encontrou o homem dos sonhos e que a vida dela ficou completa; que não precisava mais de outras interações?

– Eu não falei isso – negou Sparks.

– Não, mas tem alguma coisa suspeita nisso. Ela não fez nenhuma ligação na noite em que desapareceu. Vamos vasculhar. Achar o celular antigo dela, puxar os registros e ver se ela tinha um segundo telefone de que não temos conhecimento. Além disso, descubram tudo o que conseguirem sobre uma garota chamada Barbora Kardosova, pronuncia "kardosh-ova". Ela foi muito amiga de Andrea entre 2012 e 2013, depois desapareceu. Elas brigaram? Onde ela está hoje? Temos como conversar com ela? Investiguem essa garota. Encontrem-na. E namorados antigos também. Andrea chamava a atenção masculina, e não era pouca; vejam o que conseguem descobrir.

– Mas sejam discretos em relação a isso – completou Marsh, do fundo da sala.

Erika prosseguiu:

– Dei uma passada no The Glue Pot ontem à noite. Uma garçonete chamada Kristina identificou Andrea e disse que ela estava lá na noite em que desapareceu. Ela diz que Andrea estava com uma mulher loira de cabelo curto e, mais tarde, com um cara de cabelo escuro.

— Você vai deter a Kristina, mandar a moça fazer um retrato falado? – perguntou Sparks.

— Ela ficou com medo quando propus isso.

— Okay, qual é o sobrenome dela? – perguntou Sparks.

— Bom, não tinha chegado a isso ainda quando...

Sparks sorriu maliciosamente.

Erika prosseguiu:

— Outra mulher com quem falei, Ivy Norris...

— Jesus Cristo – interrompeu Sparks. – Eu não acreditaria em nada que Ivy Norris fala. Aquela puta velha é conhecida pelas besteiras que diz e pelo monte de problemas em que se mete.

— Sim, mas Ivy Norris teve uma reação muito esquisita quando mencionei o The Glue Pot. Ela ficou com medo. Então eu quero que descubram tudo o que puderem sobre esse pub. Encontrem aquela garçonete e interroguem o proprietário. Acredito que haja uma conexão com a Andrea aqui e nós precisamos descobrir qual é, rápido, antes que as coisas evaporem.

— Detetive Foster, podemos trocar uma ideia? – disse Marsh.

— Sim, senhor... Moss e Peterson, quero vocês dois comigo hoje; vamos buscar os resultados da autópsia e os Douglas-Brown vão fazer a identificação formal do corpo.

A sala de investigação explodiu em falatório. Erika seguiu Marsh até o escritório dele. Ela fechou a porta e se sentou do lado oposto ao do chefe.

— Os Douglas-Brown estão vindo fazer um reconhecimento formal hoje de manhã?

— Estão. 10h30.

— Eu vou fazer a declaração policial desta vez. Nossa policial assessora de imprensa, a Colleen, é muito boa, e é claro que nós queremos enfatizar que este assassinato é de uma garota inocente. No entanto, precisamos estar preparados para o caso de a imprensa encontrar algum ângulo político – lamentou Marsh.

— Bom, eles precisam vender jornal – disse Erika.

Houve uma pausa, e Marsh tamborilou na mesa com os dedos.

— Preciso saber que rumo a sua investigação está tomando – disse ele, por fim.

— Estou procurando o assassino, senhor.

– Não seja leviana.

– Bom, o senhor estava lá agora, na sala de investigação. Essa testemunha, a Kristina, viu Andrea no The Glue Pot na noite em que desapareceu. Ela diz que Andrea estava com uma mulher de cabelo loiro e um homem de cabelo escuro. Estou procurando por essas pessoas.

– E onde ela está agora? Essa tal de Kristina?

– Bom, ela fugiu, e eu não tive como conseguir mais nenhuma informação.

– Ela sabia que você é policial?

– Sabia.

– Você acha que ela percebeu que seria melhor pra *ela* identificar Andrea?

– Senhor?

– Olha só, Erika. É muito provável que ela seja uma imigrante ilegal aterrorizada pela possibilidade de ser deportada. Provavelmente teria dito a você que viu o Elvis perto do *jukebox* se achasse que isso salvaria a pele dela.

– Senhor, não, eu acho que isso é uma pista. E uma outra mulher daqui, a Ivy Norris. A reação dela ao The Glue Pot foi...

– Eu li o registro do serviço de ontem à noite, Erika. Ele informa que você bateu no neto da Ivy Norris e depois ela puxou uma faca pra você.

– Isso mesmo, o menino me mordeu e eu reagi mal. Mas isso não é relevante. Senhor, Ivy Norris conhece essa área, e alguma coisa naquele pub a deixa com medo.

– Você sabia que no mês passado quatro pessoas foram decapitadas no Rambler's Rest, em Sydenham? Ela provavelmente também não está muito disposta a ir tomar uma lá.

– Senhor!

Marsh prosseguiu:

– Estou com o Comissário Assistente no meu encalço; tenho que dar as notícias para alguém na porcaria do gabinete ministerial sobre o andamento da investigação. Eles querem garantias de que detalhes de mau gosto ou infundados da família Douglas-Brown não venham à luz e caiam nas mãos da mídia.

– Eu não controlo a mídia. Nem vazo detalhes de investigações. O senhor sabe disso.

– Sim, mas preciso que você...

– Senhor, preciso fazer o meu trabalho. Seja direto comigo. O senhor está me dizendo que há coisas que eu não posso investigar?

Marsh retorceu o rosto e disse:

– Não!

– Então, o que o senhor quer dizer?

– Estou falando pra você se ater aos fatos. Há muito tempo nós suspeitamos que o The Glue Pot esteja envolvido em um esquema de conseguir trabalho para imigrantes ilegais e é um lugar frequentado por prostitutas. Você precisa de fatos concretos antes de começar a falar que Andrea Douglas-Brown estava lá na noite em que desapareceu.

– E se eu achar aquela garçonete e conseguir que ela faça um retrato falado?

– Boa sorte com isso, porque ela provavelmente já está enfiada na caçamba de algum caminhão com destino a Calais!

– Senhor! Nós temos Andrea nas câmeras de segurança. Ela pegou um trem pra Forest Hill na noite em que desapareceu, e o corpo dela foi encontrado perto da rua comercial. Jesus, tem jeito de ficar mais óbvio que eu devo estar certa?

Marsh pareceu exasperado.

– Okay. Mas fica esperta; seja discreta na sua investigação. A impressa está de olho na gente.

– Pode deixar, senhor.

– E quero que me mantenha informado.

– Sim, senhor.

Marsh encarou-a com seriedade e Erika foi embora da sala dele.

CAPÍTULO 14

O necrotério parecia eliminar o pouco calor que havia sobrado no corpo de Erika enquanto caminhavam pelo comprido corredor iluminado por lâmpadas fluorescentes. Chegaram a uma porta de metal, onde Moss apertou um interfone. O patologista forense Isaac Strong os deixou entrar.

— Bom dia — cumprimentou Isaac suavemente, projetando uma aura de calma e ordem. O jaleco branco de laboratório que cobria seu corpo alto estava impecavelmente passado e não continha nenhuma mancha, havia uma capa de celular de couro visível no bolso de cima. Ele usava calça jeans skinny preta e Crocs, e seu cabelo escuro estava penteado para trás. Novamente, Erika foi atraída pelos suaves olhos castanhos debaixo das sobrancelhas levemente arqueadas de Isaac. A sala de autópsia era uma estonteante mistura de aço com azulejo de porcelana vitoriana. Ao longo de uma parede ficava uma fileira de portas de aço inoxidável e, no centro da sala, três mesas de autópsia, também de aço inoxidável, rodeadas de canaletas. Andrea Douglas-Brown estava deitada debaixo de um lençol branco, na mesa mais próxima do lugar por onde eles haviam entrado. Os olhos dela agora estavam fechados. Seu cabelo havia sido lavado e muito bem penteado para trás. Os hematomas tinham escurecido, mas o rosto ainda estava inchado. Erika queria, para o bem da família, que a aparência de Andrea fosse a de quem estava dormindo, contudo, apesar dos esforços para limpá-la, o corpo ainda parecia ter sido espancado.

Isaac deu a volta na mesa com rodinhas e removeu gentilmente o lençol. Além dos ferimentos e lacerações no corpo nu, havia agora a rústica mas benfeita costura do lugar em que ele tinha feito a incisão em forma de Y, que estendia-se de cada um dos ombros, convergia no peito e descia de seus seios grandes até o tórax.

— Não havia fluído nos pulmões, então ela já estava morta quando foi para a água — informou Isaac. — O gelo evitou a decomposição, mas vocês podem perceber como a pele empalideceu devido à prolongada imersão.

Sulcos no pescoço e uma clavícula quebrada indicam morte por estrangulamento. Conforme eu suspeitava, o hematoma ao redor do pescoço indica uma mão de tamanho mediano sem nada incomum, como a falta de dedos, por exemplo.

Ele ficou em silêncio por um breve momento.

– Os resultados toxicológicos mostraram que havia uma alta concentração de álcool no sangue dela, além de uma pequena quantidade de cocaína. E ela não comia há várias horas; o estômago estava vazio, com exceção do dente quebrado, que ela provavelmente engoliu sem intenção durante o ataque. – Ele pegou um pequeno frasco de plástico que continha o dente quebrado e o segurou à luz. – Achei resíduo de um adesivo químico, encontrado na maioria das fitas adesivas, na boca e nos dentes dela.

– Então ela foi amordaçada? – perguntou Erika.

– É o que isso indica. Não há sinal de que foi estuprada. Entretanto, parece que ela fez sexo anal próximo do momento em que morreu, e parece que foi consensual. Colhi material do ânus em busca de sêmen e sangue, mas não encontrei. Só que havia resíduo de látex e pequenas quantidades de lubrificante.

– Ela usou camisinha? – perguntou Erika.

– Quem quer que tenha feito sexo anal com ela usou camisinha – corrigiu Isaac.

– Mas como você pode ter certeza de que o intercurso anal foi consensual?

Não houve nenhum silêncio desconfortável.

– Há uma diferença marcante entre penetração sexual consensual e não consensual – explicou Isaac. – No sexo consensual, geralmente o corpo está relaxado. O sexo não consensual acontece quase sempre com estresse extremo, pânico e resistência, fazendo com que os músculos se tensionem e contraiam, o que, por sua vez, pode levar a ferimentos internos e esfolamento da carne. Não havia dano absolutamente algum na mucosa do reto dela. É claro, outra teoria é a de que o intercurso pode ter acontecido *post mortem*.

– Por favor, meu Deus, não – disse Erika. – Espero que não.

– É possível, sim. Mas eu duvido. Esta agressão parece ter sido insana e frenética. O assassino a atacou como um animal. O cabelo dela foi arrancado nas duas têmporas... Ele teria a determinação e o controle pra parar e colocar uma camisinha?

– Acharam alguma camisinha na cena? – perguntou Erika.

– A área ao redor do ancoradouro e do lago estava emporcalhada de camisinhas. Estamos trabalhando na análise de todas elas, mas isso leva tempo.

Ficaram em silêncio por um momento.

– Você acha que Andrea era o tipo de garota que faz essas coisas? Sexo anal? – perguntou Peterson.

– É um julgamento complicado o que você está fazendo – respondeu Isaac.

– É, você sabe, podemos ser politicamente corretos aqui, ou podemos falar sobre as coisas do jeito que elas são. Não é só um certo tipo de garota que faz sexo anal? – perguntou Peterson.

– Eu não gosto dessa linha de pensamento – disse Erika.

– Mas temos que pensar assim – completou Peterson.

– Você está falando que só garotas vadias gostam de levar no rabo? Aquelas que gostam de se colocar em situações perigosas? – perguntou Moss.

– Você acha que foi um sexo sacana que deu errado? – Erika perguntou a Isaac.

– Como eu digo, meu trabalho não é levantar hipóteses sobre quem a pessoa é. Quando vêm a mim, tenho que tirar as minhas conclusões sobre como a pessoa morreu. Vocês podem ver aqui que as mãos dela foram amarradas com uma abraçadeira de nylon. Ela corta a pele bem fundo. As pernas dela também foram amarradas, e o tornozelo da perna esquerda tem uma pequena fissura.

– Isso não foi um sexo safado ao ar livre que saiu do controle. Isso foi sequestro – afirmou Erika. – Ela pode ter feito sexo mais cedo naquele dia com o noivo, e depois... Nossa. Vamos ter que perguntar ao noivo. Existe alguma outra prova com base em DNA?

– Se existia, muito provavelmente foi destruída pela água quando ela estava debaixo do gelo – respondeu Isaac.

Quando eles terminaram, tinham alguns minutos antes do horário marcado para os Douglas-Brown chegarem e identificarem o corpo de Andrea. Moss e Peterson aproveitaram a oportunidade para fumar um cigarro, e Erika se pegou aceitando o convite para se juntar a eles, mesmo que tivesse parado há anos. Eles ficaram em uma saída de emergência, olhando para a parte de trás de uma oficina mecânica. Dava para ver o interior da longa fileira de garagens onde os carros ficavam suspensos e homens trabalhavam em poços iluminados debaixo deles.

Erika tinha lidado com mais casos de assassinato e estupro do que conseguia se lembrar. Enquanto fumavam em silêncio, ela observava os homens trabalhando do lado oposto. Eram jovens e fortes. Quantas vezes na vida um homem comum chega perto de estuprar mulheres, de matá-las? Quantos se contêm? Quantos saem impunes?

– A chave é Andrea. Foi alguém que ela conhecia? – perguntou Erika, soltando a fumaça do cigarro no ar frio, sentindo a torrente de nicotina, há muito esquecida, rugindo no sangue.

– Você acha que ela foi seduzida a ir para o terreno do museu ou foi por vontade própria? – perguntou Peterson.

– São tão poucas as evidências com que podemos contar. Nenhum DNA. As câmeras de vigilância estavam estragadas.

– Aquilo pode ter sido armado? – perguntou Moss. – As câmeras? Pode ter sido alguém lá de dentro? Alguém que tem algum rancor em relação ao Sir Simon ou à família?

– Isso não passa de redução de custo do governo, aquelas bostas daquelas câmeras de segurança. E se fosse um sequestro e execução por profissionais, eles iriam mesmo deixar o celular e a identidade dela na cena? Não me parece um negócio tão profissional assim – disse Peterson.

– Talvez quisessem que ela fosse identificada rápido. Tipo, mandando uma mensagem – especulou Moss.

– Ela recebia muita atenção masculina. O que me dizem de um amante rejeitado? – perguntou Erika.

– É possível. Mas quem? Ela estava noiva. Parece que tinha se transformado em uma freira depois que conheceu o Giles Osborne. Temos que falar com ele – disse Moss.

Isaac apareceu na saída de emergência.

– A família Douglas-Brown acabou de parar no estacionamento – informou ele.

– Odeio esta parte do trabalho – comentou Moss, apagando o cigarro pela metade na sola do sapato e o recolocando no maço.

Simon e Diana Douglas-Brown chegaram com seus filhos Linda e David. Erika achou estranho ver a irmã e o irmão de Andrea pela primeira vez. Tinha a sensação de que sabia muita coisa sobre eles por causa do perfil de Andrea no facebook.

Diana e Simon estavam impecavelmente vestidos de preto, e a mulher parecia ser carregada pelo marido e pelo filho. David era muito alto e magro, e usava um elegante e apertado terno preto e óculos. Linda seguia ao lado do pai, e o vestido evasê e o casaco grosso de inverno que usava deixavam-na com aparência de meia-idade. Todos estavam com os olhos vermelhos de choro.

– Bom dia. Por aqui, por favor – disse Erika, levando-os para a porta da sala de identificação.

Simon pôs a mão sobre a da mulher e falou:

– Você fica aqui, David; e Linda, você também. Eu faço isso.

– Pai, estamos aqui. Juntos – disse David. A voz dele tinha uma imposição profunda e vigorosa, como a do pai, o que contrastava com sua aparência geek. Linda mordeu o lábio por um momento e depois concordou com um movimento de cabeça. Erika mostrou-lhes o caminho. A sala de identificação era pequena e fria, com duas cadeiras e uma mesa de madeira decorada com um buquê de narcisos de plástico eternamente joviais.

– Por favor, fiquem o tempo que precisarem – disse Erika, conduzindo-os para uma grande janela. Do outro lado do vidro havia uma cortina fechada. Erika notou que ela tinha sido pendurada ao contrário, pois o forro amarelado estava virado para eles e alguns dos pontos de costura saíam pela parte de cima. Era irônico que os mortos fossem aqueles a quem se mostrava o lado bom, enquanto pais, parentes e amigos aguardavam do outro lado, como se estivessem no backstage.

Diana ficou visivelmente tensa quando um assistente do necrotério puxou a cortina, revelando Andrea, que estava coberta por um lençol branco. Uma suave luz amarela espalhava-se sobre o revestimento de madeira das paredes da sala de identificação. Erika nunca perdeu a sensação de que ver um corpo era quase abstrato, teatral. Alguns parentes permaneciam impassíveis, outros choravam incontrolavelmente. Uma vez, ela lembrou, um homem esmurrou o vidro com tanta força que o rachou.

– Sim. É Andrea – confirmou Diana. Ela engoliu em seco e seus olhos lacrimejaram. Pressionou um lenço branco perfeitamente quadrado em seu rosto com a maquiagem impecável. Linda não piscou, não recuou. Ela apenas inclinou a cabeça com os olhos arregalados de curiosidade. David olhava sombriamente, lutando para segurar as lágrimas.

Foi Simon quem perdeu o controle e, com um gemido, desabou. David foi abraçar o pai, mas ele desvencilhou-se violentamente. Foi só então que David também chorou, encolhendo-se, com soluços subindo-lhe pelo peito.

– Vou lhes dar privacidade. Levem o tempo que precisarem – disse Erika.

Diana agradeceu com a cabeça enquanto a detetive se retirava.

Cinco minutos se passaram, e a família finalmente saiu, com os olhos vermelhos. Erika estava aguardando no corredor com Moss e Peterson.

– Obrigada por fazerem isso – agradeceu Erika, gentilmente. – Seria possível conversarmos com todos vocês hoje à tarde?

– Sobre o que você quer conversar com a gente? – perguntou Simon. Seus olhos vermelhos agora estavam cautelosos e constrangidos.

– Gostaríamos de saber um pouco mais sobre Andrea. Assim podemos descobrir se ela conhecia o assassino.

– Por que ela conheceria o assassino? Você acha que alguém como Andrea iria se misturar com assassinos? – questionou Simon.

– Não, senhor. Não acho. Mas são perguntas que temos que fazer.

– Onde está o noivo da Andrea? – perguntou Moss.

– Giles compreendeu que queríamos vir como uma família. Tenho certeza de que ele vai expressar seus pêsames quando... – A voz de Lady Diana desvaneceu, talvez por tomar consciência de que agora teria que preparar um funeral.

Eles observaram a família atravessar lentamente o estacionamento coberto de neve até o carro que os aguardava. Quando entraram, Simon Douglas-Brown encarou Erika. Seus olhos perfuraram os dela. Em seguida ele entrou no carro, que saiu neve adentro.

CAPÍTULO 15

A Yakka Events era sediada em um prédio de escritórios em uma rua residencial em Kensington. Ele erguia-se entre fileiras de casas comuns, como uma escultura pretensiosa que tinha sido entregue no endereço errado. Erika, Peterson e Moss tiveram que interfonar diante de duas portas de vidro escuro separadas, antes de conseguirem chegar à recepção. Uma jovem recepcionista, com fones de ouvido, estava sentada digitando em seu computador. Ela os viu, mas não falou uma palavra e continuou digitando. Erika inclinou-se e tirou um dos fones da orelha dela.

– Sou a Detetive Inspetora Chefe Foster, estes são a Detetive Moss e o Detetive Peterson. Gostaríamos de falar com Giles Osborne, por favor.

– O Sr. Osborne está ocupado. Um momento, vou só terminar isso e agendo um horário – disse a recepcionista, fazendo um teatro para recolocar o fone.

Erika inclinou-se novamente e deu um puxão no cabo, arrancando os dois fones das orelhas da garota.

– Não estou te pedindo. Estou informando que gostaríamos de ver Giles Osborne.

Os três mostraram suas identidades policiais. A atitude da garota foi a mesma, mas ela pegou o telefone que estava sobre a mesa.

– Qual o assunto?

– A morte da noiva dele – respondeu Erika.

A garota digitou um número.

– Por que ela acha que a gente está aqui? Por um gato que ficou preso no alto de uma porra de uma árvore? – resmungou Peterson.

Erika disparou-lhe um olhar.

A recepcionista desligou o telefone.

– O Sr. Osborne virá em um momento. Vocês podem esperar ali.

Eles caminharam para uma área de espera com sofás e uma mesa de centro baixa, onde revistas de design estavam organizadas em um perfeito leque. No canto, havia um pequeno bar com um freezer gigante, iluminado, estocado com fileiras de cervejas, e ao lado dele havia uma gigantesca máquina de expresso prateada. Ao longo da parede estava pendurada uma montagem com fotos tiradas em vários eventos da Yakka, que em sua maioria pareciam envolver deslumbrantes garotas e garotos servindo champanhe de graça.

– Com esta minha bunda gorda, ele nunca ia me contratar – murmurou Moss ao sentarem-se.

Erika a olhou de lado e viu, pela primeira vez, que Moss estava dando um sorrisão. Erika retribuiu com um largo sorriso.

Minutos depois, Giles Osborne surgiu de uma das portas de vidro escuro ao lado do bar. Ele era baixo, roliço e tinha cabelo escuro oleoso repartido de lado. Seus olhos redondos e brilhantes eram muito próximos um do outro, o nariz era grande e ele não tinha queixo. Estava enfiado em uma calça jeans skinny e usava uma camisa de gola V apertada demais para sua barriga protuberante. Um estranho par de botas na altura do tornozelo, que lhe dava um aspecto Humpty-Dummptyano, completava o modelito. Erika ficou surpresa por aquele ser o homem com quem Andrea tinha escolhido se casar.

– Oi, sou Giles Osborne. O que eu posso fazer por vocês? – perguntou ele, com seu sotaque confiante e refinado.

Erika apresentou todo mundo e completou:

– Primeiramente, gostaríamos de lhe dar os pêsames.

– Sim. Obrigado. Foi um grande choque. Algo que ainda estou tentando processar. Não sei se algum dia irei...

Ele parecia aflito e não os convidou para irem a outro local.

– Podemos ir para um lugar um pouco mais reservado? Gostaríamos de lhe fazer algumas perguntas – disse Erika.

– Eu já conversei demoradamente, ontem, com o Detetive Sparks – disse ele apertando os olhos de maneira desconfiada.

– Sim, e agradecemos pelo seu tempo, mas compreenda que estamos lidando com uma investigação de assassinato e precisamos nos certificar de que temos todas as informações...

Giles os observou por um momento e depois deu a impressão de ter deixado de lado a suspeita.

– É claro. Podemos lhes oferecer algo para beber? *Cappuccino*? *Espresso*? *Macchiato*?

– Eu vou querer um *cappuccino* – respondeu Moss.

Peterson concordou com ela, com um gesto de cabeça.

– Sim, obrigada – disse Erika.

– Michelle, estaremos na sala de reunião – Giles disse à moça na recepção. Ele segurou a porta de vidro aberta, e eles passaram por um escritório coletivo onde seis ou sete jovens, homens e mulheres, trabalhavam em computadores.

Nenhum deles parecia ter mais do que 25 anos. Giles abriu outra porta que levava a uma sala de reunião com uma mesa de vidro comprida e cadeiras. Uma grande televisão de plasma na parede exibia um website, em que havia fileiras de imagens em miniatura. Em uma inspeção mais atenta, Erika percebeu que as imagens eram de caixões. Giles aproximou-se rapidamente de um notebook sobre a mesa e minimizou o navegador. Na mesma hora, o símbolo da Yakka Events apareceu na televisão.

– Eu não consigo imaginar como este momento deve estar sendo para o Lord e a Lady Douglas-Brown. Pensei que poderia poupá-los um pouco e planejar o funeral da Andrea.

– Ela só foi formalmente identificada uma hora atrás – informou Moss.

– Sim, mas vocês a tinham identificado, correto? – replicou ele.

– Sim – confirmou Erika.

– Cada um reage de uma maneira a uma perda repentina. Pode parecer estranho para vocês... – Ele desabou e colocou uma mão no rosto. – Desculpem. Só preciso focar... Tenho que fazer alguma coisa, e organizar eventos está no meu sangue, creio eu. Simplesmente não consigo acreditar que isso aconteceu...

Erika tirou um lenço de uma caixa na mesa de reunião e o passou a Giles.

– Obrigado – disse ele, pegando-o e assoando o nariz.

– Dá pra ver que a sua empresa é bem-sucedida – comentou Erika, mudando de assunto, enquanto acomodavam-se à confortável mesa.

– É, não posso reclamar. Há sempre pessoas querendo falar do seu produto para o mundo. As recessões vêm e vão, mas sempre há necessidade e vontade de divulgar um conceito, uma marca, um evento. Estou aqui para ajudar a transmitir essa mensagem.

– Que mensagem você espera transmitir quando organizar o funeral da Andrea? – perguntou Moss.

Antes que ele pudesse responder, a recepcionista entrou com os cafés e os colocou na mesa.

— Obrigado, Michelle, você é um anjo — agradeceu Giles, quando ela já estava de costas saindo da sala. — Hum, essa é uma pergunta muito boa. Quero que as pessoas se lembrem da Andrea pelo que ela era: uma garota bonita e jovem, pura e autêntica, inocente, com a vida inteira pela frente...

Erika revirou aquilo no cérebro por um momento. Ela viu Moss e Peterson fazerem o mesmo.

— Este café está muito bom — elogiou Moss.

— Obrigado. Fizemos o lançamento do produto. É tudo completamente *fairtrade*. Os fazendeiros são remunerados com um valor muito acima do mercado pelo que produzem; os filhos deles ganham vagas em escolas. Eles têm acesso a saneamento, água limpa. Plano de saúde completo.

— Eu não sabia que estava fazendo um bem tão grande só por beber um *cappuccino* — disse Peterson, com a voz carregada de sarcasmo.

Erika sabia que Peterson e Moss compartilhavam a antipatia que ela sentia por Giles Osborne. E não conseguiriam nada se ele ficasse sabendo disso.

— Nós viemos aqui hoje — disse Erika —, para tentar formar uma imagem da Andrea. Acreditamos que a melhor maneira de pegar quem fez aquilo é remontando as partes da vida dela e de seus últimos movimentos.

— Claro — concordou Giles. — Foi um choque... um choque terrível. — Os olhos dele começaram a se encher de lágrimas novamente, e ele os esfregou com raiva usando o lenço embolado, fungando algumas vezes. — Nós nos casaríamos no próximo verão. Ela estava tão animada. Já tinha até começado a tirar as medidas para o vestido. Ela queria um Vera Wang, e eu sempre dei à minha Andrea o que ela queria...

— Os pais dela não quiseram pagar? — perguntou Erika.

— Não. Na tradição eslovaca, cada família paga metade... Você é eslovaca? Acho que percebi um sotaque — disse Giles.

— Sou, sim.

— Casada?

— Não. Posso perguntar onde o senhor e a Andrea se encontraram pela primeira vez?

— Ela veio trabalhar para mim, junho passado.

– Fazendo o quê?

– Era uma das nossas *sampling girls*, embora eu não acredite que ela soubesse o significado da palavra "trabalho". Conheço Lady Diana há alguns anos. Nós fazemos parcerias frequentes com a floricultura dela para os nossos eventos. Ela disse que tinha uma filha que estava procurando emprego; em seguida me mostrou uma foto e pronto.

– O que você quer dizer com "e pronto"? – perguntou Peterson.

– Bem, ela era bonita. O tipo de garota que nós adoramos contratar... E, é claro, em pouquíssimo tempo eu estava apaixonado por ela.

– E ela trabalhou para você por muito tempo antes de começarem a se relacionar? – perguntou Peterson.

– Não... Bom, o amor durou um pouco mais do que o período em que ela ficou empregada. Andrea só fez um trabalho, distribuindo amostras de Moët. Ela era terrível! Se comportou como se estivesse na festa, não trabalhando... e ficou bêbada! Aquilo não deu certo, mas, hã... *nós* demos. – Giles desvaneceu. – Escuta aqui, essas coisas são relevantes? Eu imaginava que vocês estariam lá fora procurando o assassino.

– Então foi um namoro bem rápido. Vocês se encontraram há oito meses apenas, em junho? – disse Erika.

– Isso.

– E você foi bem rápido em pedi-la em casamento.

– Como eu disse, foi amor à primeira vista.

– E você acha que foi amor à primeira vista para a Andrea também? – indagou Moss.

– Calma, eu estou sob suspeita? – perguntou Giles, remexendo-se desconfortavelmente na cadeira.

– Por que você imaginaria que está sob suspeita? Nós avisamos que íamos fazer perguntas – falou Erika.

– Mas eu já respondi tudo isso antes, tenho como provar onde eu estava na noite em que Andrea desapareceu. Das 15h de quinta-feira, dia 8 de janeiro, até às 3h do dia 9, eu estava supervisionando o lançamento de um produto no Raw Spice, no Soho, na Beak Street, 106. Depois voltei aqui para o escritório com a minha equipe e bebemos um pouco para relaxar. Tenho tudo isso gravado pelas câmeras de segurança. Então, saímos pra tomar café às 6h... no McDonald's de Kensington. Tenho mais de 12 funcionários que podem confirmar isso, e sem dúvida há imagens de câmeras da maioria dos lugares. O porteiro do meu prédio me viu chegar em casa às 7h e não saí de novo até o meio-dia.

– O que é Raw Spice? – perguntou Peterson.

– É um local de *sushi fusion*.

– *Sushi fusion*?

– Eu realmente não espero que alguém como você saiba o que é isso – disse Giles, impaciente.

– Alguém como eu? – questionou Peterson, levantando a mão para enrolar um de seus cachos.

– Não, não, não; o que eu quis dizer foi alguém que... que talvez não frequente a sociedade de Londres...

Erika entrou na conversa:

– Claro, sem problema. Veja bem, Sr. Osborne...

– Por favor, me chame de Giles. Neste escritório nos tratamos pelo primeiro nome.

– Giles. Você tem facebook?

– É claro que tenho facebook – respondeu irritado. – Tenho uma empresa de eventos. Somos muito ativos nas redes sociais.

– E Andrea?

– Não. Ela é uma das poucas pessoas que conheço que não tinha perfil no facebook. Eu tentei... tentei levá-la para o instagram algumas vezes, mas ela é... ela *era* leiga em tecnologia.

Erika se levantou e sacou algumas telas impressas do perfil de Andrea no facebook, colocando-as na mesa de vidro em frente a ele.

– Andrea tinha, sim, um perfil no facebook. Ela o desativou em junho de 2014. Estou supondo que foi mais ou menos na época em que se conheceram.

Giles puxou os papéis para perto de si.

– Será que ela queria um recomeço? – questionou ele, confuso, tentando nitidamente não reagir a uma foto de Andrea envolvida por um jovem bonito que estava com a mão em um dos seios dela por dentro de seu top frente única branco.

– Então ela mentiu pra você sobre não ter um perfil no facebook.

– Bom, mentir é uma palavra forte, não é?

– Mas por que *esconder* isso de você?

– Eu... eu não sei.

– Giles, você conhece o The Glue Pot, em Forest Hill? – perguntou Peterson.

– Não, creio que não. O que é isso?

– É um pub.

– Então, definitivamente não conheço. Eu, na verdade, nunca vou para o sul do rio.

– Esse pub é o último lugar onde Andrea foi vista na noite em que desapareceu. Ela estava acompanhada de uma mulher loira de cabelo curto e de um homem moreno. Você tem alguma ideia de quem eles poderiam ser? Ela tinha algum amigo em South London, para os lados de Forest Hill?

– Não. Bom... não que eu soubesse.

– Consegue pensar em alguém que poderia querer machucá-la? Ela devia dinheiro a alguém?

– Não! Não; tendo o Sir Simon e a mim, Andrea nunca precisou de nada. Na noite em que desapareceu, ela me disse que estava indo ao cinema com Linda e David. Eu a estava incentivando a passar mais tempo com o irmão e a irmã. Eles não eram muito próximos.

– Por que não?

– Ah, você sabe... famílias ricas. Os pais delegam a educação a babás e professores. Os irmãos sempre competem por atenção... Bom, David e Andrea pareciam conseguir bem mais atenção do que Linda. Eu tive sorte. Sou filho único.

A imagem de Humpty-Dumpty voltou a Erika. Giles, pequeno e atarracado, sentado sozinho em um muro com as pernas penduradas, sem encostar no chão.

– Você conheceu uma garota chamada Barbora Kardosova? Ela era amiga da Andrea – disse Erika deslizando uma foto de Barbora pela mesa.

Giles abaixou-se para examinar a foto.

– Não. Embora Andrea tenha mencionado Barbora. Parece que ela deixou de ser amiga da Andrea de uma maneira muito cruel. Aconteceu pouco antes de eu conhecê-la.

– Você conhecia bem os amigos da Andrea?

– Ela não tinha muitas amigas. Andrea tentava se aproximar de outras garotas e elas ficavam com inveja. Ela é... ela *era*... bonita demais.

– Você e a Andrea tinham uma vida sexual ativa? – perguntou Peterson.

– O quê? É claro. Tínhamos acabado de ficar noivos...

– Você teve relação sexual com Andrea no dia em que ela desapareceu?

– O que isso tem a ver com... – começou Giles.

– Por favor, responda à pergunta – cortou Erika.

– Hum, acho que podemos ter feito, à tarde? Olha só, eu não sei o que isso tem a ver com ela ter desaparecido. Me perguntar sobre a minha vida sexual! Porra, isso não é da sua conta! – reclamou Giles, com o rosto vermelho.

– Vocês faziam sexo anal e vaginal? – perguntou Peterson.

Giles se levantou tão rápido que seu café derramou e a cadeira caiu para trás.

– Já chega! Saiam! Vocês me ouviram? Esta conversa é informal, certo? Não tenho que falar com vocês. É voluntário.

– É claro que é – disse Erika. – Mas você poderia, por favor, responder à pergunta? Andrea sofreu um ataque prolongado e brutal antes de morrer. Estamos fazendo essas perguntas por um motivo.

– O quê? Se nós fizemos... Se nós fazíamos um ato anormal? Não. NÃO! Eu não me casaria com uma garota que... – Giles puxava a gola da camisa, incapaz de pronunciar as palavras. – Sinto muito, mas preciso ir embora. Se quiserem me fazer mais alguma pergunta, quero um advogado presente. Isso é muito penoso e desagradável.

O café derramado tinha chegado à beirada da mesa de vidro e começou a gotejar no carpete, fazendo barulho.

– Ela foi estuprada? Ela foi muito machucada? – perguntou ele, com a voz bem baixa, dissolvendo-se em lágrimas. Ele debruçou-se sobre a mesa e chorou na manga da camisa.

– Não acreditamos que Andrea tenha sido abusada sexualmente, mas a agressão foi sofrida e brutal – informou Erika, de maneira branda.

– Ai meu Deus – disse Giles, respirando fundo e esfregando os olhos. – Não consigo pensar... Não consigo imaginar o que ela passou.

Erika deu a ele um momento antes de continuar:

– Você saberia me dizer, Giles, se Andrea tinha mais de um telefone? Giles levantou o olhar, confuso.

– Não. Não, ela tinha um iPhone de Swarovski. A secretária do Sir Simon paga as contas. É a mesma coisa com a Linda e o David.

Erika olhou para Moss e Peterson, e eles se levantaram.

– Acho que vamos parar por aqui, Sr. Osborne, obrigada. Desculpe pelo tipo de perguntas, mas as suas respostas para essas difíceis questões vão ajudar muito a nossa investigação.

Erika encostou na manga dele.

– Não precisa nos acompanhar até a saída – terminou ela.

Eles passaram por Michelle, que estava entrando na sala de reuniões carregando uma grande quantidade de lenços. Ela lançou um olhar de desaprovação.

– O que vocês acham? – perguntou Erika, quando chegaram à rua.

– Eu vou falar, porque sei que todos nós estamos pensando a mesma coisa. O que diabos ela estava fazendo com ele? Ela não tinha como ser mais areia para o caminhãozinho dele! – disse Peterson.

– E acho que ele não sabia nada da Andrea – disse Moss.

– Ou ela só deixava o Giles saber aquilo que *ela* queria que ele soubesse – acrescentou Peterson.

CAPÍTULO 16

Na hora do almoço, a notícia oficial sobre a morte de Andrea espalhava-se pela mídia. Quando Erika, Moss e Peterson aproximaram-se da residência dos Douglas-Brown, o conjunto de fotógrafos tinha crescido na área verde do lado de fora e eles reviravam a neve derretida. Desta vez os policiais não tiveram que ficar esperando à porta e foram levados para uma ampla sala de visitas com vista dupla: da árvore em frente e de um vasto jardim atrás. Dois grandes sofás claros e várias poltronas rodeavam uma longa e baixa mesa de centro, e no canto havia um piano de meia cauda coberto por uma seleção de porta-retratos.

– Olá, policiais – cumprimentou Simon Douglas-Brown, levantando-se de um dos sofás para apertar-lhes a mão. Diana Douglas-Brown estava sentada ao lado dele e não se levantou. Os olhos dela estavam vermelhos e inchados, e o rosto, sem maquiagem. David e Linda estavam sentados no lado oposto ao dos pais. Simon, Diana e David ainda vestiam preto, mas Linda tinha trocado por uma saia xadrez, blusa de lã branca comprida e larga, com gatinhos caçando bolas de lã no bordado da frente. Erika reconheceu a blusa da foto no facebook. Andrea a tinha usado com Barbora.

– Obrigada por nos receberem – disse Erika. – Antes de começarmos, eu gostaria de me desculpar com vocês se tive uma postura grosseira ontem. Não foi intencional, e me desculpo com toda sinceridade se os ofendi de alguma maneira.

Simon pareceu surpreso e disse:

– Sim, claro, já esquecemos. E muito obrigado.

– Sim, obrigada – ecoou Diana, com a voz rouca.

– Só queríamos saber um pouco mais da vida da Andrea – disse Erika, sentando-se no sofá do lado oposto ao da família. Peterson e Moss sentaram-se um de cada lado dela. – Podemos fazer algumas perguntas a vocês?

A família consentiu com gestos de cabeça.

Erika olhou para David e Linda e falou:

– Soube que Andrea deveria se encontrar com vocês na noite em que desapareceu.

– Isso mesmo, tínhamos combinado de nos encontrar no Odeon, em Hammersmith, para assistirmos a um filme – disse Linda.

– Que filme?

David deu de ombros e olhou para Linda.

– *Gravidade* – respondeu Linda. – Andrea não parava de falar no quanto ela queria ver o filme.

– Ela falou porque cancelou?

– Ela não cancelou, só não apareceu – disse Linda.

– Okay. Nós temos uma testemunha que viu Andrea em um pub em South London, no The Glue Pot. Isso significa alguma coisa?

A família inteira negou com a cabeça.

– Isso aí não me parece um lugar onde Andrea iria – comentou Diana, com uma voz um pouco confusa e inexpressiva.

– Ela podia estar indo se encontrar com alguém? Ela tinha algum amigo naquela região?

– Santo Deus, não! – disse Diana.

– Andrea dispensava um monte de amigos – disse Linda, tirando sua curta franja dos olhos com um balanço de cabeça.

– Linda, isso não é justo – disse a mãe, debilmente.

– Mas era isso mesmo. Vivia falando de alguém novo que ela tinha conhecido em um bar ou boate... Ela tinha carteirinha de sócia de um monte de lugar. Ficava louca com o pessoal por um minuto e no dia seguinte ela já cortava as pessoas. Excomungava as pessoas por qualquer mínima pisada na bola.

– Tipo o quê? – perguntou Erika.

– Tipo estar mais bonita do que ela ou conversar com o cara com quem ela queria falar. Ou por ficarem falando muito deles mesmos...

– Linda – chamou o pai, em tom de advertência.

– Estou contando a verdade pra eles!

– Você está criticando severamente a sua irmã, que está morta. Ela não está aqui para brigar com você... mais – disse Simon, sua voz sumindo.

– Você saía com a Andrea para bares e boates? – perguntou Moss.

– Não – respondeu Linda, enfaticamente.

– Quando você fala "carteirinha de sócia", o que você está querendo dizer?

– Carteirinha de sócia de boates. Não acho que são o tipo de boates a que *você* iria – completou Linda, olhando Moss de cima abaixo.

– *Linda* – repreendeu Simon.

Linda se remexeu desconfortavelmente no sofá e suas nádegas volumosas vazaram pela beirada.

– Desculpe, foi indelicado – disse ela, balançando a franja novamente.

Erika se perguntou se aquilo era um tique nervoso.

– Sem problema – disse Moss, cordialmente. – Isso não é um interrogatório formal; a gente só quer informações que nos ajudem a pegar o assassino da Andrea.

– Eu posso te dar a lista de boates que a Andrea tinha carteirinha de sócia. Vou falar com a minha secretária e pedir a ela para lhe encaminhar – disse Simon.

– Linda, você trabalha em uma floricultura, certo? – perguntou Peterson.

Linda olhou para ele de cima abaixo, deixando transparecer que tinha gostado do que estava vendo, como se o estivesse notando pela primeira vez.

– Trabalho. É a empresa da minha mãe. Sou subgerente. Você tem namorada?

– Hã... não – respondeu Peterson.

– Que pena – disse ela de modo pouco convincente. – Vamos receber coisas lindas para o Dia dos Namorados.

– E você, David? – perguntou Peterson.

David tinha afundado no sofá e olhava vagamente para a frente com a gola de sua blusa suspensa até o lábio inferior.

– Estou fazendo mestrado – respondeu ele.

– Onde?

– Aqui em Londres, na UCL.

– E o que você está estudando?

– História da Arquitetura.

– Ele sempre quis ser arquiteto – disse a mãe orgulhosa, pondo a mão no braço do filho. Ele se desvencilhou do toque dela. Por um momento, Diana deu a impressão de que desabaria novamente.

– Quando foi a última vez em que você viu a Andrea? – perguntou Erika.

– Na tarde do dia anterior que combinamos de sair – disse David.

– Você saía muito com a Andrea em Londres?

– Não. A ostentação dela era mais pra Kardashian, eu sou mais estilo Shoreditch, sabe?

– Você está falando dos bares e boates de Shoreditch? – perguntou Peterson. David fez que sim com a cabeça. – Eu moro em Shoreditch. Financiei um imóvel um pouco antes dos preços ficarem insanos.

Linda olhava para Peterson como se ele fosse um bolo de creme esperando para ser devorado.

David prosseguiu:

– Que louco. Quando eu tiver acesso ao meu fundo fiduciário, vou comprar uma casa em Shoreditch.

– David – advertiu o pai.

– Vou mesmo. Ele me fez uma pergunta, eu respondi.

Houve uma mudança quase imperceptível na sala. Simon e Diana trocaram um olhar, e houve silêncio.

– Então, Linda, você é florista e o David está estudando. O que Andrea fazia? – perguntou Moss.

– Andrea estava noiva e ia se casar – disse Linda com a voz carregada de ironia.

– Chega! – urrou Simon. – Não vou deixar vocês dois ficarem falando desse jeito, enchendo a sala com essa atmosfera horrível. Andrea está morta. Foi brutalmente assassinada! E vocês ficam aqui apedrejando a menina!

– Não fui eu, foi a Linda – defendeu-se David.

– Ah tá, sou sempre eu. É sempre a Linda...

O pai os ignorou e disse:

– Andrea era uma garota bonita. Mas não era só isso, ela iluminava um lugar quando entrava. Ela era bonita, e vulnerável, e... e... uma luz se apagou nas nossas vidas.

A atmosfera na sala mudou. Parecia que a família tinha se remexido no sofá e se aproximado para ficar mais unida.

– O que podem nos dizer sobre a amiga de Andrea, Barbora Kardosova? – perguntou Erika.

– Acho que ela foi o mais perto que Andrea chegou de ter uma melhor amiga – disse Diana. – Ela até viajava nas férias com a gente. As duas foram muito próximas durante um tempo, depois ela simplesmente desapareceu. Andrea falou que a Barbora simplesmente se mudou.

– Você sabe pra onde ela foi?

– Não. Ela não deixou endereço; não respondeu a nenhum e-mail da Andrea – explicou Diana.

– Você acha isso estranho?

– É claro que é estranho. Acho que os pais dela eram separados. A mãe dela era doente. Além disso, as pessoas têm o hábito incontrolável de deixar os outros pra baixo...

– Elas tiveram alguma briga?

– É possível, mas Andrea era... Bom, ela não ia mentir sobre coisas desse tipo. Ela teria contado para nós. Andrea acha... *achava* que Barbora tinha ficado com ciúme dela.

– Os registros do celular da Andrea só vão até junho de 2014 – disse Erika.

– É, ela perdeu o outro telefone. Era dela desde que tinha 13 ou 14 anos – falou Simon.

– E você comprou outro pra ela?

– Comprei.

– Você tem o número do celular antigo?

– Por que vocês iriam precisar dele?

– Rotina.

– É mesmo? Imaginei que oito meses de registros seriam o suficiente...

Eles podiam perceber que Simon estava começando a ficar desconfortável.

– Andrea tinha um segundo celular?

– Não.

– Ela poderia ter um segundo celular que vocês não tivessem conhecimento?

– Bem... Não. A família gerencia o fundo fiduciário dela. Ela usava principalmente cartão de crédito. Nós saberíamos se ela tivesse comprado um celular. Mas por que ela faria isso?

– Ajudaria muito se conseguíssemos o número antigo dela.

Simon olhou para Erika e disse:

– Está bem, vou falar com a minha secretária. Ela providenciará isso.

Erika ia fazer outra pergunta, mas Diana começou a falar:

– Não sei o que Andrea foi fazer lá do outro lado do rio! E depois alguém a pega e mata. Meu bebê... *Meu bebê*. Ela está *morta*!

Diana ficou histérica e começou a engolir em seco, tendo ânsia como se fosse vomitar. Simon e David começaram a confortá-la, mas Linda deu outra balançada nervosa na cabeça por causa da franja e pegou um fio de algodão na sua blusa de gatinho.

— Detetives, por favor, já chega de perguntas — disse Simon.

Erika achou difícil esconder sua ansiedade e pediu:

— Seria possível dar uma olhada no quarto da Andrea?

— O quê? Agora? O seu pessoal já esteve aqui e fez isso.

— Por favor, nos ajudaria — insistiu Erika.

— Eu levo o pessoal lá, papai — disse Linda. — Venham comigo.

Eles seguiram Linda e passaram por Diana, que ainda estava histérica. David gesticulou a cabeça para Linda e deu um sorriso débil, depois voltou a consolar a mãe. A caminho da porta, eles passaram pelo piano entupido de fotos dos Douglas-Brown e seus filhos... todos sorrindo, todos felizes.

CAPÍTULO 17

O quarto de Andrea era grande e, como o resto da casa, tinha uma mobília muito bonita. Três janelas davam vista para a área verde onde se aglomerava a imprensa. Linda caminhou com passos firmes na frente dos investigadores e aproximou-se delas. Os fotógrafos lá embaixo agiram imediatamente e começaram a clicar. Linda abaixou as venezianas com força, fazendo um barulhão.

— Essas bestas! Não podemos fazer nada. Estamos presos aqui dentro. David fica reclamando que não pode nem fumar um cigarro na varanda. Papai fala que não ia pegar bem.

As venezianas eram grossas e deixaram o quarto na escuridão. Linda acendeu a luz. A janela do meio era a maior, e debaixo dela havia uma enorme mesa de madeira encerada. A mesa estava impecavelmente organizada com uma quantidade extraordinária de maquiagem: um grande pote de pincéis e delineadores, uma fileira de esmaltes de muitas cores, pilhas de potinhos de pó compacto, fileiras de caixas de batons. Na ponta do espelho ficavam pendurados montes de pulseiras e ingressos de shows: Madonna, Kate Perry, Lady Gaga, Rihanna, Robbie Williams.

Um guarda-roupa estendia-se por toda a parede da direita. Erika deslizou a porta espelhada, e o aroma da fragrância Chanel Chance flutuou para fora. Por dentro, era um armário caro de roupas de grife, a maioria saias curtas e vestidos. A parte de baixo era coberta de caixas de sapatos.

— Então, Andrea tinha uma mesada? — perguntou Erika, olhando as peças de roupas nos cabides.

— Quando ela fez 21, teve acesso ao fundo fiduciário dela, como eu também tive. Só que o David ainda tem que esperar, o que tem gerado... questões — comentou Linda.

— O que você quer dizer com questões?

— Os homens que nascem na família têm que esperar até o 25º aniversário.

– Por que isso?

– David é igual a qualquer outro garoto de 21 anos. Quer gastar o dinheiro dele com mulheres, carros e bebida. Mesmo assim, ele é muito mais atencioso do que a Andrea, mesmo tendo menos dinheiro. Ele me dá presentes de aniversário mais legais – comentou Linda, antes de jogar a franja de lado novamente e cruzar os braços sobre seus grandes seios.

– Com que você gasta o seu dinheiro? – perguntou Moss.

– Essa pergunta é muito indelicada e eu não tenho que responder – disse Linda, com um tom áspero.

Ao lado do guarda-roupa, havia uma cama com dossel com um cobertor azul e branco, e alguns animais de pelúcia estavam alinhados no travesseiro. Acima da cama, havia um pôster do One Direction.

– Ela não gostava muito deles mais – disse Linda, seguindo o olhar dos policiais. – Falava que eram só meninos e que ela gostava de homens.

– Mas ela estava noiva – instigou Erika. Linda deu uma risada amarga. – O que é tão engraçado, Linda?

– Vocês viram o Giles? Enquanto eles alimentam os patos pra fazer *foie gras*, ele já está no início da fila...

– Por que você acha que Andrea estava com o Giles?

– Qual é, policiais, não é óbvio? Dinheiro. Ele vai herdar uma propriedade fabulosa em Wiltshire e uma casa em Barbados. Os pais dele valem zilhões e estão nas últimas. Eles o tiveram muito tarde. A mãe do Giles achou que ele era a menopausa.

– Andrea era infiel a Giles? – perguntou Moss.

– Os garotos eram sempre atraídos pela Andrea. Eles se transformavam em criaturas babonas e lastimáveis na presença dela. Ela se deliciava com a atenção que recebia.

– Mas Andrea estava tendo um caso? – pressionou Moss.

– Não sei o que ela fazia na maior parte do tempo. Não éramos próximas. Mas eu a amava e estou devastada pela morte dela... – Pela primeira vez, Linda deu a impressão de que iria chorar.

– E você, Linda? – perguntou Moss.

– O que tem eu? Você está perguntando se eu faço os caras babarem? O que você acha? – retrucou Linda, cortando-a.

– Eu queria perguntar se você tem namorado – explicou Moss.

– Isso não é da sua conta. E *você*, tem namorado?

– Não, eu sou casada – respondeu Moss.

– O que ele faz? – perguntou Linda.

– Ela. Ela é professora – respondeu Moss, despreocupadamente.

Erika se segurou para não demonstrar surpresa.

– Não, não tenho namorado – disse Linda.

– Essas janelas podem ser totalmente abertas? – perguntou Peterson, aproximando-se da janela guilhotina do meio e inclinando-se para dar uma espiada pela lateral das venezianas fechadas. – Elas têm trava para evitar suicídio?

– Não, elas abrem inteiras – respondeu Linda, admirando a bunda de Peterson enquanto ele se inclinava. Erika juntou-se a ele à janela e viu que havia uma saída de emergência que descia até o chão.

– Andrea saía pela janela para ir se encontrar com amigos quando estava de castigo? – perguntou Erika.

– A minha mãe e o meu pai nunca tiveram tempo nem paciência pra colocar a gente de castigo. Usamos a porta da frente se queremos sair – disse Linda.

– E vocês podem ir e vir quando querem.

– É claro.

Erika ajoelhou-se e olhou debaixo da cama. Havia frágeis tufos de poeira no encerado chão de madeira, mas uma área destacava-se por estar um pouco mais limpa do que as outras. Ela transferiu sua atenção para a cômoda, foi até ela, abriu a gaveta de cima, e ficou parada com a mão no puxador.

– Você se importa de aguardar do lado de fora, por favor, Linda? – pediu ela.

– Por quê? Achei que vocês estivessem aqui só para conversar.

– Linda, você tem fotos da Andrea que pode me mostrar? Isso poderia nos ajudar – disse Peterson. Ele aproximou-se e tocou de leve no braço de Linda. O rosto redondo dela ganhou uma tonalidade escarlate.

– Hã... tenho, acho que tenho algumas – respondeu ela olhando para Peterson com um sorriso. Eles saíram e Erika fechou a porta.

– O bom e velho Peterson sacrificando-se pela equipe – brincou Moss. – O que foi?

Erika voltou para perto da cama e perguntou:

– A perícia forense veio aqui quando o caso era de pessoa desaparecida?

– Não, o Sparks veio aqui e deu uma fuxicada. Mas acho que o Simon ou a Diana estava com ele, então não foi uma coisa meticulosa.

– Tem um negócio debaixo da cama que parece suspeito – disse Erika.

Elas ajoelharam-se, tirando luvas de látex do bolso de seus casacos e colocando-as. Erika deitou de bruços e se enfiou debaixo da cama. Moss acendeu uma lanterna e iluminou o lugar enquanto Erika examinava uma tábua do assoalho que estava mais limpa do que o restante e analisava a junção dela. Ela sacou as chaves do carro, enfiou uma delas entre as tábuas e suspendeu-a. Entretanto, a tábua era comprida e a cama, baixa, por isso ela não levantava adequadamente. Erika recolocou-a no lugar e saiu dali arrastando-se. Cada uma delas segurou em uma das pontas da cama e a empurraram alguns centímetros para o lado com muita dificuldade.

– Jesus, isto aqui não é uma merda qualquer da IKEA* – reclamou Moss fazendo careta.

Erika deu a volta e levantou a tábua do assoalho.

Dentro de uma cavidade debaixo dela havia uma caixa de telefone celular. Erika retirou-a dali cuidadosamente e abriu a tampa. O papelão moldado onde ficava o celular ainda estava ali dentro, mas não havia telefone. No entanto, tinha um saquinho com pequenas pílulas brancas, um pequeno bloco escuro de algo que parecia ser haxixe enrolado em papel-filme, um pacote de sedas grandes da Rizla e uma caixa de filtros da Swan Vestas. Havia também um pequeno livreto sobre o iPhone 5S e um suporte para o celular que ainda estava em seu saquinho plástico. Erika suspendeu a caixa de papelão. Um pequeno recibo branco estava aninhado no fundo. Tinha sido impresso em papel fino brilhante, e ao longo de uma ponta havia uma substância amarela pegajosa que tinha borrado a tinta. O lado contrário não tinha nada além das palavras *"tu é a minha baby"*, escritas em caneta azul, com uma caligrafia infantil.

– É um comprovante de recarga de telefone celular – disse Erika, olhando atrás.

– Mas só tem metade do número da transação – falou Moss. – O que é esse negócio viscoso?

Erika o aproximou do nariz e respondeu:

– Gema de ovo seca.

– E as drogas? – perguntou Moss, olhando novamente para a caixa do telefone celular.

---

* Marca de móveis de baixo custo. (N.E.)

– Não sei. Infelizmente, é coisa bem comum. Os seis comprimidos podem ser ecstasy. Umas 40 ou 50 gramas de haxixe? É pra uso pessoal – disse Erika. – Vamos embalar isso e chamar a perícia para investigar o resto do quarto.

Quando voltaram para o andar de baixo, Simon e David estavam levando um médico até a porta da frente.

– Está tudo bem? – perguntou Erika.

Simon agradeceu ao médico e abriu a porta. Ele atravessou a chuva de flashes de câmeras agarrando-se à sua pasta de couro, ávido para sair da linha de tiro. Peterson e Linda juntaram-se a eles quando Simon fechou a porta da frente.

– Não, não está *tudo bem*. Minha mulher está sofrendo um trauma sério. Gostaria de pedir a vocês que fossem embora, por favor.

– Encontramos isto debaixo da cama da Andrea – disse Erika, segurando um saco plástico de evidências com a caixa do telefone celular e as drogas dentro.

– O quê? Não, não, não, não, não – negou ele. – Os meus filhos não usam drogas! Como vou saber que você não plantou isso?

– Senhor, não estamos interessados nas drogas. Estamos interessados é no fato de que Andrea tinha um segundo celular. Nesta caixa havia um comprovante de recarga de telefone celular com data de quatro meses atrás. O senhor sabia da existência dele?

– Não. Deixe-me ver isso...

Sir Simon pegou o fino saco plástico que acomodava o recibo e o analisou. David e Linda observavam com curiosidade.

– De quem é essa caligrafia?

– Não sabemos. Poderia ter sido escrito pelo Giles?

– Ele estudou na Gordonstoun. Saberia a diferença entre "você é" e "tu és". Como sabem que isso é dela? Pode ser uma caixa velha.

– A sua secretária pode ter providenciado um segundo celular para Andrea?

– Não! Não sem me informar a respeito – respondeu Simon. – O que vocês dois sabem sobre isso? Andrea estava usando drogas? – perguntou ele, se virando para David e Linda.

– Não sabemos de nada, papai – respondeu Linda, jogando o cabelo.

David sacudiu a cabeça negativamente junto com ela.

– Okay, obrigada, senhor. Por favor, nos informe caso descubra alguma coisa. Pedi a uma equipe da perícia forense para dar uma olhada no quarto.

– O quê? Você pediu minha permissão?

– Estou lhe informando que, para fazer esta investigação avançar e encontrarmos quem assassinou Andrea, preciso que uma equipe de peritos forenses examine o quarto dela, senhor – disse Erika.

– Vocês fazem o que querem, não fazem? – zangou-se Simon antes de sair pisando forte até o escritório e bater a porta.

Quando chegaram ao carro de Erika na rua comercial de Chiswick, o telefone tocou.

– É o Detetive Sparks. Estou no The Glue Pot. Por causa do retrato falado que você tentou conseguir com a testemunha, a Kristina.

– Então? Você a encontrou? – perguntou Erika, com a esperança subindo-lhe pelo peito.

– Não, e de acordo com o proprietário não tem ninguém com nome de Kristina trabalhando aqui.

– Onde você achou o proprietário?

– Ele mora em um apartamento a duas casas daqui.

– Então quem era a garota com quem eu falei?

– Perguntei para os funcionários do bar. Uma garota que bate com a descrição dela, chamada Kristina, trabalha aqui de vez em quando, para cobrir algum outro funcionário que precisa de uma noite de folga, e recebe em dinheiro no mesmo dia. Um deles tinha um endereço que podia ser dela. Uma quitinete perto da estação de trem, mas está vazia.

– Quem é o dono dessa quitinete? – perguntou Erika.

– Ele mora na Espanha e, de acordo com ele e com o agente imobiliário, está desocupada há três meses. Então, ou essa Kristina invadiu o lugar pra morar lá ou deu um endereço falso.

– Merda. Manda a perícia forense procurar impressões digitais na quitinete. Até agora ela é a única que viu Andrea com a mulher e o homem misterioso.

CAPÍTULO 18

Eles estavam de volta à delegacia Lewisham Row logo depois das 17h. A equipe na sala de investigação parecia esgotada quando chegaram, mas as cabeças ergueram-se esperançosas de suas mesas, quando sentiram o cheiro de café.

– Peguem uma caneca. Trouxemos donuts – disse Erika.

Eles tinham parado na Starbucks no caminho de volta para a delegacia. As pessoas se espreguiçaram e afastaram as cadeiras das mesas com um empurrão. Crane veio do lugar em que estava examinando as imagens das câmeras de segurança.

– Você é uma estrela, chefe. Café decente! – elogiou ele, esfregando os olhos.

– Espero que você tenha alguma boa notícia sobre as câmeras da London Road – comentou Erika ansiosa, oferecendo-lhe o pacote de donuts.

– Estamos comparando os horários de ônibus e as rotas, e solicitamos as gravações das câmeras do Departamento de Trânsito de Londres de todos os ônibus que trafegam na London Road, que passaram pelo museu e pela estação de trem, na noite em que Andrea desapareceu. Além disso, uma porrada de táxis hoje em dia tem câmeras, então estamos trabalhando para rastreá-los... mas os vídeos dos ônibus só chegam amanhã.

A mão de Crane hesitava sobre o pacote de donuts.

– Vai nessa – disse Erika, e ele meteu a mão. – Põe pressão neles, o tempo está passando. Imagino que vocês tenham ouvido falar da garçonete que desapareceu, a Kristina.

A equipe confirmou com um aceno de cabeça, mastigando seus donuts e bebericando café.

– O que me dizem do celular e do notebook da Andrea? Conseguiram alguma coisa interessante? – perguntou Erika.

– Não. Bom, nós encontramos a maioria das fotos que já tínhamos visto no perfil do facebook dela, e existe uma infinidade de jogos de Candy Crush Saga. Parece que ela era obcecada por esse jogo. Aparentemente ela só usava o computador para jogar e usar o iTunes. O iPhone recuperado na cena do crime está praticamente vazio. Não tem fotos nem vídeos e quase nenhuma mensagem.

O Superintendente Marsh enfiou a cabeça pela fresta na porta da sala de investigação.

– Detetive Foster, podemos dar uma palavrinha, por favor?

– Sim, senhor. Moss, Peterson... podem *brifar* todo mundo sobre o que encontramos debaixo da cama da Andrea? – pediu Erika.

Ela colocou o resto de seu donut na boca, saiu da sala de investigação e seguiu Marsh até a sala dele, onde o informou sobre a caixa de telefone celular debaixo da cama com o recibo e sobre a garçonete do The Glue Pot que estava desaparecida.

Depois que ela terminou, Marsh olhou para a noite escura através da janela.

– Só não deixe a sua equipe esgotada. Okay, Foster?

Marsh parecia um pouco mais relaxado. Erika se perguntou se tinham sido as manchetes nos jornais, que tiraram o foco do progresso que a polícia estava fazendo e se concentraram na tragédia da morte de Andrea. Nesse dia, pelo menos, o foco era em uma jovem e bonita garota cuja vida tinha sido arrancada.

– A assessoria de imprensa fez um excelente trabalho de formatação do ciclo de notícias – disse Marsh, como se estivesse seguindo os pensamentos de Erika.

– O nome que vocês dão hoje é esse? *Formatação do ciclo de notícias?* – perguntou Erika, com um malicioso sorriso de lado.

– Olha, tem até um pedacinho sobre você – disse ele, antes de começar a ler. – "O caso está sendo conduzido pela Detetive Erika Foster, policial experiente, que foi quem levou o assassino de várias pessoas, Barry Paton, à justiça. Ela também foi condecorada pelo sucesso de seus índices de condenação relacionados a crimes de honra dentro da comunidade muçulmana de Manchester..." E eles usaram uma foto boa; uma nossa no julgamento do Paton.

– Por que você não fez o serviço completo e deu o meu endereço pra eles também? – recriminou Erika. – Não recebo cartas do Barry Paton há alguns meses. Ele me mandou uma me parabenizando por eu ter feito com que matassem o meu próprio marido.

Houve silêncio.

– Me desculpe – disse Marsh. – Achei que você fosse ficar satisfeita, mas eu não pensei. Desculpe, Erika.

– Está tudo bem, senhor. Foi um longo dia.

– O RH me procurou hoje. Me disseram que você ainda não deu a eles o seu endereço – disse Marsh, mudando de assunto.

– Então agora o senhor fica dando recados do RH?

– E também exigiram que vá a um médico; você foi exposta a fluídos corporais ontem à noite – completou Marsh apontando para a gaze imunda nas costas da mão de Erika. Pela primeira vez, ela pensou no que Ivy tinha dito sobre o garotinho ser HIV positivo. Ficou em choque por ter dado tão pouca importância àquilo.

– Não tive tempo, senhor.

– Pra quê? Ir a um médico? Ou achar um lugar para morar?

– Vou procurar um médico – disse Erika.

– Mas onde você está hospedada? – perguntou Marsh. – Precisamos saber onde entrar em contato com você.

– Você tem o meu celular...

– Erika. Onde você está hospedada?

Houve um momento desconfortável de silêncio.

– Não estou em lugar nenhum ainda.

– Então o que você fez ontem à noite?

– Trabalhei direto.

– Você está conduzindo uma investigação de assassinato muito importante. Tire o pé do acelerador. Estamos no segundo dia. Se continuar desse jeito, como vai estar no sétimo?

– Não haverá sétimo dia, não se depender de mim – disse Erika, confiante.

Marsh passou um cartão para ela.

– É de uma clínica de pronto atendimento. Além disso, nós estamos com o apartamento que Marcie herdou dos pais. Os inquilinos acabaram de ir embora. É perto da estação e você fica livre de toda a burocracia para alugar. Se estiver interessada, vá lá em casa mais tarde para pegar as chaves.

– Okay, obrigada, senhor. Eu tenho que trabalhar mais um pouco aqui antes.

– Antes das 21h, se possível. Tento ir pra cama cedo durante a semana.

Quando Erika voltou à sala de investigação, foi abordada pela Detetive Singh, que estava segurando um papel de maneira triunfante.

– A secretária do Simon Douglas-Brown acabou de passar um fax do contrato do celular antigo da Andrea. Daquele que ela perdeu em 2014. Nós solicitamos os registros à operadora. Eles devem estar aqui amanhã cedinho.

– Acho que isso merece outro donut – disse Erika, sacudindo o pacote e o oferecendo para o pessoal.

– E aquele comprovante de recarga de celular que encontrou debaixo da cama da Andrea, era de um supermercado, Costcutter, perto da London Bridge – informou Crane. – Ele tem um carimbo com data e horário. Eu estava no telefone com o gerente até agora há pouco. Ele vai procurar as imagens das câmeras de vigilância. Ele só guarda os quatro últimos meses, então pode ser difícil, mas vamos cruzar os dedos.

– Fantástico – elogiou Erika.

Crane abriu um sorriso e pegou um donut no pacote.

– A gente não devia guardar um para o Detetive Sparks? – perguntou Moss.

– Não sei. Acho que ele já é bem doce – disse Erika também abrindo um sorriso, o que arrancou uma grande gargalhada de seus colegas.

Naquele momento, ela se sentiu confortável na sala de investigação; a atmosfera, a camaradagem, porém sabia que sua equipe estava em atividade havia muito tempo, então falou para encerrarem o dia.

– Boa noite, chefe – despediam-se enquanto pegavam casacos e bolsas. A sala de investigação esvaziou-se lentamente até que Erika foi deixada sozinha. Ela pegou o telefone e ligou para o número que Marsh tinha lhe dado. Uma gravação disse que a clínica de pronto atendimento estava fechada e que reabriria novamente às 7h do dia seguinte.

Erika desligou o telefone e puxou a gaze imunda nas costas da mão, retraindo-se à medida que o curativo ia desgrudando da pele. Por baixo, o ferimento estava sarando rápido e quase não havia hematoma, só uma curva feita de pálidas marquinhas de dentes, já cicatrizadas, mostrava onde o menino tinha mordido.

Erika jogou o curativo fora e se voltou para os quadros-brancos no fundo da sala de investigação. A descarga de entusiasmo que sentiu mais cedo tinha se esvaído. Estava exausta. O sinal de uma dor começava a despontar na parte de trás da cabeça. Ela olhou para as evidências: mapas e fotos. Andrea viva na carteira de motorista; Andrea morta, com os olhos arregalados e o cabelo emaranho, com folhas na lateral do rosto. Geralmente, Erika conseguia compreender um caso muito rapidamente, mas esse parecia estar alargando-se cada vez mais, os fatos contraditórios floresciam e se multiplicavam como as células de um tumor.

Precisava dormir e, para isso, ela se deu conta de que tinha que encontrar uma cama.

CAPÍTULO 19

Erika estava esfomeada quando saiu da estação, então parou em um restaurante italiano em New Cross e surpreendeu-se ao devorar um prato gigante de espaguete carbonara, seguido de uma fatia grande de tiramissu. Tinha passado um pouquinho das 21h quando ela entrou na rua em que Marsh morava, um canto abastado e coberto de folhas de South London.

Erika estacionou o carro e encontrou a porta da frente da casa de Marsh, número 11. Ficou satisfeita ao ver que a casa estava escura. Ela preferia muito mais ir para um hotel durante alguns dias, enquanto procurava um apartamento, do que deixar que Marsh sentisse pena dela. As cortinas estavam abertas em uma grande sacada no térreo, e ela conseguia ver o Hilly Fields Park através da grande sala, e, além dele, as luzes que formavam a silhueta de Londres.

Ela estava prestes a se virar e voltar para o carro quando um pouco de água começou a fazer barulho ao descer por um ornado cano de ferro em frente à casa. Uma luz foi acesa em uma pequena janela no andar superior e Erika ficou piscando ao ser banhada por um perfeito quadrado de luz. Marsh olhou pela janela e, ao notá-la, gesticulou desajeitadamente. Ela o cumprimentou também e aguardou à porta.

Quando Marsh a abriu, estava usando uma calça de pijama xadrez e uma camisa desbotada do Homer Simpson, e enxugava as mãos em uma toalha rosa da Barbie.

— Desculpe, senhor, saí um pouco tarde para chegar aqui – disse Erika.

— Não, está tudo bem. É hora do banho.

— Gostei da sua toalha.

— Não é a *minha* hora do banho, é...

— Foi só uma brincadeira, senhor.

— Ah, claro – sorriu ele.

Neste exato momento, alguém gritou e duas pequeninas garotas risonhas de cabelo preto comprido correram até o corredor de entrada. Uma estava só com uma blusa rosa, calcinha e meias. A outra estava usando um modelito idêntico, mas com uma calça jeans minúscula dobrada no tornozelo. Ela cambaleou para a frente, perdeu o equilíbrio e caiu, fazendo um barulho seco ao bater no chão de madeira. Houve um momento em que ela levantou o olhar para Marsh, com seus grandes olhos castanhos, tentando decidir se devia chorar. Uma mulher de cabelo escuro na faixa dos 35 anos apareceu correndo atrás delas. Estava vestida casualmente com uma calça azul-claro apertada e blusa branca, o que moldava seus seios grandes e seu corpo em forma de ampulheta. Onde as mangas estavam dobradas, havia espuma de banho grudada nos braços. Ela era linda, assim como suas filhas gêmeas.

— Ah, querida – disse ela sem rodeios, colocando as mãos na cintura fina –, você levou um tombo?

A menininha decidiu que era muito mais sério do que realmente era, fez careta e começou a choramingar.

— Oi, Erika. Bem-vinda ao hospício – cumprimentou a mulher.

— Oi, Marcie... Você está ótima – disse Erika.

Marsh catou a menina que estava chorando e beijou o rosto dela, que agora estava muito vermelho e brilhava por causa das lágrimas. Marcie pegou a outra menininha, que estava encarando Erika, e a pendurou na curva do quadril.

— Sério? Você é muito gentil. O meu único regime de beleza é correr atrás das gêmeas – comentou Marcie, antes de soprar uma mexa de cabelo que estava sobre sua pele macia e impecável. – Se você vai entrar, nós podemos fechar a porta? O calor todo está indo embora.

— Desculpe. Claro – falou Erika entrando e fechando a porta.

— Esta é a Sophie – apresentou Marsh, embalando a menina chorosa.

— E esta é a Mia – disse Marcie.

— Olá – cumprimentou Erika. As duas meninas olharam para ela. – Nossa, como vocês duas são bonitas.

Erika nunca soube muito bem como falar com crianças. Com estupradores e assassinos ela sabia lidar; mas as crianças, ela as achava um pouco intimidadoras.

Sophie parou de chorar e começou a olhar para Erika juntamente com Mia.

— Me desculpem. É óbvio que cheguei em uma hora ruim – disse Erika.

— Não, tudo bem – disse Marsh.

Marcie pegou Sophie e a equilibrou no quadril do outro lado.

– Certo, deem boa noite para Erika, meninas.

– Boa noite – entoaram as duas.

– Boa noite! – despediu-se Erika.

– Foi um prazer te ver, Erika – disse Marcie, e saiu equilibrando as crianças. Erika e Marsh observaram a habilidade dela por um momento.

– Aceita uma taça de vinho? – ofereceu ele, virando-se.

– Não. Só vim para pegar o que você ofereceu na sua sala, o apartamento...

– Claro, entra. Mas sem sapatos.

Marsh foi até uma porta no final do corredor enquanto Erika, desajeitada, desamarrava os cadarços das botas. Depois ela o seguiu. O chão de madeira estava frio e ela se sentiu estranhamente vulnerável só de meia. Depois da porta, havia uma cozinha estilo de fazenda, com uma mesa de madeira comprida e cadeiras. Em um canto, um fogão Aga vermelho emanava calor. Uma geladeira grande ao lado da porta estava coberta de pinturas borradas com manchas aleatórias de cores, todas presas com ímãs. Uma pintura igualmente borrada dominava a parede acima de um aparador de madeira.

– Uma das obras da Marcie – comentou Marsh, seguindo o olhar de Erika. – Ela é muito talentosa; só que não tem mais tempo.

– Ela fez as que estão na geladeira também? – perguntou Erika, arrependendo-se no momento em que aquilo saiu da boca.

– Não. As gêmeas fizeram aquelas – respondeu Marsh.

Houve um silêncio constrangedor.

– Bom, está tudo aqui – disse Marsh, entregando-lhe um grande envelope que pegou no balcão da cozinha. – O apartamento não é muito longe. Foxberry Road, em Brickley, perto da estação de trem. O contrato é mensal, então podemos decidir quanto tempo vamos querer que isso dure. É só você me dar um cheque nos próximos dias.

Erika abriu o envelope e tirou dele um molho de chaves, satisfeita por aquilo não ser um favor da parte de Marsh.

– Está ficando tarde – disse Marsh.

– É claro. Melhor eu ir pra lá me ajeitar – comentou Erika.

– Ah, mais uma coisa. O Sir Simon entrou em contato com a Colleen, nossa policial que tem contato com a mídia. Ele quer fazer um apelo à imprensa enquanto as imagens da Andrea nas primeiras páginas ainda estão frescas na cabeça das pessoas.

– É claro, boa ideia.

– Sim. Vamos organizar alguma coisa para amanhã à tarde, para que possamos estar nos noticiários da noite e nos jornais.

– Muito bom, senhor. Espero que amanhã eu tenha mais informações que possamos usar.

Depois que saiu e a porta foi fechada, Erika caminhou de volta para o carro, afastando-se do calor doméstico da vida de Marsh. Ela abaixou a cabeça e mordeu o lábio, determinada a não chorar. Aquela vida, com o marido carinhoso e os filhos, tinha estado ao seu alcance. Ela inclusive tinha adiado isso algumas vezes, o que deixava Mark muito angustiado.

Agora, essa possibilidade tinha desaparecido para sempre.

CAPÍTULO 20

Quando Erika chegou de carro à Foxberry Road, ainda estava tranquilo. Ela passou pela estação de Brockley, a plataforma ofuscantemente iluminada e vazia. Um trem saiu de debaixo de uma passarela irregular, em direção ao centro de Londres. Erika seguiu em frente, passou por uma comprida fileira de casas grudadas umas nas outras e encontrou o apartamento lá na ponta, empoleirado em uma esquina onde começava uma curva fechada para a direita. Havia uma vaga para estacionar do lado de fora, mas o seu triunfo foi breve, pois viu que era vaga apenas para residentes. Ela precisaria de uma autorização. *Foda-se*, pensou, estacionando mesmo assim.

Ao abrir a porta da frente do prédio, Erika escutou o barulho da pilha de cartas acumuladas sendo arrastada. A luz do corredor acendia automaticamente e zumbia com suavidade enquanto ela subia a estreita escadaria, com sua mala batendo junto a ela.

O apartamento era no último andar, e quando ela chegou ao corredor, viu que tinha um vizinho; uma porta que ficava em frente à dela.

Dentro do apartamento, a sensação era de que o aquecedor havia ficado desligado durante muito tempo. Parecia que não tinha eletricidade, o que resultou em uma longa e congelante busca, feita com a lanterna do celular. Finalmente, encontrou a caixa de eletricidade escondida atrás de um armário no corredor, e as luzes brotaram.

A primeira porta no corredor era do banheiro. Ele era pequeno, branco e tinha somente o box com chuveiro. Ao lado dele ficava um pequeno quarto com uma cama de casal e um cambaleante guarda-roupa da IKEA. Acima da cama, havia um quadro cheio de formas abstratas. Erika acendeu um cigarro e leu a pequena assinatura na parte inferior da tela: MARCIE ST. CLAIR. Segurando o cigarro entre os lábios, ela agarrou a pintura, tirou-a da parede e guardou atrás de alguns baldes de plástico no armário do corredor.

No final do corredor, havia uma sala e cozinha conjugadas. A área também era minúscula, mas moderna e mobiliada com o estilo impessoal da IKEA. Impessoal era perfeito para o momento. Erika abriu os armários em busca de um cinzeiro. Não encontrou, então pegou uma xícara de chá.

Havia uma mesinha de centro e um pequeno sofá azul à uma janela saliente. Erika afundou no sofá e olhou para uma televisão minúscula no lado oposto com a tela coberta de poeira. Não estava ligada na tomada e os fios tinham sido largados no chão ao lado da mesa do móvel.

Erika virou-se para a janela e encarou a escuridão, a pequena sala e seu reflexo, que a encarava de volta. Assim que terminou o cigarro, ela o apagou na xícara de chá e acendeu outro.

CAPÍTULO 21

Várias casas depois do apartamento de Erika, enfiada em um vão onde a rua fazia uma curva fechada, uma figura agachou-se no final de um beco, vestida dos pés à cabeça de preto, fundindo-se à escuridão. A figura observava Erika na janela enquanto ela acendia outro cigarro e soltava a fumaça que subia enroscando-se ao redor da lâmpada exposta acima de sua cabeça.

Eu imaginei que seria mais difícil encontrá-la, refletiu a figura, *mas aqui está ela, a Detetive Foster, com as luzes acesas, exibindo-se na janela como uma puta no distrito da luz vermelha.*

Na foto em que o jornal usou, Erika tinha uma aparência muito mais jovem; ali na janela, estava esquelética, exausta... quase infantil.

Erika olhava na direção da figura, inclinando a cabeça de lado e apoiando o queixo na mão, o cigarro ardia a centímetros de seu rosto.

Ela está conseguindo me ver? A figura recuou um pouco nas sombras. *Ela está me observando como eu a estou observando? Não. Impossível. A piranha não é tão boa assim. Ela está olhando para o próprio reflexo por causa da luz lá de dentro, sem dúvida sentindo uma depressão fodida pelo que a está encarando.*

A nomeação de Erika para a investigação do assassinato de Andrea tinha causado uma preocupação enorme. Uma pesquisa no Google havia mostrado que Foster foi aclamada como uma estrela em ascensão, durante o período em que serviu na Polícia Metropolitana. Ela tinha sido promovida ao posto de detetive inspetora chefe com apenas 29 anos, quando pegou Barry Paton, vigia de um clube de jovens que matou seis garotas.

Mas Barry Paton queria ser pego. Ela não vai me pegar. Ela está oficialmente derrotada. Uma imprestável. Levou cinco policiais à morte, inclusive o marido idiota. Eles a designaram para este caso porque sabiam que ia fracassar. Eles queriam um bode expiatório.

A temperatura estava caindo rápido. Seria outra noite gelada. Mas observar a Detetive Foster tão de perto era muito empolgante.

Um carro apareceu no alto da rua e a figura recuou ainda mais para o fundo do beco, esperando os faróis passarem. Ouviu um suave ronronar quando um gato preto se moveu furtivamente pelo alto do muro. Ele ficou paralisado ao ver uma pessoa ali.

– Somos quase gêmeos – sussurrou a figura, levantando sua mão com luva e aproximando-a dele. O gato se deixou acariciar. – Bom gatinho... bom.

O gato cravou os olhos na figura, depois pulou silenciosamente do muro, desaparecendo do outro lado. A figura ficou observando suas mãos com luvas de couro; virou-as e ficou flexionando os dedos.

Tolerei as merdas da Andrea por muito tempo, mas nunca imaginei que fosse fazer isso. Colocar em prática a fantasia de estrangulá-la, a ponto de tirar a vida dela.

À medida que os dias passaram, a figura estava ficando mais confiante, quase convencida de que o corpo de Andrea não seria encontrado, que ficaria congelado debaixo do gelo. O inverno acabaria, e com o calor da primavera ela apodreceria; até que sua máscara de beleza tivesse sumido e ela ficasse mais parecida com quem realmente era.

Mas quatro dias depois ela tinha sido encontrada. Intacta...

O som de uma porta batendo chamou sua atenção. Ao olhar para cima, a figura viu que a luz na janela da Detetive Foster tinha sido apagada. Ela tinha saído do apartamento e estava na calçada, seguindo na direção de seu carro.

A figura sorriu, se abaixou e recuou rapidamente, mesclando-se às sombras do beco escuro.

CAPÍTULO 22

Erika gostava de dirigir. Não tinha muito a ver com o tipo de carro, não precisava ser nada extravagante. Tinha somente que ser seguro e quente. Enquanto dirigia pelas ruas vazias de South London, tinha a impressão de que o carro era um casulo ao seu redor, onde sentia-se mais em casa do que no apartamento.

Ela virou levemente a cabeça enquanto passava pelo cemitério de Brockley, com suas lápides brilhando sob as luzes da rua. O carro deu uma guinada para a direita, e ela percebeu que tinha que diminuir a velocidade. A neve tinha derretido um pouco durante o dia, mas à noite havia geada, fazendo com que as ruas ficassem perigosas.

Ela colocou o celular no viva-voz e ligou para a delegacia. O Sargento Woolf atendeu, e ela pediu a ele para lhe dar uma lista dos pubs mais escrotos da área.

— Posso saber por quê? — perguntou ele com a voz metálica do telefone.

— Estou querendo tomar uma.

Houve um breve silêncio.

— Okay. Tem o The Mermaid, o The Bird In The Hand, o The Stag, o The Crown... não o Crown Wetherspoon, tem um outro Crown, perto da cervejaria. É no alto da Grand Road. E, é claro, tem o The Glue Pot.

— Obrigada.

— Detetive Foster, me mantenha informado sobre onde está. Para o caso de precisar de reforço...

Erika desligou sem responder.

Ela passou as três horas seguintes perambulando pelos pubs mais barras-pesadas que já tinha visto em sua longa carreira. Não era a miséria, a sujeira e nem as pessoas bêbadas que a incomodavam. Era a expressão de desespero quando escoravam no balcão, a desesperança quando se sentavam curvadas em um canto ou despejavam o pouco dinheiro que tinham em caça-níqueis.

Mais perturbador ainda era que os pubs não ficavam a quilômetros de bairros residenciais abastados. Uma espelunca horrível chamada The Mermaid ficava ao lado de um restaurante indiano que estava fazendo propaganda por ter recentemente recebido uma estrela no Guia Michelin. A luz interior mostrava, para que todo mundo visse, que estava cheio de pessoas felizes e arrumadas jantando em grupos. O The Bird In The Hand, onde Erika deu 20 libras a uma garota de aspecto assombroso que estava mendigando com um bebê, ficava ao lado de um bar de vinhos requintado cheio de mulheres radiantes e seus maridos ricos.

Ela era a única a notar aquilo?

Era madrugada quando Erika chegou ao The Crown, na Gant Road, uma taverna de aparência antiquada, com luminárias de bronze na parte de cima de sua fachada vermelha. Ninguém podia mais entrar no bar, mas Erika conseguiu, dando ao rapaz à porta uma nota novinha de 20 libras.

O interior estava abarrotado e a atmosfera era brutal. Com as janelas embaçadas, o lugar cheirava a cerveja, suor e perfume barato. Todo mundo parecia ser casca-grossa, mas aparentavam ter feito esforço para estarem vestidos da melhor maneira possível. Erika estava se perguntando qual o motivo daquela festa, quando enxergou a pessoa que procurava.

Ivy estava sentada em um banco baixo no fundo do pub, ao lado de um caça-níquel cintilante. No banco ao lado dela, havia uma mulher jovem e grande que tinha longas raízes pretas em seu cabelo loiro e um piercing no lábio. Erika aproximou-se lentamente, espremendo-se em meio a grupos de pessoas que já pareciam estar bêbadas. Quando ela chegou perto de Ivy, viu que suas pupilas estavam dilatadas. Os olhos dela eram horrendas piscinas pretas.

— Puta que pariu, o que você está fazendo aqui? – perguntou Ivy, lutando para se concentrar.

— Eu só queria trocar uma palavrinha com você – gritou Erika para vencer o barulho.

— Eu paguei por isso tudo – gritou Ivy, balançando o dedo de lado. Erika viu que havia várias sacolas de compras agrupadas ao redor dos bancos.

— Não é sobre isso – disse Erika.

A garota ao lado de Ivy encarou-a furiosa.

— Está tudo bem, Ivy? – perguntou ela, inclinando-se para a frente sem tirar os olhos de Erika.

– Tá – respondeu Ivy. – Ela vai pagar a próxima rodada.

Erika passou uma nota de 20 para a garota, se dando conta de que tinha distribuído muito dinheiro naquela noite. A garota levantou-se do banquinho na mesma hora e desapareceu no meio da multidão.

– Onde estão seus filhos? – perguntou Erika.

– Oi?

– Seus netos?

– Lá em cima. Dormindo. Por quê? Você quer bater neles?

– Ivy...

– Você pode entrar na fila, querida. Eles me foderam direitinho hoje.

– Ivy, preciso conversar com você sobre o The Glue Pot – disse Erika, sentando-se no quente banco vago.

– O quê? – perguntou Ivy, tentando se concentrar.

– Você se lembra? Do pub que a gente conversou. O The Glue Pot, na London Road.

– Não vou lá – falou enrolando as palavras.

– Eu sei que você não vai lá. *Por que* você não vai lá?

– Porque não...

– Por favor, preciso de mais informação. Por que não, Ivy?

– Vai se foder!

Erika pegou mais uma nota de vinte. Ivy tentou se concentrar, depois pegou a nota e a enfiou na cintura de sua calça jeans asquerosa.

– Então, você tá querendo falar do quê?

– Do The Glue Pot.

– Tem coisa ruim lá. Cara ruim... mau... – disse Ivy, sacudindo a cabeça.

– Tem um cara ruim lá?

– Tem... – Os olhos de Ivy começaram a rodar e parecia que ela estava vendo coisas. Coisas que não estavam no bar. A cabeça dela tombou para o lado.

– Ivy. O cara mau. Qual é o nome dele?

– Ele é mau, estou te falando, querida...

– Você ouviu falar da menina que morreu, a Andrea? – Erika pegou o telefone e encontrou a foto da garota. – É esta menina aqui, Ivy. O nome dela era Andrea. Ela era bonita, tinha cabelo escuro. Você acha que a Andrea conhecia esse cara mau?

Ivy tentou concentrar-se na foto do telefone por um momento.

– É, ela era bonita.

– Você a viu?

– Algumas vezes.

– Você viu essa garota, algumas vezes, no The Glue Pot? – insistiu Erika, levantando o telefone para Ivy.

– Eu já fui bonita... – Os olhos de Ivy rodopiavam e ela começou a deslizar do banco.

– Qual é, Ivy. Fica comigo – disse Erika, segurando a mão dela e ajeitando-a no banco. – Olha pra essa foto mais uma vez.

Ivy encarou-a e comentou:

– Os maus são sempre os piores, mas os melhores também. Você deixa eles fazerem o que quiserem com você, mesmo se doer, mesmo se você não quiser...

Erika olhou para o bar e viu que a garota grande com o piercing no lábio não estava comprando nenhuma bebida. Ela estava conversando com um grupo de homens, e eles não paravam de olhar para Erika e Ivy.

– Ivy, isso é importante. Você está falando da Andrea? Ela se encontrou com esse cara mau do The Glue Pot? Ele tinha cabelo escuro? Por favor, eu preciso de qualquer coisa, um nome...

Ivy babou e fez uma bolha de saliva, que estourou. Ela passou a língua pelo queixo e Erika visualizou um dente podre.

– Eu vi essa daí, com ele e uma loira vadia. Meninas burras, as duas se envolveram demais com ele – disse Ivy.

– O quê? Ivy? Um homem moreno e uma mulher loira?

– Esta vinda aqui é oficial? – perguntou uma voz.

Erika olhou para cima e viu a barba comprida de um homem de cabelo loiro avermelhado ralo.

– Eu não convidei... – disse Ivy, tirando o corpo fora. – Ela é uma policial da porra.

– Não, não é oficial.

– Então eu gostaria que você fosse embora – disse o homem, com a voz ameaçadoramente calma e tranquila.

– Ivy, se você se lembrar de alguma coisa, vir alguma coisa, este aqui é o meu número.

Erika tirou uma caneta e um pedaço de papel da jaqueta de couro, escreveu às pressas o número do celular e enfiou no bolso da calça jeans de Ivy. O homem enganchou a mão debaixo do braço de Erika.

– Dá licença – disse ela. – O que você acha que está fazendo? Quem você acha que é?

– O proprietário. Todo mundo aqui é convidado e a bebida é de graça. Você *não* foi convidada, portanto vou ter que pedir pra você ir embora, senão vou ter que infringir a lei.

– Eu falei que não vim aqui oficialmente, mas a minha visita pode se tornar oficial a qualquer momento – ameaçou Erika.

– Isto é um velório – disse o homem, sem rodeios. – E nós temos uma política de não deixar *ratos* entrarem.

– Do que foi que você acabou de me chamar? – questionou Erika, tentando permanecer calma.

Um cara baixinho com uma aparência esquisita de gnomo se juntou a eles.

– Você conhecia a minha *muvver*? – perguntou ele de forma acusatória.

– Sua mãe? – indagou Erika.

– É, ela mesma. Minha coroa, a Pearl.

– Quem é você?

– Porra, não me pergunta quem eu sou no velório da minha própria mãe! Quem é você, caralho?

– Então este velório é da sua mãe, da Pearl, não é? – disse Erika.

– Sim. E o que você vai fazer sobre isso, porra?

Erika olhou ao redor; as pessoas estavam começando a reparar.

– Segura a onda, Michael – disse o proprietário.

– Não gosto do jeito dessa puta magrela convencida – disse Michael, olhando-a de cima abaixo.

– Você precisa se acalmar, senhor – falou Erika.

– *Senhor?* Você está de putaria comigo?

– Não, eu sou policial – revelou Erika, sacando sua identificação.

– O que uma porra de um *rato* está fazendo aqui? Você tinha me dado sua palavra...

– Eu te dei minha palavra, Michael. Esta *policial* está de saída.

– Tem uma porra de um *rato* aqui! – gritou uma mulher ruiva que tinha se aproximado cambaleando, calçada só com um pé de seu sapato sem cadarço. Ouviu-se o barulho de um copo se quebrando, e dois caras começaram a brigar. A mulher ruiva jogou sua cerveja em Erika e balançou os dedos em um gesto do tipo "vai encarar?". Erika sentiu alguém agarrá-la ao redor da cintura. Primeiro achou que estava sendo atacada, no entanto era o proprietário que a estava carregando, segurando-a bem no alto, enquanto as pessoas a xingavam e cuspiam nela. Usando sua força e altura, ele atravessou a aglomeração e a colocou atrás do balcão.

– Vai embora daqui, porra. Vai por ali, pela cozinha. A porta lá atrás dá em um beco nos fundos – disse ele, estendendo o braço para impedir que as pessoas que tentavam se espremer pela pequena portinha do balcão chegassem até ela. Um copo explodiu acima da cabeça de Erika e despedaçou um dosador de vodca. Na outra ponta, a mulher que tinha arremessado a bebida levantou outra portinha do balcão, e as pessoas vazaram para trás dele e se apressavam na direção de Erika.

– Sai daqui! – falou o proprietário. Ele empurrou-a para cima de duas cortinas fedorentas. Erika cambaleou por um corredor porcamente iluminado, batendo em caixas de batata e tropeçando em um engradado de garrafas vazias. A música bombava, mas mal conseguia abafar o som do caos e de vidro quebrando no bar lá atrás. Dava para ela ver que o proprietário estava sendo empurrado e atropelado enquanto tentava bloquear a passagem. Erika encontrou uma porta que levava a uma cozinha infernal, imunda e lotada de gordura, e nos fundos ela abriu a porta de uma saída de emergência. O ar da noite golpeou sua pele molhada, que já estava pegajosa por causa da cerveja. Ela viu que estava em um beco.

Erika disparou na direção da rua, passou pelo vapor e pelo caos que emanava das janelas do bar e foi para o carro, que felizmente ainda estava esperando na rua em frente. Ela entrou e saiu cantando pneu. Sentia-se aliviada, eufórica, com adrenalina pulsando pelo corpo. E então lembrou-se que Ivy ainda estava dentro do pub. Ela tinha visto Andrea com o homem de cabelo escuro e a mulher loira.

Ivy tinha ido ao The Glue Pot na noite em que Andrea desapareceu? Isso significava que a garçonete do The Glue Pot estava falando a verdade?

CAPÍTULO 23

Erika foi chamada à sala do Superintendente Marsh quando chegou, na manhã seguinte. Ela estava levando um cheque para pagar o aluguel do apartamento e o contrato assinado. Quando entrou no escritório, ela ficou surpresa ao ver o Detetive Sparks sentado em frente a Marsh. Sparks estava com um olhar cheio de orgulho no rosto.

— Senhor?

— Que diabos você estava querendo quando foi ao The Crown ontem à noite? — esbravejou Marsh.

Erika olhou para Sparks e Marsh, e respondeu:

— Fui tomar um suquinho de laranja...

— Isto não tem graça! Você invadiu o velório da Pearl Gadd e causou um caos sem fim. Você conhece a família Gadd?

— Não. Deveria?

— Eles são um bando de escórias do submundo que possuem uma gigantesca rede de transporte de caminhões no sul da Inglaterra. Entretanto, estavam trabalhando com a gente.

— Trabalhando *com a gente*, senhor? Quer que eu arranje uma mesa para alocar um deles na sala de investigação?

— Não vem com gracinha.

Sparks estava tentando não gostar daquilo, observando a conversa deles com o queixo apoiado na palma da mão. Erika notou que ele deixava as unhas dos dois dedos indicadores compridas.

— Senhor, se me chamou aqui para me meter o ferro, prefiro que isso seja feito em particular.

— Sua patente é a mesma do Detetive Sparks, e ele está aqui porque faz parte da investigação. Vocês deveriam estar trabalhando juntos. Imagino que a sua ida ao The Crown fazia parte da investigação.

Erika ficou em silêncio por um instante, depois se sentou na cadeira ao lado de Sparks.

– Okay, se isso é uma reunião, tudo bem. Me conta tudo sobre os nossos colegas do submundo lá de South London.

Sparks tirou a mão de debaixo do queixo e começou:

– A família Gadd vem fornecendo informações para nós nos últimos oito meses. Informações que esperamos que nos levem à apreensão de milhões de libras em cigarros e álcool falsificados.

– Em troca de quê? – perguntou Erika.

– Eu não tenho que te dar explicações, Detetive Foster – interrompeu Marsh. – Porra, nós estamos trabalhando no limite do que a gente pode ou não pode fazer. Você sabe como o ecossistema aqui de South London é delicado? Em troca dessas informações, nós estamos fazendo vista grossa para... bom, umas vendas de bebida depois da hora permitida e outras coisas. Aí você se enfia lá ontem à noite com seu distintivo e cheia de pose.

– Eles falaram que era um velório, senhor.

– Era um velório, caralho!

– Okay, desculpa. Parece que vocês fazem as coisas de um jeito um pouco diferente de como fazíamos em Manchester.

– Não fazemos as coisas de um jeito diferente – negou Sparks, com uma calma irritante. – Só que nós usamos a nossa cabeça antes de agir.

– O que foi que você disse? – indagou Erika.

– Estou falando de ontem à noite.

– Tem certeza disso?

– Chega! – berrou Marsh, esmurrando a mesa.

Erika engoliu sua raiva e o seu ódio por Sparks.

– Senhor, a minha ida ao The Crown tinha um propósito. Ela me ajudou a conseguir uma informação nova sobre o assassino da Andrea.

Marsh sentou-se.

– Prossiga – disse ele.

– Agora eu tenho uma segunda testemunha que viu Andrea no The Glue Pot na noite em que ela morreu, conversando com um moreno alto e uma mulher loira. Essa testemunha nova chegou ao ponto de dizer que Andrea podia estar tendo um relacionamento com o homem.

– Quem é essa testemunha nova?

– Ivy Norris.

Sparks revirou os olhos, olhou para Marsh e disse:

– Fala sério... Ivy Norris? Que também usa o nome de Jean McArdle, Beth Crosby, Paulette O'Brien?

– Senhor, ela...

– Ela é uma conhecida perda de tempo – interrompeu Marsh.

– Mas, senhor, senti que ela ficou com medo quando a pressionei sobre esse homem. Foi um medo genuíno. Também acredito, principalmente agora que achamos a caixa do celular debaixo da cama da Andrea, que ela tinha um segundo telefone e que ela não contou nada para ninguém. Acho que ela tinha amigos e não queria que o noivo, Giles Osborne, soubesse deles...

– Os registros do telefone antigo da Andrea, daquele que ela perdeu no ano passado, chegaram ontem à noite – informou Sparks.

– Não, eu acho que Andrea tinha outro celular. Um telefone que ela ainda estava usando. Ela comprou um cartão de recarga de celular quatro meses atrás, nós o encontramos debaixo da cama dela com a caixa – explicou Erika.

– Não significa nada. Pode ter sido para um amigo – contestou Sparks. – Enfim, vamos voltar aos registros do telefone antigo que realmente existe. Pude dar uma passada de olho nele ontem à noite e algumas informações interessantes vieram à luz.

– O quê? – perguntou Erika.

– Havia vários números no histórico de chamadas, e eu os cruzei com o perfil da Andrea no facebook. Um deles é de um cara chamado Marco Frost... Te lembra de alguma coisa?

Marsh olhou para Erika.

– É um barista com quem Andrea estava, sei lá, ficando muito tempo atrás. Um cara italiano, trabalha em uma cafeteria no Soho?

Sparks confirmou com um aceno de cabeça e prosseguiu:

– Ele fez centenas de ligações para o celular antigo da Andrea. As ligações duraram um período de dez meses. Entre maio de 2013 e março de 2014.

– Por que não me informaram sobre a chegada dos registros do telefone? – questionou Erika.

– Foi ontem, tarde da noite. Achei que você ia querer desfrutar do seu soninho da beleza – respondeu o detetive.

– Sparks, prossiga – disse Marsh.

– Okay. Aí eu voltei ao interrogatório que fiz com os Douglas-Brown, quando Andrea tinha desaparecido. Eles mencionaram esse Marco Frost. Andrea saiu com ele durante um mês no início de 2013. Depois ela dispensou o cara, e os telefonemas começaram. Ele apareceu lá na casa da família várias vezes. Não aceitava não como resposta. Sir Simon chegou ao ponto de conseguir que um policial procurasse Marco Frost e conversasse com ele sobre seu interesse doentio pela Andrea.

— Por que não mencionaram isso pra mim antes?! – perguntou Erika.

— As minhas anotações estavam disponíveis no arquivo.

— Eu não recebi nada.

— É, mas elas estavam disponíveis.

— Parou, parou, parou. Vamos agir como adultos – repreendeu Marsh com impaciência. – Prossiga, Detetive Sparks.

— Voltei ao celular novo da Andrea, mas nele, como sabemos, não tem muita coisa que presta. Ela olhava os e-mails dela no celular novo também, e havia um monte de convites online para festas e eventos...

— Sim, a equipe está analisando esse material, são centenas. Ela frequentava muitas boates em que só entram sócios – disse Erika.

Sparks continuou:

— Havia um convite online para um evento no Rivoli Ballroom na quinta-feira, 8 de janeiro, noite em que ela desapareceu. Era um espetáculo burlesco, chique, organizado por uma das boates que ela era sócia.

— Sim, e nessa mesma noite Andrea tinha convites para várias outras festas em Londres. Como eu falei, ela estava em um monte de mailings... E já tinha marcado de se encontrar com os irmãos no cinema.

— Mas a família toda falou que ela era igual a um floco de neve: mudava de ideia com o vento. Seria bem a cara dela decidir fazer outra coisa – disse Sparks.

Erika, relutante, teve que concordar com aquilo.

Sparks prosseguiu:

— O Rivoli Ballroom fica em frente à estação de trem Crofton Park, que no mapa fica bem perto da estação Forest Hill... pra ser preciso, fica a menos de três quilômetros de distância. Para chegar à Forest Hill ou à Crofton Park é preciso pegar um trem na London Bridge, mas as duas estações de trem estão em linhas completamente diferentes. E se Andrea tivesse pegado o trem errado? Ela raramente usava o transporte público. Pode ter sido esse o motivo por que ela estava toda emperiquitada em Forest Hill.

Houve silêncio por parte de Erika e Marsh.

— E eu guardei a melhor parte para o final – disse Sparks. – Ontem à noite, me encontrei com o organizador da festa no Rivoli Ballroom e ele me encaminhou os contatos do mailing dele. Marco Frost também estava na lista e mandaram pra ele o mesmo convite. Isso nos dá brecha...

Erika conseguia ver Marsh revirar aquilo na cabeça.

– Isso é muito promissor – disse ele, levantando-se e começando a andar de um lado para o outro. – Minha pergunta é, cadê esse tal de Marco Frost?

– Não sei. Fiquei acordado a noite inteira pensando nisso – respondeu Sparks.

– Olha, Sparks, nós tivemos as nossas diferenças, e a minha maior vontade é que isso seja uma boa pista. Mas isso não é suficiente. Quantas pessoas estavam nesse mailing? – perguntou Erika.

– Três mil.

– Três mil... E o que te faz pensar que Andrea chegou perto do Rivoli Ballroom? O corpo dela foi encontrado a menos de um quilômetro da estação Forest Hill, onde ela desceu do trem.

Marsh continuava a andar de um lado para o outro.

– Já eu, tenho duas testemunhas que viram Andrea no The Glue Pot na noite em que ela desapareceu.

– Uma delas desapareceu no ar e a outra é uma viciada em drogas conhecida, uma prostituta alcoólatra – disse Marsh.

– Mas, senhor, acho que Ivy Norris é...

– Ivy Norris é um lixo – interrompeu Sparks. – Uma das especialidades dela é cagar no capô das viaturas no estacionamento.

– Senhor, pelo menos reconheça que temos duas linhas de investigação – pediu Erika. – Se o senhor acha que a minha não é confiável, a do Sparks é totalmente circunstancial! Acho que podemos usar esse apelo à imprensa hoje à tarde para conseguir informações sobre Andrea ter sido vista com o homem e a mulher no The Glue Pot.

Marsh sacudiu a cabeça negativamente e explicou:

– Detetive Foster, estamos lidando com pessoas que a imprensa está doida para detonar. Lorde Douglas-Brown, a esposa e a família, e, é claro, Andrea, que não deu sorte o bastante para ainda estar aqui e defender seu caráter dessas acusações.

– Senhor, não é uma acusação!

– Senhor, o The Glue Pot é um ponto conhecido de prostitutas – disse Sparks. – Fazem batidas lá constantemente. Um sujeito foi fichado por fazer pornografia infantil no apartamento em cima do pub.

– Concordo com o Sparks – disse Marsh. – Qualquer coisa que dissermos sobre Andrea Douglas-Brown vai ser distorcido instantaneamente e estraçalhado pela imprensa. Temos que ter certeza de que é verdade.

– E se eu conseguir trazer Ivy Norris aqui para dar um depoimento?

– Ela não é confiável. Ela já deu depoimentos falsos antes – disse Marsh.

– Mas, senhor...

– Já chega, Detetive Foster. Você vai trabalhar com o Detetive Sparks e seguir a linha de investigação relacionada a Marco Frost e Andrea terem recebido o convite para essa festa no Rivoli Ballroom. Entendido?

– Sim, senhor – respondeu Sparks, abrindo um sorrisão.

Erika consentiu com um gesto de cabeça.

– Certo, você pode ir, Sparks. E não fique muito feliz. Ainda há uma garota morta, isso não mudou.

Sparks deu a impressão de ter se sentido castigado e saiu da sala. Marsh examinou Erika por um momento.

– Erika, tente cultivar pelo menos algum semblante de vida privada. Sou totalmente a favor de os meus oficiais tomarem a iniciativa, mas você precisa jogar de acordo com as regras e me manter informado do que está fazendo. Tire uma noite de folga e, quem sabe, mande lavar as suas roupas.

Erika se deu conta de que ainda estava com uma camada pegajosa de cerveja da noite anterior na jaqueta de couro.

– Você já foi ao médico? – perguntou Marsh.

– Não.

– Quando você terminar hoje à noite, quero que vá ver o nosso médico. Isso é uma ordem.

– Sim, senhor – disse Erika. – Aqui... o contrato do apartamento.

– Okay, bom. Como é que ele estava? Tudo certo?

– Tudo.

Quando Erika saiu da sala de Marsh, Woolf a aguardava no corredor.

– Eu não te dedurei. Ele recebeu uma ligação do proprietário do The Crown. Depois pediu o livro de registros da recepção.

– Tudo bem. Obrigada.

Enquanto Woolf saía para trocar de roupa e ir para casa depois de uma longa noite de turno, Erika se perguntava quem mais do submundo do crime de Londres podia pegar o telefone e ligar para o Superintendente Marsh.

CAPÍTULO 24

Na metade da manhã, a sala de investigação na Lewisham Row estava agitada. Telefones tocavam, fax e impressoras funcionavam sem parar e policiais entravam e saíam apressados. Erika e Sparks estavam sentados em um canto com Marsh e Colleen Scanlan, a séria e quase matrona, oficial assessora de mídia. Eles estavam trabalhando naquilo que seria dito no apelo à imprensa.

– Então, eu termino a minha introdução e depois deixamos Sir Simon falar – disse Marsh. – Acho que ele vai querer usar *teleprompter*, se conseguirmos arranjar para ele.

– Isso não deve ser problema. Vamos precisar desse texto pronto nas próximas duas horas pra poder mandar por e-mail e carregar.

– Okay – disse Marsh. – Então, Sir Simon vai falar: "Andrea era uma garota inocente, de 23 anos que adorava se divertir e tinha a vida inteira pela frente...", aí a gente põe a foto dela no telão atrás de nós. "Ela nunca machucou ninguém, nunca causou dor a ninguém, ainda assim, aqui estou eu, um pai com o coração partido, fazendo um apelo para que testemunhas deste crime horrendo, o assassinato da minha filha...", não deveria ser "desse" crime horrendo?

– "Desse" na verdade estaria incorreto – disse Colleen. – Embora seja um equívoco comum. Usamos "desse" quando já nos referimos a algo...

– A gente quer que a coletiva de imprensa seja uma linha de comunicação aberta e realista com o público – reclamou Erika. – Não vamos perder tempo discutindo a porcaria da gramática!

– Okay, então, "deste crime horrendo" – disse Marsh.

Era doloroso para Erika o fato de que a coletiva de imprensa estivesse sendo construída com base em evidências que ela considerava circunstanciais, e que a equipe com quem ela achava que tinha criado um vínculo tivesse se envolvido com a fraca teoria de Sparks com tanto zelo. Ela tinha que admitir que, para alguém de fora, a teoria do Rivoli Ballroom tinha mais credibilidade. Ela se martirizava por ter sido tão estúpida e ido atrás da garçonete do The Glue Pot e de Ivy Norris sozinha. Devia ter levado Moss ou Peterson. Ela olhava para os dois trabalhando ao telefone, tentando localizar Marco Frost.

Erika repassou a teoria sobre Frost na cabeça e uma centelha de dúvida atravessou-a – mas em seguida seu instinto entrou em ação, insistindo que havia alguma coisa ali naquele encontro de Andrea com o homem de cabelo escuro e a garota loira no The Glue Pot. Ainda que suas duas testemunhas não fossem confiáveis, seria possível que elas não fossem confiáveis exatamente da mesma maneira? Ambas, Ivy e Kristina, eram pessoas que costumavam existir do lado errado da lei. Seria mais fácil para elas dizerem que não sabiam de nada, que não tinham visto Andrea... Erika de repente se deu conta de que Marsh estava falando com ela.

– Detetive Foster, o que você acha? Devemos mencionar o vídeo da Tina Turner? A Colleen acha que sim.

– O quê?

– O Rivoli Ballroom. É um lugar antigo muito famoso, e a Colleen acha que um fato como esse vai ficar grudado na memória do público, vai fazer com que se lembrem do apelo, e ele pode aumentar o boca a boca.

Erika continuava com uma expressão confusa.

– A Tina Turner filmou o vídeo de *Private Dancer* no Rivoli Ballroom em 1984 – explicou Colleen.

– Filmou? – perguntou Erika.

– Filmou. Então, a gente põe isso no apelo, com a foto do lugar?

Erika concordou com um aceno de cabeça, baixou os olhos para o roteiro que estavam compilando e perguntou:

– Em que parte nós vamos falar que Andrea estava em Forest Hill? Que a *clutch* dela foi recuperada na London Road?

– Com apelos à mídia, precisamos reduzir as coisas, apresentar uma mensagem clara e concisa. Se dissermos que ela está em um lugar e depois em outro, as pessoas ficarão confusas; elas precisam de estabilidade – explicou Colleen, com um pouco de condescendência.

– Eu sei como essas coisas funcionam, obrigada. Mas esse apelo é uma grande oportunidade para reunir informações. Do jeito que estamos fazendo, informações vitais sobre como Andrea desapareceu estão ficando de fora – argumentou Erika.

– Estamos cientes de que ela pode ter estado no local em questão, mas não temos nenhuma prova concreta. Não há filmagens de câmeras de segurança nem testemunhas. O assassino deve ter usado um carro; ele pode ter jogado a bolsa pela janela na London Road – declarou Marsh.

– Conheço os detalhes do meu próprio caso, senhor!

Terminaram uma hora depois, com Erika tendo relutantemente concordado com o conteúdo da coletiva de imprensa, que não fazia menção alguma a Andrea ter estado sequer perto do The Glue Pot e negligenciava o fato de ela poder ter estado na London Road.

Erika foi até a máquina automática de vendas e viu o Sargento Crane enfiando algumas moedas nela e escolhendo um *cappuccino*.

– Tudo certo, chefe? Conseguimos as filmagens dos ônibus com o Departamento de Transporte de Londres e algumas coisas com táxis que passaram pela London Road – informou o sargento. A máquina apitou, ele se inclinou, pegou o copo de plástico e soprou a espuma.

– Me deixa adivinhar: nada.

Crane deu um gole no café, abanou a cabeça e disse:

– Mas esse tal de Marco Frost é difícil de localizar. O último local de trabalho que temos é o Caffè Nero, na Old Compton Street, e ele não trabalha mais lá. O número do celular dele foi desativado.

– Continue tentando. Talvez ele tenha ido embora com a Barbora Kardosova.

– Ah! Essa é outra teoria, chefe.

– Bom, adicione essa à lista – disse Erika com um tom triste, enquanto enfiava moedas na máquina e escolhia um *espresso* grande.

CAPÍTULO 25

A sala de investigação na Lewisham Row foi organizada como o centro de respostas para o apelo, que seria transmitido ao vivo pela BBC, pela Sky e por outros canais de notícias. Seis policiais foram escalados para se encarregarem dos telefonemas.

Erika, Sparks, Marsh e Colleen tinham saído da Lewisham Row uma hora antes e foram para o Thistle Hotel próximo ao Marble Arch, onde o apelo aconteceria.

Moss e Peterson estavam usando o tempo antes da transmissão para tentar descobrir o paradeiro de Marco Frost. Tinham conseguido informações sobre o endereço dele e dados da folha de pagamento com o Caffè Nero onde ele trabalhara, na Old Compton Street. O que se provou um trabalho infrutífero; Marco havia pedido demissão de lá havia um ano. Tentaram o endereço dos pais, porém eles tinham falecido no ano anterior, com uma diferença de seis meses entre a morte de cada um. Marco morou com eles em um apartamento alugado, mas tinha se mudado. O senhorio tinha acabado de dar a Moss um telefone. Marco estava morando com a tia e o tio. A detetive ligou para o número e o tio atendeu depois de alguns poucos toques.

A sala de conferência no Thistle Hotel era enorme e não tinha janela. Um interminável tapete estampado cobria o chão, e as fileiras de cadeiras em frente a uma pequena plataforma estavam quase cheias. Membros da imprensa aguardavam com as câmeras. Luzes haviam sido posicionadas, e alguns jornalistas já estavam em pé ensaiando suas apresentações para a câmera. Duas grandes televisões de tela plana estavam localizadas nas laterais da sala e transmitiam informações ao vivo da BBC News Channel e da Sky News. Estavam sem som, mas nas duas telas uma legenda anunciava que em breve haveria uma coletiva de imprensa ao vivo e um apelo da polícia sobre o assassinato de Andrea Douglas-Brown.

Na plataforma havia uma mesa comprida, salpicada com pequenos microfones em intervalos regulares. Uma mulher da equipe do hotel movia-se ao longo dela com uma bandeja e colocava um copo e uma pequena jarra de água em frente a cada uma das cadeiras. Por trás, havia três telas de vídeo em que era projetada, sobre um fundo branco, o símbolo da Polícia Metropolitana.

A relação que a polícia tinha com a mídia fazia Erika sentir-se sempre desconfortável; um dia os empurrava e acusava de se intrometerem e distorcerem os fatos e, em seguida, os convidava para uma coletiva de imprensa que tinha todas as características de uma performance teatral.

Nesse exato momento, Colleen apareceu ao lado de Erika e pediu a ela para ir ao *backstage* se maquiar.

– Só um pouquinho de pó para tirar o brilho do seu rosto – acrescentou ela. Mas a maneira como olhou para o relógio indicava que demorariam bem mais para fazer com que Erika ficasse mais ou menos decente para aparecer ao vivo na televisão.

O hotel havia reservado uma sala de reunião menor ao lado para a polícia e a família. Colocaram alguns sofás ali e havia uma mesa com água e suco de laranja.

Marsh sentou-se usando o uniforme de superintendente. Uma jovem estava trabalhando no rosto dele com um frasco de base e uma esponja triangular. Ao lado, outra jovem garota maquiava o Detetive Sparks. Eles conversavam muito com Simon e Diana, que estavam sentados do lado oposto. Novamente os pais de Andrea vestiam preto e, enquanto Simon era responsável pela maior parte da conversa, Diana segurava-lhe a mão, gesticulava com a cabeça e enxugava os olhos. Eles olharam para o lado e Erika os cumprimentou respeitosamente com a cabeça. Diana respondeu com o mesmo gesto, mas Simon ignorou-a e se voltou novamente para Marsh e Sparks.

– Eles não vão demorar, depois é a sua vez – disse Colleen.

Erika foi pegar um copo de água na mesa, posicionada debaixo de uma janela com vista para o trânsito que se movimentava lentamente ao redor do Marble Arch. Linda e David entraram pela porta no fundo da sala e aproximaram-se da mesa.

– Olá – cumprimentou Erika, servindo-se de um pouco de água.

– Oi – disse David. Ele levantou o copo e deixou Erika enchê-lo. Estava de calça jeans, blusa azul marinho e tinha o semblante muito branco. Linda estava com uma camisa preta comprida e um suéter velho de cor viva, com uma estampa de gatos brancos e magros em pé usando vestidos de can-can. Acima deles estava escrito "ESTAMOS DANÇANDO CAT-CAT!". Era extravagante e inapropriado.

Colleen voltou e disse a Erika que estavam quase prontos.

– Também odeio usar maquiagem – disse Linda, servindo-se de um copo de suco de laranja.

– Você não vai aparecer na TV – falou David, dando um golinho na água.

– Você sabia que o Jimmy Savile* sempre se recusou a usar maquiagem na TV? Ele falava que queria que as pessoas vissem o que era de verdade... Uma ironia terrível, você não acha? – perguntou Linda, dando uma balançada na cabeça para tirar a franja do olho.

Erika não sabia o que dizer e apenas concordou com um gesto de cabeça.

– Eu escrevi para o programa dele quando tinha 7 anos – continuou Linda. – Queria que ele desse um jeito de conseguir que eu fizesse uma visita aos Estúdios Disney e desenhasse um gato para uma animação. Você sabia que eles fazem as animações com um monte de fotos desenhadas com pequenas diferenças...

– Tenho certeza de que a Detetive Foster sabe como as animações funcionam – interrompeu David, revirando os olhos para Erika de maneira conspiratória.

– É claro que nunca recebi resposta... Até o Jimmy Savile me rejeitou – comentou Linda com um sorriso seco.

– Jesus. Dá pra ser normal pelo menos uma vez? Você vem com essa blusa idiota e fica fazendo piadas doentias! – reclamou David.

Linda deu um pulo quando ele bateu seu copo de água vazio na mesa e foi embora.

– Não foi piada. Eu queria mesmo visitar os estúdios da Disney – disse Linda, corando e balançando novamente a cabeça para tirar a franja do olho.

Erika ficou satisfeita quando Colleen apareceu e a levou para a garota da maquiagem. Marsh e Sparks já estavam em pé perto da porta que dava para a grande sala de reuniões, juntamente com Simon e Diana. A

---

* Personalidade britânica da TV e do rádio, Jimmy Savile (1926-2011) foi acusado inúmeras vezes de abuso sexual. (N.E.)

garota da maquiagem trabalhou rápido em Erika e, assim que terminou, um jovem usando fone se aproximou e disse que faltavam dois minutos para começar. O celular de Erika tocou.

– Desculpe, mas você tem que desligar o telefone, ele interfere no som – explicou ele.

– Vou só atender esta ligação rapidinho – disse Erika, vendo o nome de Moss brilhando na tela. Ela aproximou-se da janela e atendeu.

– Chefe, sou eu – falou Moss. – Você está aí com o superintendente e o Sparks? Tentei falar no celular deles...

– Eles desligaram; alguma coisa a ver com interferência nos microfones e no som – disse Erika, se dando conta de que estava em terceiro lugar na lista da Moss.

– Nós localizamos Marco Frost. Ele mora com o tio em North London.

Erika viu que a coletiva de imprensa estava prestes a começar. Moss prosseguiu:

– Ele estava em Apúlia, na Itália, até dois dias atrás. Foi com o tio e a tia, e eles esticaram o feriado de Natal para visitarem parentes. Foram com o carro do tio, que tem uma loja de conveniência perto de Angel, e trouxeram uma porrada de azeite de oliva, carne, etc., etc.

– Então Marco Frost tem um álibi – disse Erika, com o entusiasmo lhe subindo pelo corpo.

– Isso aí. Inclusive, ele usou o cartão de crédito quando estava no exterior. Ele não pode ter matado Andrea.

Colleen apareceu ao lado do cotovelo de Erika.

– A gente tem que ir, Detetive Foster; você tem que desligar – alertou ela.

– Bom trabalho, Moss.

– Bom mesmo? Isso quer dizer que não sabemos nada sobre quem matou Andrea... Quer dizer, temos a sua teoria.

– Tenho que ir, Moss, falo com você mais tarde – despediu-se Erika. Ela desligou o celular assim que viu os outros se movendo na direção da sala de reuniões. Simon entrou primeiro, seguido de Marsh e Sparks.

Então Marco Frost não matou Andrea, pensou Erika. A teoria de Sparks tinha acabado de desmoronar. As conversas que teve com a garçonete e com Ivy alfinetavam seu cérebro. *Andrea foi vista com um homem de cabelo escuro e uma mulher loira... Eles ainda estão soltos. Quem quer que tenha feito aquilo ainda está solto.*

Marsh, Sparks e Simon já tinham entrado na coletiva de imprensa e desaparecido. Diana continuou no sofá. Estava chorando novamente e Linda e David consolavam-na.

– Precisamos de você lá dentro *agora* – Colleen falou entredentes para Erika.

Giles Osborne irrompeu pela porta dos fundos, bem aquecido por um enorme casaco de inverno. Ele correu na direção de Diana, desenrolando seu cachecol e desculpando-se por ter chegado atrasado.

– Perdi o apelo? – perguntou ele. Diana abanou o rosto coberto de lágrimas.

– Agora, Detetive Foster! – insistiu Colleen.

Erika tomou uma decisão; uma decisão que teria muitas consequências... Ela respirou fundo, ajeitou o cabelo, se acalmou e entrou na coletiva de imprensa.

CAPÍTULO 26

Moss, Peterson, Crane e o restante da equipe estavam de volta a Lewisham Row, reunidos em frente a uma televisão de tela plana. O canal BBC News fez a contagem regressiva para o início do boletim da hora, e em seguida uma imagem grande da coletiva de imprensa apareceu na tela. Sentados à comprida mesa estavam o Detetive Sparks, a Detetive Foster e o Superintendente Marsh. Ao lado de Marsh estava sentado Simon Douglas-Brown, que parecia assustado e esgotado.

Simon leu a declaração que tinha sido preparada de antemão e a imagem dele era intercalada pela foto da carteira de motorista de Andrea que vinha circulando na imprensa, além de uma foto mais nova de suas últimas férias em família com Linda, David e os pais. Estavam todos sorrindo para a câmera com o mar servindo de pano de fundo. David sorria timidamente. O rosto gordinho de Linda continuava com sua usual expressão carrancuda.

– A Detetive Foster estava certa, isso é tudo muito comovente – comentou Crane. – Mas parece uma exibição arrumadinha de luto. Será que vai instigar alguém a ligar?

Na tela, Simon Douglas-Brown terminou sua declaração e a câmera abriu para fazer uma imagem mais ampla. O Superintendente Marsh estava prestes a falar quando Erika inclinou-se para o lado dele e puxou o microfone em sua direção. Ela se virou para a câmera e começou a falar.

– Os acontecimentos que levaram ao desaparecimento de Andrea são confusos, e nós precisamos da sua ajuda. Ficaríamos muito agradecidos se alguém que viu Andrea na noite de 8 de janeiro se apresentasse a nós. Era uma quinta-feira. Acreditamos que ela passou algum tempo entre as 20h e a meia-noite em um pub chamado The Glue Pot, na London Road, em South London, Forest Hill. Andrea foi vista por um funcionário do bar conversando com um homem de cabelo escuro e uma garota loira. Outras pessoas podem ter visto Andrea caminhando pela London Road entre as

20h e a meia-noite na direção do Horniman Museum, onde o corpo dela foi encontrado. Se tiverem alguma informação, por menor que seja, por favor, entrem em contato. Liguem para o telefone da sala de investigação, cujo número aparecerá na tela.

— Isso foi planejado? — perguntou Peterson, na sala de investigação.

— Não — respondeu Moss.

Na tela, houve um momento em que o Superintendente Marsh ficou sem lugar e sem saber o que dizer. Ele disparou um olhar para Erika e puxou o microfone de volta.

— Gostaríamos de, hã... acrescentar que, é, hã... existe uma pista que mostra que Andrea foi vista... Nós também acreditamos que ela podia estar a caminho de uma festa no Rivoli Ballroom, que é perto da estação Forest Hill, onde desembarcou na noite de 8 de janeiro — contradisse Marsh, mais enfaticamente. Houve um momento de silêncio. A câmera cortou novamente e fez uma tomada ampla da sala de reunião.

— Nossa, ele está avacalhando tudo. É como se ele estivesse inventando, não a Foster — comentou Moss.

As câmeras alternavam rapidamente, com tomadas amplas da sala de reunião e do pessoal da imprensa, o que aumentou a confusão, antes de retornarem para o Superintendente Marsh, que finalmente voltou aos trilhos e terminou o roteiro já traçado para o apelo. Ele finalizou:

— Temos policiais a postos agora para atender às ligações e receber os e-mails. Obrigado.

A câmera cortou da coletiva para a âncora no estúdio da BBC News. A telinha atrás dela mostrava o número de contato e o endereço de e-mail da sala de investigação. Ela leu os detalhes, pediu novamente para que qualquer pessoa que tivesse informações entrasse em contato e repetiu o nome do The Glue Pot e do Rivoli Ballroom, desculpando-se por terem apenas a foto do Rivoli Ballroom.

Os policiais na sala de investigação em Lewisham Row entreolharam-se inquietos, e os telefones começaram a tocar.

CAPÍTULO 27

No momento em que a coletiva de imprensa terminou e a câmera que fazia a transmissão ao vivo foi desligada, Erika levantou-se. Seu coração estava aos solavancos. Os jornalistas e fotógrafos amontoavam-se na direção das saídas. Simon se virou para Marsh com uma expressão furiosa nos olhos castanhos.

— Puta que pariu, o que o seu pessoal está fazendo? — perguntou entredentes. — Achei que tivéssemos combinado como a coisa aqui ia funcionar — reclamou ele, olhando, à beira do desespero, a imprensa sair.

Marsh e Sparks levantaram-se.

— Detetive Foster, vamos ter uma conversa, agora — disse Marsh.

Erika respirou fundo e desceu da plataforma, ignorando as vozes atrás dela enquanto caminhava pelo tapete, acelerando na direção da porta dos fundos da sala de conferência. Assim que a atravessou, encontrou uma saída de emergência e desceu ruidosamente três lances de escada antes de irromper em uma rua lateral do lado de fora.

Ela parou e recuperou o fôlego, a chuva batia forte em sua pele viscosa. Sabia que haveria consequências por causa do que tinha acabado de fazer, mas ela não ficava sempre do lado de seus instintos? E eles lhe disseram que aquela era a coisa certa a se fazer. Tinha feito algo bom, algo por Andrea, que não tinha o direito a resposta.

Ela começou a caminhar sem notar a chuva, e juntou-se à aglomeração de pessoas que trombavam e se acotovelavam na Oxford Street, perdida em um casulo de pensamentos. O instinto dela, a certeza que sentiu, começava a se dissipar. Deveria ter ficado e enfrentado as consequências. Na sua ausência, ficariam discutindo o que ela tinha feito, tirando conclusões. Estavam tomando decisões sem ela, planejando o que fariam em seguida.

Ela hesitou, depois parou. A chuva empoçava as calçadas, as pessoas moviam-se apressadas ao redor dela com as cabeças abaixadas, os capuzes e os guarda-chuvas levantados. Elas resmungavam e xingavam quando seu caminho tranquilo para o ônibus ou o metrô era bloqueado. Estavam no auge da hora do *rush*. Erika precisava pensar, planejar o que faria em seguida. Se voltasse, demonstraria fraqueza. Começou a andar novamente, movendo-se com a multidão.

Atrás dela, seguia uma figura. A mesma figura que observou Erika fumando à janela. Desta vez, não estava completamente vestida de preto, mas mesclava-se à massa de pessoas com seus capuzes e guarda-chuvas. A multidão parecia inchar e desacelerar ao se aproximar da estação de metrô Marble Arch, e a figura sombreava a detetive com uma distância de apenas duas pessoas.

Erika era uma das únicas na rua sem capuz e estava caminhando com a cabeça abaixada e a gola da jaqueta levantada.

Ela é, realmente, uma preocupação para mim. Ela foi àquela porra daquele pub e conversou com as pessoas. Ela sabe muito mais coisa do que imaginei. Foi uma encenação toda aquela angústia e aquele desespero? Até aquela coletiva de imprensa, eu achava que ela era um zero à esquerda. O que sobrou de uma policial que já tinha sido brilhante.

Agora, a figura estava perto de Erika, separadas apenas por um executivo corpulento com um casaco impermeável claro, salpicado com gotas de água. Erika fechou um pouco mais a gola, de maneira que ela encostasse no cabelo loiro em sua nuca.

Ela é viúva e sozinha. Amargurada. Pode ser uma suicida. Tantas pessoas são. Eu adoraria fazer uma visita a ela, essa puta esquelética – surpreendê-la na cama. Apertar aquela garganta magrela em que os tendões ficam salientes e observar seus olhos escurecerem. Mas há outra pessoa que merece uma visita...

A aglomeração de pessoas chegou à estação de metrô Bond Street e empacou. Erika andou alguns centímetros para a frente para conseguir ficar debaixo da grande cobertura, enquanto esperava as pessoas seguirem adiante. Pouco a pouco, a figura aproximou-se em meio ao amontoado de gente, enfiando cuidadosamente um envelope branco no bolso da jaqueta de couro de Erika. Segundos depois, a entrada da estação foi desobstruída. A figura abandonou Erika e seguiu pela multidão, misturando-se aos demais: apenas mais uma pessoa ansiosa para chegar rápido a algum lugar.

CAPÍTULO 28

Quando Erika saiu da estação Brockley, sentiu-se confusa ao ver sua nova casa à luz do dia. A rua estava movimentada; uma van da Royal Mail passou por ela e estacionou próximo a uma caixa de correio. Um carteiro de rosto jovial desceu, abriu a caixa e puxou para fora um saco cheio de cartas. Havia um café em frente à estação, onde duas mulheres aconchegadas em jaquetas estavam sentadas à uma mesa do lado de fora, protegendo-se do vento e fumando. O batom vermelho forte borrava a beirada de suas xícaras de porcelana branca. Um garçom bonito, com piercing no lábio, aproximou-se da mesa. Ele falou algo enquanto recolhia as xícaras vazias e as mulheres deram gargalhadas estridentes.

Erika tateou dentro da bolsa e pegou um cigarro. Suas mãos tremiam ao acendê-lo. A ansiedade tinha aumentado durante a viagem de trem. O coração dava solavancos no peito e era como se ela estivesse vendo o mundo através de um vidro levemente embaçado. O garçom bonito ainda conversava com uma das mulheres, e eles flertavam abertamente.

— Ooh... não, não, não, não, não — repreendeu uma voz.

Erika olhou ao redor. Um homem barrigudo de uniforme da South West Trains estava parado ao lado dela. Tinha cabelo grisalho e o bigode um pouco esbranquiçado.

— Pois não? — disse Erika.

— Você deve gostar de uma multinha de mil libras, não é, querida?

— O quê? — perguntou ela, sentindo-se tonta.

— É proibido fumar em estações de trem. Mas eu sei como a gente pode resolver isso. É só você dar um passo pra frente, vai lá.

Confusa, Erika deu um passo à frente.

— Aí, querida, tudo resolvido, você não está mais dentro da estação!

Ele apontou para os pés dela, que agora estavam no liso asfalto que passava em frente à saída da estação.

— Okay — disse ela constrangida.

O homem olhou-a desconfiado. Só então Erika se deu conta de que ele estava sendo gentil, mas era tarde demais e ele foi embora, resmungando.

Erika saiu cambaleando, com o coração ainda mais disparado, recorrendo ao cigarro. As mulheres no café agora estavam dando uma olhada na carta de vinhos, rindo e conversando com o garçom bonito. Um homem idoso girava um expositor de metal com cartões de felicitações em frente a uma delicatéssen na esquina. Duas senhoras conversando animadas e caminhando lentamente, curvadas pelo peso de sacolas de compras. Erika se agarrou a um muro baixo de uma casa e se firmou. Ocorreu-lhe que ela não tinha a menor ideia de como ser uma pessoa "normal". Ela conseguia olhar para cadáveres e interrogar estupradores violentos, já tinha levado cusparadas e sido ameaçada com uma faca, mas viver no mundo real, como membro da sociedade, isso a aterrorizava. Ela não tinha a menor ideia de como ser solteira, sozinha e sem amigos.

A enormidade do que havia acabado de fazer voltou a sua mente. Tinha se apropriado da coletiva de imprensa de uma investigação importantíssima. E se ela estivesse errada? Erika correu para o apartamento; sua tonteira intensificava-se, um suor frio escorria debaixo da gola.

Quando já estava dentro de casa, desmoronou no sofá. A sala rodava, e uma mancha infiltrou-se na lateral de seu campo de visão. Ela piscou, olhando em volta da pequena sala. A mancha moveu-se em seus olhos. Sentiu o estômago contrair, correu para o banheiro e chegou bem a tempo de vomitar na privada. Ela ajoelhou-se e vomitou novamente. Deu a descarga e lavou a boca na pia tendo que se segurar nas laterais, pois o chão parecia sacudir e balançar. O reflexo que a encarava era pavoroso: olhos fundos, pele com um colorido branco esverdeado. Seu rosto era uma mancha no espelho. O que estava acontecendo com ela? Voltou cambaleando para a sala, apoiando-se na parede, na ombreira da porta, depois jogando-se no sofá. O centro de sua visão estava inundado por uma mancha. Ela inclinou a cabeça, pois tinha que usar a visão periférica para localizar sua jaqueta de couro, meio dependurada no braço do sofá. Encontrou o celular em um dos bolsos e, inclinando a cabeça, viu que ainda estava desligado por causa da coletiva de imprensa.

O sangue pulsava na cabeça dela, a náusea e o pânico não paravam de aumentar. Estava morrendo. Morreria sozinha. Encontrou o botão na parte de cima de seu celular e o apertou, mas um círculo em movimento na tela a informava que demoraria um pouco até que ele ligasse. Erika desmoronou de cara no sofá. Estava aterrorizada. Uma poderosa dor de cabeça formava-se na parte de trás de seu crânio. Ela se deu conta de que aquele poderia ser o início de uma enxaqueca no mesmo instante em que a sala deu um giro completo e tudo ficou preto.

CAPÍTULO 29

Erika sentiu que estava movendo-se pela escuridão, tateando em busca de um som distante. Ele parecia cada vez mais perto, e então seus ouvidos o capturaram, próximo de sua cabeça. A lateral de seu rosto pressionava algo macio que tinha um leve cheiro de comida frita e cigarro. Seus joelhos estavam no duro chão de madeira. Ela se sentou sobre os calcanhares e levantou a cabeça, se dando conta de que estava em seu novo apartamento. O celular tocava. Estava escuro do lado de fora e a luz de um poste brilhava através de uma janela.

O celular brilhava e vibrava em silêncio na mesinha de centro. Sua boca estava seca e ela sentia uma dor de cabeça terrível. Levantou-se cambaleando, foi até a pia e bebeu um grande copo de água. Ela colocou o copo na bancada e tudo veio à tona. Sentiu um vislumbre de esperança por sua vista ter voltado ao normal. O celular tocou novamente e, imaginando ser Marsh, atendeu, querendo acabar logo com aquilo.

Uma voz familiar disse:

— Erika? É você?

Ela reprimiu as lágrimas. Era o pai de Mark, Edward. Erika esqueceu-se do quanto ele soava como Mark, com seu caloroso sotaque de Yorkshire.

— Sou eu, sim – respondeu ela, por fim.

— Sei que já faz muito tempo... Bom, liguei para pedir desculpa – disse ele.

— Desculpa por quê?

— Eu falei algumas coisas. Coisas de que me arrependo.

— Você tinha todo o direito, Edward. Eu mal consigo olhar pra mim mesma em boa parte do tempo... – seu estômago dava guinadas e ela estava com a respiração descompassada, as palavras saíam confusas enquanto tentava falar para o homem que amava como um outro pai o quanto sentia-se desolada por não ter conseguido proteger o filho dele.

– Erika, querida, não foi sua culpa... Eu li uma cópia da transcrição da audiência – disse ele.

– Como?

– Eu solicitei. Lei de Liberdade de Informação... Eles pegaram muito pesado com você.

– Eu mereci. Devia ter investigado com mais profundidade, podia ter conferido uma terceira vez as coisas... – começou ela.

– Você não pode viver sua vida com base em *devia* ou *podia*, Erika.

– Nunca vou me perdoar. Se pelo menos eu pudesse voltar, pelo menos... Eu nunca... – desabafou ela, esfregando lágrimas quentes com as costas da mão.

– Chega disso, não quero ouvir mais nenhuma palavra, senão você vai ter que se ver é comigo! – brincou ele.

A piada saiu forçada. Houve silêncio.

– Como você está? – perguntou Erika. *Pergunta idiota*, ela pensou.

– Ah, estou me mantendo ocupado... Comecei a jogar boliche. Nunca imaginei que fosse fazer isso, mas, bem, a gente tem que se manter ocupado. Virei um velho arruinado jogador de boliche... – sua voz sumiu novamente. – Erika, querida. Tem uma lápide lá agora. Mandei colocar uma para o Mark. Ficou magnífico.

– Ficou? – disse Erika, fechando os olhos. Pensou em Mark debaixo da terra e teve uma vontade mórbida de saber qual era a aparência dele. Só ossos, ossos em um terno bacana.

– E você é bem-vinda para vir ver como ficou. Você é sempre bem-vinda, querida. Quando acha que vem pra casa?

Casa. Ele disse casa. Erika não tinha a menor ideia de que lugar poderia chamar de *sua* casa.

– Voltei a trabalhar; estou em Londres – comentou Erika.

– Oh... Certo.

– Eu vou. Mas agora tenho que trabalhar.

– Isso é bom, querida. Está trabalhando com o quê? – perguntou ele.

Erika sentiu que não podia contar a ele que estava caçando um assassino brutal. Ela se perguntou se ele não tinha visto a coletiva de imprensa na TV.

– Estou com a Polícia Metropolitana, com uma equipe nova.

– Isso é bom, menina. Se mantenha ocupada... Quando tiver folga, eu adoraria te ver.

– Eu também.

– Passo muito lá pela sua casa. Um casal jovem a alugou. Eles parecem legais, apesar de eu não ter ido lá bater na porta nem feito nada do tipo. Fiquei sem saber como explicar quem eu era.

– Edward, está tudo em um depósito. Não joguei nada fora. A gente devia dar uma olhada nas caixas. Tenho certeza de que algumas coisas...

– Vamos dar um passo de cada vez – disse Edward.

– Como você conseguiu meu número? – perguntou Erika, se dando conta de que estava com seu celular novo.

– Liguei para sua irmã. Ela falou que você passou um tempo lá, dormindo no sofá; ela me deu o seu telefone. Espero que não tenha problema.

– Claro que não. Me desculpe. É o detetive em mim, sempre querendo descobrir as coisas...

– Só quero que você saiba, Erika, que não está sozinha. Sei que as pessoas não foram gentis por aqui, e você não pode culpar a maioria delas, mas você também o perdeu... – a voz de Edward falhou. Ele prosseguiu: – É que eu odeio pensar em você sozinha. Você tem a mim, querida, para o que precisar.

– Obrigada – disse Erika suavemente.

– Nossa, isso vai me custar uma fortuna, ligar pra Londres, então vou desligar... É bom ouvir a sua voz, Erika. Vê se não some.

– Você também... Quer dizer, não, não sumo, não.

Ela ouviu um clique e um bipe, e ele se foi. Erika colocou a mão no peito e respirou fundo. Uma onda de calor inundou-a e ela teve que piscar para reter as lágrimas.

O celular tocou novamente em sua mão. Ela viu que era Moss.

– Chefe. Cadê você? – perguntou ela.

– Em casa.

– Você não vai acreditar nisto. Descobriram outro corpo. Desta vez na água do Brockwell Park.

– Já identificaram a vítima? – perguntou Erika.

– Já. É Ivy Norris.

CAPÍTULO 30

O Brockwell, um parque e balneário em Dulwich, ficava a menos de cinco quilômetros do Horniman Museum, onde tinham descoberto o corpo de Andrea. Erika passou em alta velocidade pela torre do relógio, que estava acesa e marcava 22h15. Grossos pingos de chuva explodiam no para-brisa e rapidamente transformaram-se em um aguaceiro. Erika ligou o limpador inclinando-se para a frente para ver através do turbilhão de água. Dois policiais uniformizados apareceram em pé atrás de um cordão de isolamento à entrada do parque. Erika estacionou e saiu na chuva, que açoitava os carros ao redor com estrondo.

– Detetive Foster – gritou Erika, sobrepondo-se ao barulho e levantando sua identificação. Os policiais suspenderam a fita e ela passou.

As pessoas iam muito àquele parque no verão para nadar e fazer piqueniques, porém na escuridão de uma noite de janeiro açoitada pela chuva era lúgubre e deprimente. Logo atrás de Erika, Moss e Peterson receberam autorização para passarem pela fita da polícia. Eles traziam uma lanterna poderosa, e seu feixe iluminava o percurso por uma série de caminhos de concreto. Passaram por uma barraca de sorvete fechada com tábuas e um coreto com a pintura descascando. Saíram em uma clareira, incapazes de distinguir alguma coisa. Trovões ribombavam ao longe e raios iluminavam o lago. Mais adiante, brilhava o contorno de uma grande tenda da perícia forense. Um caminho feito com polietileno delimitava ao longo a beirada lamacenta da água. Três assistentes na cena do crime com macacões brancos estavam ajoelhados na lama e trabalhavam rápido para colherem os dados de um conjunto de pegadas. Um perito forense encontrou-se com os policiais na tenda, e eles trocaram de roupa rapidamente, enquanto a chuva continuava a castigar as lonas.

Uma lâmpada halógena brilhante iluminava a figura imóvel de Ivy Norris. Estava deitada na lama, em meio a uma massa marrom, emporcalhada e revirada, manchando suas roupas e seu corpo.

– Por favor, fiquem nas caixas – orientou um perito, indicando o local onde uma série de plataformas tinha sido posicionada ao redor do corpo para preservar as evidências na lama por baixo.

Eles se aproximaram de Ivy, movendo-se de plataforma em plataforma até ficarem ao lado do corpo. Seu cabelo oleoso estava jogado para trás e o rosto amarelado, paralisado com os mesmos olhos arregalados e amedrontados de Andrea. O nariz estava achatado em uma massa de sangue coagulado. Vestia o casaco e a blusa com os quais Erika a tinha visto alguns dias antes, mas estava nua da cintura para baixo. Era doloroso olhar para as pernas dela: macilentas, com aglomerados de cicatrizes, hematomas e marcas de agulha. Seus pelos pubianos eram brancos e embaraçados.

Um fotógrafo criminal tirou uma foto e a tenda foi preenchida por um flash e um chiado agudo. Isaac Strong estava em pé, em silêncio, sobre uma das caixas. Ele cumprimentou a todos com um aceno de cabeça.

– Quem a encontrou? – perguntou Erika.

– Um grupo de crianças que pulou a cerca.

– Onde elas estão?

– Os seus policiais estão com elas no centro comunitário no alto da rua. Nós já colhemos o DNA.

– Elas viram alguma coisa? – perguntou Erika.

– Não. Estava escuro. Um dos meninos tropeçou no corpo e caiu.

– Ele deve ter ficado aterrorizado – comentou Moss, baixando o olhar para Ivy.

– O nariz dela está quebrado. Acho que a maçã do rosto também. Há extensos sulcos no pescoço – informou Isaac, agachando-se e abaixando gentilmente as dobras do suéter de Ivy. – Acho que também está com quatro costelas quebradas; vou ter mais ideia dos ferimentos internos quando conduzir a autópsia. Havia 100 libras em dinheiro com ela. As notas estavam dobradas dentro do sutiã.

– Então podemos descartar a possibilidade de ter sido um assalto ou roubo? – perguntou Moss.

– Não quero tirar conclusões até ter feito a autópsia. Mas, obviamente, quando um corpo é deixado com dinheiro, indica que roubo não era o que estava na mente do agressor. Sexo, por outro lado, sim. Em um primeiro exame, há sêmen na vagina dela.

– Ivy era uma prostituta conhecida – explicou Moss.

– Talvez quem tenha feito isso a seduziu com dinheiro... – acrescentou Peterson.

– Não podemos concluir que, por causa disso, o sexo foi consensual – afirmou Isaac com rigor. – Há muitos hematomas ao redor da região pélvica.

– Cadê os braços dela? – perguntou Erika, temendo, por um momento, que eles tivessem sido arrancados.

– Os braços estão amarrados atrás das costas – disse Isaac. Um de seus assistentes aproximou-se e ergueu cuidadosamente Ivy da lama; ambos os braços tinham sido puxados para debaixo do corpo. Estavam ensebados de lama e pedras. Isaac deu uma limpada nos pulsos dela usando um dedo com luva.

– Viu? Eles foram atados com abraçadeiras de plástico, geralmente usadas na indústria ou para embalar produtos.

– E os sapatos dela? – perguntou Erika vendo os pés de Ivy, que estavam respingados de lama, inchados e com um mapa de veias estouradas e compridas unhas sujas.

– Nós os encontramos na lama – disse Isaac. – Também faltam tufos de cabelo nas duas têmporas. Parece que foram arrancados com raiz.

Ele inclinou a cabeça de Ivy e mostrou partes rosadas irritadas e salpicadas com sangue ressecado. O fotógrafo se abaixou e tirou uma foto. Quando o flash iluminou a pele, ela ficou com uma aparência quase translúcida, com fiapos de veias azuis na testa.

– O cabelo da Andrea foi arrancado – disse Erika, suavemente.

– Hora da morte? – perguntou Peterson.

– A temperatura interna do corpo me leva a dizer que ela não está morta há muito tempo, mas o corpo foi exposto a temperaturas congelantes e chuva, então preciso esclarecer isso.

– Temos policiais fazendo um porta a porta e uma busca na área – informou Peterson.

Eles observavam o fotógrafo trabalhar, tirando fotos de todos os ângulos de Ivy. Uma jovem que auxiliava Isaac colocou gentilmente sacolas plásticas sobre as mãos de Ivy para preservar as provas relacionadas ao DNA. Isaac moveu-se para um banco montado às pressas no canto da tenda e voltou até eles com um envelope de evidências transparente.

– Foi isto o que achamos com ela: um molho de chaves, seis camisinhas, 100 libras em dinheiro, um cartão de crédito em nome de Matthew Stephens e o número de um telefone em um pedaço de papel.

– Esse número é seu – afirmou Moss, disparando os olhos na direção de Erika.

– Eu estava conversando com Ivy naquela outra noite sobre o assassinato da Andrea; ela me deu algumas informações, mas achei que ela estava com medo. Falei que ela podia me ligar... – a voz de Erika diminuiu ao se dar conta de que a informação tinha morrido com Ivy.

– Ela tentou entrar em contato com você? – perguntou Peterson.

– Não sei. Tenho que conferir meu celular.

Ela não tinha olhado suas mensagens desde antes da coletiva de imprensa. Pediu licença, passou pela divisória e pela entrada da tenda. Uma figura caminhava com dificuldade ao longo da margem. Quando ela se aproximou, percebeu que era o Detetive Sparks.

– O que você está fazendo aqui? – perguntou ela. – Você não faz parte da equipe escalada.

– O Superintendente Marsh me pediu para assumir o comando desta investigação – respondeu Sparks. Apesar da gravidade da situação, a alegria fervia dentro dele.

– O quê? Às 11 da noite, na cena do crime? – perguntou Erika.

– Você deveria atender seu telefone. O superintendente ficou tentando falar com você – alfinetou Sparks.

– Não terminei aqui. Posso discutir essa situação com Marsh amanhã – disse Erika.

– Recebi ordens claras. Fui designado chefe da investigação e gostaria que saísse da cena do crime.

– Você gostaria que eu saísse?

– Não. Estou ordenando que saia.

– Detetive Sparks, eu acabei de sair da cena do crime e há coisas... – começou Erika.

– Já falei, agora sou eu quem está no comando da cena do crime e estou te dando uma ordem: cai fora! – gritou Sparks, perdendo a paciência.

– Acho que você vai descobrir, se tiver algum conhecimento de procedimentos em cena de crime, que o patologista forense é o comandante supremo da cena do crime e, portanto, dá as ordens – interveio Isaac, aparecendo por trás de Erika com Moss e Peterson. – A Detetive Foster adentrou a cena do crime como chefe da investigação e vou finalizar o *briefing* e o exame da cena do crime com ela no comando. Agora, Detetive Sparks, você está a ponto de contaminar o lugar. Se deseja continuar a observar, vou pedir que siga o protocolo, vista-se adequadamente e cale a boca.

O Detetive Sparks abriu a boca para falar alguma coisa, mas Isaac olhou para ele de cima abaixo e levantou as sobrancelhas impecavelmente pinçadas, desafiando-o a contradizê-lo.

– Às 8h amanhã haverá um relatório na Lewisham Row, quando reajustaremos esta investigação. Certifiquem-se de que estarão presentes pontualmente – disse Sparks para Moss e Peterson.

Eles confirmaram presença com um gesto de cabeça. Sparks lançou a Erika um longo e duro olhar e saiu pisando duro, acompanhado por um dos policiais.

– Obrigada – Erika agradeceu a Isaac.

– Eu não fiz aquilo para alguém me agradecer. Não estou interessado em política policial. Só estou interessado em preservar uma cena para que vocês possam fazer o seu trabalho e encontrar quem fez isso – esclareceu Isaac.

Erika tirou o seu macacão, que foi ensacado para ser encaminhado ao laboratório. Ela encontrou abrigo da chuva torrencial debaixo da fachada descascada do coreto, acendeu um cigarro e ouviu suas mensagens de voz. Havia quatro de Marsh, cada uma delas mais nervosa do que a outra. Simon e Diana Douglas-Brown aparentemente tinham ficado "horrorizados" quando Erika "se apropriou da coletiva para falar o que o bem quis", e Marsh estava de acordo. Disse a Erika para se apresentar a ele logo de manhã. A mensagem terminava com ele dizendo "ignorar as minhas ligações será visto, no futuro, como ato de insubordinação e de desafio à minha autoridade".

A última mensagem começou com muitas distorções; ela ouviu uma voz praguejando e depois o som de moedas sendo colocadas em um telefone público.

É... é Ivy... Ivy Norris. Se você puder me arrumar algum dinheiro, vou te contar o que precisa saber. Preciso de uns 100 conto...

Erika escutou mais três bipes, mais palavrões e depois a ligação caiu. Ela então ouviu a mensagem novamente. Era de sete horas atrás. Ela ligou para o Sargento Crane, que atendeu com um ar de cansaço.

– Oi Crane, é a Detetive Foster, você ainda está na delegacia?

– Estou, chefe – respondeu.

– Qual foi a reação ao apelo?

– Recebemos 25 ligações, chefe. Nas últimas horas, elas pararam. Só estamos esperando para ver se eles vão mostrar o número de novo no jornal da noite.

– Diga... temos alguma coisa útil? – pediu Erika, esperançosa.

– Quatorze delas foram de malucos conhecidos e gente que não tem o que fazer; eles têm tendência a reagir a todos os apelos relacionados a crimes transmitidos pela TV. Um desses caras até hoje afirma que foi ele quem matou a Princesa Diana. Ainda temos que terminar de verificar e eliminar todos eles, o que está levando tempo. Outras dez ligações foram de jornalistas tentando pescar alguma coisa.

– Somei 24.

– A última foi da Ivy Norris. Ela ligou umas duas horas depois que o apelo foi ao ar. Rastreamos a ligação, foi feita da taverna The Crown. Ela estava bem incoerente, mas deixou o nome e disse que queria falar com você pessoalmente. Você checou suas mensagens? Tentei te ligar, mas você não atendeu.

– É, e ela tentou me ligar também. Acabamos de encontrar o corpo dela.

– Que merda – xingou Crane.

– É, merda mesmo. Olha só, vou chegar cedinho aí amanhã, me avisa caso aconteça mais alguma coisa.

– Hã... chefe...

– O quê?

– Me falaram para passar todas as informações novas para o Sparks.

– Okay, mas o negócio da Ivy é meio pessoal também.

– Claro, chefe.

Erika desligou o celular quando Moss e Peterson se aproximaram. Ela contou a eles sobre a mensagem de Ivy.

– Foram tantos alarmes falsos dela – disse Moss – que era só uma questão de tempo até ela acabar morta.

– Estão prestes a recolher o corpo. A equipe precisa fechar o lugar para a perícia forense o mais rápido possível; vão ter que trabalhar ligeiro nessa chuva – disse Peterson. – Imagino que temos que reportar ao Detetive Sparks.

– É, parece que sim – disse Erika.

Houve um momento de silêncio; Peterson e Moss pareciam desapontados.

– Bom, vejo vocês em breve, então – despediu-se Erika.

Quando voltou para o carro, ela ficou sentada no escuro, com a chuva esmurrando o teto. Moss e Peterson passaram por ela de carro, iluminando o interior do automóvel antes de mergulhá-la de volta na escuridão. Para ela, a morte de Ivy era algo sórdido. Erika tirou a mão do casaco e acendeu a luz acima do retrovisor. As marcas de dentes desapareciam, as cascas soltavam rápido. O que Ivy estava fazendo? Ela tinha sido atraída para Brockwell? Ela foi voluntariamente? E o que aconteceria com seus netos agora que tinha morrido?

Erika ligou o carro e arrancou na chuva.

CAPÍTULO 31

A figura inclinou-se para a frente, arrancou com força o gorro que cobria todo o rosto, deixando aparente apenas os olhos, e vomitou violentamente. O vômito atingiu a água negra em um esguicho asqueroso e agudo, ainda mais alto do que a chuva, que caía torrencialmente na superfície do lago. É normal vomitar depois de matar. A figura então desmoronou na terra molhada e desfrutou da sensação da chuva.

Tinha sido fácil localizar Ivy Norris. Na idade que ela tinha, era uma criatura de hábitos e fazia ponto debaixo de um poste no final da rua comercial de Catford. Estava com uma aparência mais repugnante do que nunca. Tinha algo que parecia vômito no capuz peludo de seu casaco e crostas de sangue ao redor de suas narinas.

– Meu nome é Paulette, quer oral ou serviço completo? – ofereceu Ivy, com seus olhos se iluminando ao ver o carro bacana parar ao lado dela. Só viu a figura adequadamente quando se sentou no banco do passageiro e as travas foram acionadas.

– Oi, Ivy... Estou querendo algo de você – disse a figura com uma voz suave.

Ivy começou a entrar em pânico e a implorar, dizendo que aquilo não aconteceria de novo, espirrando as palavras para fora de sua boca, voando cuspe no painel do carro caro.

– Estou te falando, eu tive que falar com aquela policial. Ela me ameaçou. Ela ameaçou levar os meninos embora... A única coisa que ela sabe é que a menina, a Andrea, estava com um camarada de cabelo escuro e uma mulher loira... E eu não vou falar mais nada!

A figura então esticou a mão com luva, oferecendo duas notas de 50 libras a Ivy.

– O que você quer que eu faça? – Ivy perguntou, insegura.

Não sei se ela foi muito espancada pela vida ou se achou que havia alguma chance de eu a deixar ir embora depois, mas ela pegou o dinheiro.

Ivy não questionou o quanto o local era afastado e, quando chegaram lá, permitiu que suas mãos fossem atadas atrás das costas. Ela sequer pediu alguma garantia.

– Na cara não – pediu ela. – Sei que não sou lá essas coisas, mas a vida é mais fácil se não for na cara...

Foi quando comecei a estapear e a esmurrar o rosto de Ivy. Ela não pareceu surpresa, só desapontada. Quando repeti os golpes com mais força, ela parecia resignada a seu destino. Outro desapontamento para acrescentar à coleção. Arranquei tufos do cabelo dela... Quebrei o nariz... Ela só pareceu surpreender-se quando minhas mãos apertaram sua garganta por mais de um minuto. Foi então que ela se deu conta de que iria morrer.

Longe dali, do outro lado do gramado do Peckham Rye Park, um carro de polícia passou a toda velocidade, com as sirenes no talo. A figura deitou-se na vegetação rasteira junto ao lago, desfrutando da sensação de ser limpa pela chuva.

Meu carro está a algumas quadras de distância, mas não posso voltar para ele agora.

Ainda não.

Quando clarear.

Quando tudo estiver limpo.

CAPÍTULO 32

Erika não dormiu durante muito tempo. Ficou deitada escutando a chuva esmurrar implacavelmente a janela. Não conseguia tirar a imagem de Ivy da cabeça, de seus olhos vazios arregalados de horror, como se ainda estivessem vendo o rosto do assassino. Erika se perguntava como era aquele rosto. Era velho ou jovem? Moreno ou loiro? O assassino era fisicamente ameaçador ou uma pessoa comum que se misturava facilmente à multidão?

Ela não se lembrava de ter pegado no sono. Abriu os olhos e a luz penetrava suavemente em seu quarto, filtrada pelas cortinas. Tinha amanhecido e, pela primeira vez desde que conseguia se lembrar, dormiu um sono sem sonhos. Puxou a cortina para um lado e viu que tinha parado de chover, mas que o céu continuava cinza. Estava claro. Ela abaixou-se sobre a mesinha de cabeceira e pegou o celular para ver as horas. Estava plugado no carregador, mas sem bateria.

Ela xingou, movendo-se para a sala de estar, onde viu que o relógio digital em cima do forno estava escuro. Abriu o lugar em que ficava a caixa de eletricidade, deu um empurrão no quadro abstrato de Marcie, ligou e desligou as chaves de energia, mas nada. Espiou pela janela da frente, porém a rua vazia lá embaixo não lhe dava pista alguma de que horas eram. Abriu a porta do apartamento, atravessou o corredor até a porta em frente e bateu. Poucos segundos depois, escutou uma chave girando, travas sendo destrancadas e o barulho de uma corrente. A porta foi aberta alguns centímetros e uma senhorinha com um cabelo branco parecido com merengue espiou pelo vão.

— Desculpe incomodar a senhora — disse Erika. — Pode me falar que horas são?

— Quem é você? Por que quer saber as horas? — a mulher perguntou desconfiada.

– Sou a sua nova vizinha. Acho que está faltando energia, e o meu único relógio é meu celular, que está sem bateria.

A senhora puxou a manga fina de seu cardigã e deu uma olhadela em um pequenino relógio de ouro que apertava a carne de seu pulso.

– São dez, 10h20 – informou ela.

– 10h20 da manhã?

– Isso.

– Tem certeza? – perguntou Erika, horrorizada.

– Tenho, querida, sou eu que estou com o relógio. Aqui não está faltando energia – disse ela, acendendo e apagando a luz da sala. – Acho que você está precisando pagar a conta, querida. Os inquilinos antes de você deixaram um monte sem pagar. Até a polícia chegou a vir aqui... Não sei por que a polícia está perdendo tempo atrás de contas atrasadas, apesar de o seu senhorio parecer ser um policial de alta patente, então eu teria cuidado...

Erika chegou sem fôlego à delegacia Lewisham Row às 10h45. Woolf estava no balcão da recepção. Ele deu a volta para o lado dela.

– Detetive Foster, me pediram para te levar para a sala do Superintendente Marsh. É urgente.

– Eu sei onde é – reclamou Erika. Ela foi até a sala de Marsh e bateu. O Superintendente abriu a porta.

– Entra e senta – disse ele friamente.

Oakley, o comissário assistente, estava sentado na cadeira de Marsh, que tinha sido relegado a uma cadeira ao lado de sua própria mesa. A sala tinha sido arrumada às pressas. A ponta de um cartão de Natal estava aparecendo por uma das portas dos armários.

– Bom dia, Detetive Foster. Por favor, sente-se – cumprimentou Oakley, com um tom calmo e contido. Estava impecável: o uniforme muito bem passado, o cabelo grisalho repartido perfeitamente, nenhum fio fora do lugar. A pele bronzeada e vistosa. Parecia uma raposa elegante. Não de uma maneira sensual, mas perspicaz e arrumadíssimo. Erika lembrou-se que tinha lido que se alimentassem as raposas com comida de muita qualidade, elas geravam os casacos mais vistosos. Erika sentou-se e notou que Marsh estava colocando luvas de látex.

– Por favor, podemos ver seu celular? – pediu Oakley.

– Por quê?

– Você foi a última pessoa a receber uma ligação da vítima de assassinato Ivy Norris. A mensagem de voz e o telefone agora são evidências da investigação – o tom dele era definitivo; nenhuma pergunta deveria ser feita.

Erika pegou o celular e o entregou a Marsh.

– Ele não está ligando – disse Marsh, virando o telefone e apertando o botão de ligar.

– Está sem bateria – falou Erika.

– Este é o seu celular de trabalho e ele está sem bateria? – questionou Oakley.

– Posso explicar...

– Por favor, leia o número de série – disse Oakley, ignorando Erika.

Marsh agiu rápido, tirou a parte de trás do telefone e leu o número para que Oakley o anotasse.

– É possível acessar a minha caixa de mensagens de outro jeito, sem o aparelho – disse Erika enquanto Marsh colocava o celular em um envelope de evidências novo e o lacrava.

Oakley ignorou-a e abriu uma pasta.

– Detetive Foster, você sabe por que está aqui?

– Creio que sim, senhor. No entanto, não sei porque o senhor está aqui.

– Três dias atrás, o Sargento Woolf fez um relatório. Ele detalha um incidente entre você e o neto de 7 anos de Ivy Norris, Matthew Paulson. Ivy Norris, cujo corpo foi encontrado ontem à noite.

– Estou ciente disso, senhor. Fui um dos que esteve presente na cena – disse Erika.

– Woolf escreveu no relatório que durante o incidente na recepção desta delegacia você agrediu fisicamente a parte de trás da cabeça do menino. O que você tem a dizer sobre isso? – o comissário assistente tirou os olhos da pasta e os ergueu para ela.

– Também foi mencionado no relatório que, na ocasião, o menino tinha se agarrado à minha mão com uma dentada? – interrogou Erika.

– O que você estava fazendo a uma proximidade dessas de uma criança?

– Ele estava sentado na minha mala, senhor. Ele não saía.

– *Ele estava sentado na sua mala* – repetiu Oakley, recostando-se e prendendo a caneta entre os dentes. – Você foi ferida na agressão desse menino de 7 anos?

– Fui, cortou a minha mão – disse Erika.

– Ainda assim, não há registro futuro desse incidente no relatório. O protocolo estabelece que você seja examinada por um médico que possa atestar isso. Você foi examinada por um médico?

– Não.

– Por que não?

– Minha vida não estava em perigo. Diferente de outras pessoas, gosto mais de me comprometer com o trabalho policial do que ficar levando papel pra lá e pra cá.

– A vida podia não estar em perigo. No entanto, esse tipo de situação pode colocar uma *carreira em perigo* – ameaçou Oakley.

Erika olhou para Marsh, mas ele ficou calado.

Oakley folheou os documentos na pasta e continuou:

– Tenho imagens das câmeras de segurança da recepção que de fato mostram toda a briga. Ivy Norris ameaçou você com uma faca, e a situação foi controlada pelo sargento. Contudo, seis minutos depois, você foi vista no estacionamento onde Ivy Norris e os três netos entraram no seu carro.

Ele deslizou sobre a mesa uma foto grande, com nitidez impressionante, de Ivy e as crianças do lado de fora do carro de Erika. Na imagem seguinte, Erika estava segurando algo através da janela aberta, e a próxima era de Ivy e as crianças entrando no carro da policial.

– O frio estava de congelar. Fiquei com dó, dei uma carona pra eles.

– E o que você estava segurando na direção de Ivy?

– Dinheiro.

– Você deu carona pra eles? Pra onde?

– Pra rua comercial de Catford.

– Depois o que foi que aconteceu?

– Deixei-os onde eles queriam ficar.

– Que foi onde?

– Em frente a uma casa de apostas Ladbrokes; Ivy não queria que eu visse onde ela morava. Eles saíram do carro e desapareceram entre as lojas.

– Desceram do carro ou fugiram do carro? O que aconteceu enquanto eles estavam no seu carro? Houve mais alguma violência física, de qualquer parte?

– Não.

– Você foi vista novamente 24 horas depois com Ivy Norris, desta vez assediando-a em um velório particular.

– Senhor, Ivy estava em um local público. Eu não estava assediando ninguém.

– Você sabia que o proprietário do The Crown fez uma reclamação oficial sobre assédio policial?

– Fez? Isso foi ao mesmo tempo em que trabalhava como informante da polícia?

– Eu pisaria bem de leve aqui, Detetive Foster – recomendou Oakley, muito friamente. – Essas alegações estão empilhando de um modo bem alarmante. O número do seu celular foi encontrado na cena do crime, no corpo de Ivy Norris. Além disso, ela foi encontrada com 100 libras em dinheiro. Você está nesta foto dando dinheiro a ela...

– Dei a ela o meu número e disse para me ligar caso tivesse alguma informação.

– Temos a transcrição da mensagem de voz que ela deixou no seu celular, em que ela declara, cito, "Se você puder me arrumar algum dinheiro, vou te contar o que precisa saber. Preciso de uns 100 conto...".

– Peraí, vocês já têm as mensagens do meu celular particular? Estão sugerindo que eu assassinei Ivy Norris?

Erika olhou para Marsh, que teve a decência de desviar o olhar.

– Não, não estamos sugerindo que você assassinou Ivy Norris, Detetive Foster. Olhando para estas evidências, no entanto, vemos que elas formam a imagem de um policial que, francamente, é uma preocupação, talvez um pouco fora de controle – revelou Oakley.

– O senhor sabe que todos nós temos os nossos caguetes, nossos informantes, que levamos para tomar uma e conversar... Dinheiro e informação que trocam de mãos, mas eu não dei 100 libras para Ivy Norris.

– Detetive Foster, devo lembrá-la que pagar para receber informações não é uma política oficial da polícia – disse Marsh, finalmente manifestando-se.

Erika riu da declaração ridícula dele.

A voz de Marsh levantou uma oitava quando falou:

– Você também desobedeceu minha ordem com relação ao depoimento oficial que fizemos no apelo à imprensa. Se intrometeu, sem aprovação, e não seguiu o que estava programado. Usou a oportunidade para se fazer porta-voz de um palpite maluco. Quem sabe o estrago que você pode ter causado...

– Palpite? Senhor, tenho uma pista importante sobre um homem que foi visto com Andrea Douglas-Brown algumas horas antes de ela ser morta, o que foi testemunhado por uma garçonete e por Ivy Norris.

– Isso mesmo, uma garçonete que parece não existir e uma testemunha em que não se pode confiar e que agora está morta – contestou o Comissário Assistente Oakley, que permanecia com uma calma irritante. Ele prosseguiu: – Você tem algo contra o Lorde Douglas-Brown?

– Não!

– O papel dele no fornecimento de contratos de defesa foi polêmico e tem impactado a política de todos os departamentos da polícia e das forças armadas.

– Senhor, o meu único compromisso é pegar o assassino de Andrea Douglas-Brown e Ivy Norris. Vou ser a primeira a falar que as circunstâncias são extraordinariamente similares?

– Então você acredita que os assassinatos estão ligados? – questionou o comissário.

– Devo acrescentar, senhor, que essa não é a linha de investigação que estamos seguindo – disse Marsh, desaprovando a sugestão da detetive.

Erika refletiu por um breve momento e afirmou:

– Sim, acredito que esses assassinatos estão ligados. Acredito que seguir a minha linha de investigação seria o mais produtivo para pegarmos esse assassino.

– Repito, essa não é a linha de investigação que estamos seguindo – disse Marsh.

– Então qual linha de investigação estamos seguindo? – perguntou Erika, cravando o olhar em Marsh. – O Detetive Sparks tinha um suspeito que durou três horas até ele aparecer com um álibi!

– Você saberia, Detetive Foster, se tivesse se dado ao trabalho de aparecer no *briefing* de hoje às 8h – contestou Marsh.

– Fiquei sem energia em casa, e o meu celular não carregou. Por isso eu não tive acesso a nenhuma mensagem ou alerta. O senhor pode conferir na minha pasta que isso nunca aconteceu antes.

Houve silêncio.

– Como você está? Como está se sentindo, Detetive Foster? – perguntou o Comissário Assistente Oakley.

– Estou bem. Que relevância isso tem? – perguntou Erika.

– O que você viveu nos últimos dez meses teria sido estressante para qualquer um. Você liderou uma equipe de doze policiais em uma batida policial em Rochdale; só sete voltaram...

– Não preciso que leia a minha própria ficha para mim – disse Erika.

Oakley prosseguiu:

– Você entrou sem ter informações suficientes... Parece que estava ávida *para dar prosseguimento àquilo*, como está fazendo agora. Percebe como isso pode ser interpretado como um comportamento impulsivo da sua parte?

Erika apertou com força os braços da cadeira; estava tentando permanecer calma. O comissário continuou:

– Cinco policiais morreram naquele dia, inclusive, tragicamente, o seu marido, Detetive Mark Foster. Você foi suspensa logo em seguida. Parece que teve a chance de aprender uma lição valiosa, mas não fez isso, e...

Erika se pegou fora da cadeira, inclinando-se sobre a mesa e tomando a sua pasta. Rasgou-a em duas e a jogou de volta na mesa.

– Isso é uma balela do caralho. Assumi a liderança ontem porque acredito que Andrea foi vista com duas pessoas que podem fornecer informações sobre o assassino dela. Simon Douglas-Brown não gostou, e agora está ditando como esta investigação deve ser conduzida!

Ela permaneceu em pé, em choque.

O Comissário Assistente Oakley sentou-se na ponta de sua cadeira e disse, com um tom experiente:

– Detetive Foster, estou te suspendendo do serviço formalmente até que saiam os resultados de uma investigação sobre sua conduta e de uma nova avaliação psiquiátrica sobre sua capacidade de servir à força policial da Inglaterra e do País de Gales. Devolva as armas, as identificações formais e os veículos oficiais e aguarde contato futuro. Você continuará recebendo pagamento integral até que saiam os resultados da investigação e se apresentará, quando solicitada, para ser examinada por um psiquiatra da polícia.

Erika mordeu com força o interior da bochecha, fazendo de tudo para não falar mais. Entregou o distintivo com a identificação.

– Tudo o que eu quero é pegar o assassino. Parece que vocês dois têm outros compromissos.

Ela se virou e saiu da sala.

Woolf estava aguardando do lado de fora com dois guardas.

– Desculpe. A gente tem que te acompanhar até lá fora – disse ele, com o papo debaixo de seu queixo pendendo de maneira culpada.

Erika caminhou com ele até a entrada e passou pela sala de investigação. O Detetive Sparks estava ao lado dos quadros-brancos *brifando* a equipe. Moss e Peterson viram Erika ser escoltada para fora. Desviaram o olhar.

– Remoção de provas – disse Erika, entredentes. Eles chegaram ao balcão da recepção, onde Woolf pediu para que ela lhe entregasse as chaves do carro.

– Agora?

– Agora, sinto muito.

– Qual é, Woolf! Como é que eu vou pra casa?

– Posso dar um jeito de conseguir que algum policial te leve.

– Me leve pra casa? Que se foda essa merda – xingou Erika. Ela colocou as chaves do carro no balcão e saiu da delegacia Lewisham Row.

Na rua, Erika procurou um ponto de ônibus ou táxi, mas não havia nada à vista no movimentado anel viário. Ela partiu em direção à estação Lewisham, procurando trocados largados na bolsa, mas a única coisa que encontrou foi seu cartão de crédito. Estava procurando em meio aos lenços velhos e às porcarias nos bolsos fundos de sua jaqueta de couro quando sentiu algo pequeno, quadrado e rígido. Ela sacou um pequeno envelope. Era grosso e parecia caro. Não havia nada escrito na frente. Ela virou-o, enfiou o dedo debaixo da aba e abriu. Aninhada lá dentro havia uma folha de papel dobrada.

Ela parou imediatamente na rua, os carros passavam em velocidade. Era a impressão de um artigo de jornal sobre a batida em que Mark e quatro outros colegas dela perderam a vida. Havia uma foto do caminho que levava à casa em Rochdale, onde corpos mortos estavam cobertos, rodeados de poças de sangue e cacos de vidro. Um helicóptero da polícia pairava sobre a casa, suspendendo dois de seus colegas que, mais tarde, morreriam no hospital. E havia também uma foto granulada preta e branca de um oficial quase irreconhecível deitado em uma maca encharcado de sangue, com a mão levantada e os dedos caídos. Era a última foto tirada de Mark vivo. Acima dela, estava escrito com pincel atômico vermelho: **VOCÊ É IGUALZINHA A MIM, DETETIVE FOSTER. CADA UM DE NÓS MATOU CINCO.**

CAPÍTULO 33

Nos cinco dias seguintes, houve uma mudança na cobertura que a mídia estava fazendo do assassinato de Andrea, e a declaração de Erika no apelo à imprensa incitou uma reação ainda mais negativa. Inicialmente, a mídia fez alguma fumaça com alusões aos relacionamentos passados de Andrea, depois ateou fogo na questão, com revelações incendiárias sobre os muitos amantes da jovem e sugestões de que ela desfrutava de parceiros tanto do sexo masculino como do feminino. No final da semana, os tabloides explodiram uma bomba de descobertas. Um dos ex-namorados de Andrea, que se autointitulava artista performático, apresentou-se e vendeu sua história a um dos tabloides. Foram publicadas imagens retiradas de um vídeo em que faziam sexo oral e anal, de Andrea sendo amarrada e fustigada em uma masmorra sexual, com um vestido de plástico transparente e mordaça. Os tabloides, de maneira moralista, pixelaram as imagens, no entanto, os leitores não tinham a menor dúvida do que ela estava fazendo. Os outros jornais condenavam os tabloides enquanto simultaneamente expressavam suas próprias ideias e opiniões, atiçando ainda mais o fogo. Os jornais de direita tinham encontrado uma nova maneira de atacar Simon Douglas-Brown e, aos olhos deles, Andrea podia, *apenas podia*, ter pedido por aquilo.

Erika passou quatro longos e solitários dias em seu novo apartamento tentando acomodar-se. Resolveu o problema da eletricidade e observou o desdobramento da cobertura da mídia. Foi de ônibus ao Lewisham Hospital fazer um check-up médico, onde revelou ser policial e ter sido exposta a sangue e fluidos. Tiraram amostras de sangue e urina e disseram a ela que teria que voltar para fazer outro exame de sangue em três meses. A consulta foi fria e objetiva e a fez sentir-se muito pequena e insignificante no mundo. Sozinha em seu apartamento, não parava de olhar para o bilhete e tentava decifrar como ele tinha sido colocado em seu bolso. Ela estava perdendo o jeito? Como não percebeu nada? Sua mente percorreu os dias que antecederam o momento em que ela o encontrou, todos os lugares em que esteve; mas podia ter sido qualquer um em qualquer lugar. Por ora, ela o mantinha em um envelope de evidências transparente. Sabia que tinha que entregá-lo à polícia, porém algo lá no fundo a dizia para ficar com ele.

Na quinta manhã, Erika chegou à delicatéssen em frente à estação Brockley para comprar os jornais do dia, quando viu a manchete na primeira página do *Daily Mail*: POLICIAL NO COMANDO DO CASO DE ANDREA É SUSPENSA.

Ele detalhava como, depois de uma série de equívocos e asneiras sobre a investigação do assassinato de Andrea Douglas-Brown, a Detetive Foster tinha sido suspensa, até que uma investigação completa sobre ela fosse finalizada. Declarava que Foster havia sido acusada de comportamento errático, de vazar para a imprensa informações confidenciais e de expor informantes da polícia, o que "muito provavelmente" resultou na morte de Ivy Norris.

Havia uma foto de Erika no banco do passageiro tirada através da janela de um carro. Seus olhos estavam arregalados, a boca retorcida, e ela tentava esticar os braços para segurar no painel. Sob a foto a legenda era a seguinte: ERIKA FOSTER, POLICIAL DESASTRADA. A foto tinha sido tirada pela imprensa que cercava a cena do crime no Horniman Museum, quando o carro de Moss derrapou no gelo.

Erika largou o jornal e saiu sem comprar nada.

Quando chegou em casa, fez um café forte e ligou a televisão. O canal BBC News fez a contagem regressiva para dar as manchetes da hora, em seguida o rosto de Andrea Douglas-Brown apareceu na tela, juntamente ao anúncio de que a polícia havia prendido um homem chamado Marco Frost, por ter relação com o assassinato dela. A imagem seguinte foi do apresentador, que noticiou:

– Marco Frost, de 28 anos, foi previamente descartado das investigações da polícia, porém descobriram que ele havia mentido sobre estar no exterior quando Andrea Douglas-Brown foi assassinada.

As imagens seguintes mostravam Marco, um jovem bonito, de cabelo escuro, saindo algemado de um prédio residencial. Estava com a cabeça baixa e dois guardas o levavam para um carro de polícia. Eles seguraram a parte de trás da cabeça dele para fazê-lo entrar, depois o carro saiu.

A câmera cortou para Simon Douglas-Brown e Giles Osborne em frente à placa giratória da Scotland Yard.

– Nesta manhã, a polícia fez uma batida na casa de Marco Frost e encontrou material de natureza perturbadora relacionado à vítima. Acredita-se que o suspeito tenha desenvolvido uma obsessão doentia por Andrea Douglas-Brown nos meses que antecederam seu sequestro e assassinato – disse Marsh.

Em seguida, Simon deu um passo à frente, seu rosto aflito, suas mãos se contorciam ao lado dos bolsos de seu blazer.

– Eu gostaria de agradecer à Polícia Metropolitana pelo empenho e esforço ininterrupto nesta problemática investigação. Gostaria de dizer que tenho total confiança na nova equipe de investigadores e agradeço-lhes pelo esforço constante para localizar o assassino de Andrea. Continuaremos, é claro, a trabalhar próximos da polícia. Obrigado.

Voltaram a mostrar o apresentador, e passaram para a matéria seguinte. Erika pegou o celular pré-pago que tinha comprado no dia anterior e ligou para Lewisham Row. Woolf atendeu.

– É a Foster, pode me passar para o Sargento Crane?

– Chefe, eu não devia...

– Por favor, é importante.

Depois de um bipe, Crane atendeu.

– É claro que não há o suficiente pra prender esse tal de Marco Frost – Erika foi direto ao ponto.

– Me dá o seu número que eu te ligo de volta – disse Crane. Ele desligou e dez minutos se passaram. Erika estava achando que ele na verdade a tinha descartado quando o celular tocou.

– Desculpe, chefe, tenho que ser rápido porque estou no meu celular congelando no estacionamento. Marco Frost mentiu sobre estar na Itália. Nós só descobrimos depois de passarmos uma lupa em horas de imagens de câmeras de segurança da estação London Bridge na noite em que Andrea desapareceu. Ele entrou em um trem na linha Forest Hill vinte minutos depois de Andrea. Lógico, não existe evidência nas imagens das câmeras para incriminar o cara, mas ele se condenou ao mentir sobre o paradeiro dele e fazer com que a tia e o tio lhe dessem um álibi falso.

– Pode ter sido uma infeliz coincidência – refletiu Erika.

– A namorada dele, que mora lá em Kent, deu outro álibi. Só que agora que ele mentiu, nós temos um motivo; vamos deixar o cara preso por três dias.

– E o assassinato da Ivy Norris?

– O Vice ficou responsável por ele – revelou Crane. – Olha, chefe, a coisa não anda muito boa para o lado da sua teoria.

– Ah, agora ela virou teoria? – disse Erika.

Crane não respondeu. Dava para Erika escutar o barulho dos carros passando velozes em frente ao estacionamento da delegacia.

– Você está bem, chefe?

– Eu estou bem, fale isso para o resto da equipe. Tenho certeza de que todo mundo leu os jornais.

– Eu não sabia sobre seu marido. Sinto muito.

– Obrigada.

– Tem alguma coisa que eu possa fazer?

– Pode me manter por dentro. Mesmo que isso signifique congelar no estacionamento.

Crane deu uma gargalhada.

– Vou te manter por dentro o quanto eu conseguir, chefe, okay?

– Obrigada, Crane – disse Erika.

Assim que desligou, ela pegou o casaco. Estava na hora de fazer uma visita a Isaac Strong.

CAPÍTULO 34

Era início da noite, Isaac Strong estava em sua sala no necrotério. Tocava o disco *The Performance*, de Shirley Bassey, e ele estava se preparando para escrever o relatório sobre a autópsia de Ivy Norris, saboreando aquele momento calmo e sua música favorita. As luzes baixas em sua sala contrastavam de forma gritante com a violência de se retalhar um corpo, pesar os órgãos, analisar os conteúdos do intestino e do estômago, esfregar e fazer raspagens em busca de evidências de DNA e reconstituir os atos de violência infligidos ao cadáver para montar uma narrativa, a história de seu falecimento.

Uma xícara de chá de hortelã soltava um leve vapor ao lado da tela de seu computador, com as delicadas folhas de hortelã ainda rodopiando na xícara recentemente servida. Depois de um leve bipe, uma janela abriu na tela de seu computador. Era uma imagem azul acinzentada, de uma câmera de segurança, mostrando Erika Foster parada na entrada do lado de fora do laboratório. Ela levantou o olhar para a câmera. Ele hesitou, mas em seguida, apertou o interfone para deixá-la entrar.

— Sua vinda aqui é oficial? – perguntou Isaac, quando encontrou-se com ela à porta do laboratório.

— Não – respondeu ela, ajeitando a bolsa em seu ombro. Estava de calça jeans e suéter. Seu rosto cansado estava sem maquiagem. Ela observou ao redor todo o aço recém-lavado.

— Oficialmente, você não tem autoridade nenhuma para estar aqui. Foi retirada do caso.

— Isso aí. Pegaram meu distintivo, meu carro... Não passo de um zé ninguém.

Isaac ficou refletindo e olhando para ela por um momento.

— Que tal uma xícara de chá, então? – ofereceu ele.

Levou-a para seu escritório. "The Girl From Tiger Bay" estava tocando baixinho, e Erika escolheu uma poltrona gostosa ao lado da mesa dele. Isaac foi buscar uma chaleira no canto. Sua sala impecável era abarrotada de prateleiras de livros. Um iPod em uma caixa de som da Bose. A prateleira ao lado do som diferenciava-se das outras, que eram repletas de livros médicos. Essa prateleira continha ficção, principalmente suspense e crimes.

– Com certeza você não lê literatura policial no seu tempo livre, né?

Isaac, que estava ligando a chaleira, se virou e riu ironicamente.

– Não. São cortesias que a editora me manda. Fui consultor em alguns dos livros do Detetive Bartholomew... Chá de hortelã está bom pra você? Infelizmente estou tentando evitar cafeína.

– Está ótimo. Eu devia evitar cafeína hoje... – disse ela, depois de já ter tomado quatro cafés naquele dia.

Havia um pezinho de hortelã em uma janela minúscula. Isaac girou o vaso e escolheu algumas folhas.

– O Stephen Linley, autor dos livros do Detetive Bartholomew, é meu ex-parceiro – comentou ele.

– Oh.

– "Oh, ele é gay" ou "oh, que estranho ficar com alguém que escreve romances policiais"?

– "Oh" nenhum dos dois.

Isaac jogou as folhas na caneca e esperou a chaleira ferver.

– Na verdade, é um pouco esquisito você ter namorado alguém que escreve romances policiais – comentou Erika.

A chaleira ferveu e Isaac despejou a água.

– Ele baseou um dos psicólogos forenses em mim. Depois, matou o personagem quando nosso relacionamento terminou.

– Como?

– Foi vítima de um ataque homofóbico e jogado no Tâmisa.

– Infelizmente a caneta é mais poderosa do que a espada – disse Erika, pegando a caneca fumegante.

Isaac sentou-se à mesa, girou a cadeira e ficou de frente para ela.

– Ivy Norris tinha dois tipos de sêmen dentro da vagina. Os braços dela foram amarrados, e ela foi estrangulada. Estava morta há menos de uma hora.

– Alguma coisa do banco de dados de DNA?

– Averiguamos os dois sêmens, mas não conseguimos nada.

Erika, quase inconscientemente, olhou para as costas da mão.

– Isso é marca de mordida? – perguntou Isaac.

– É. Foi o neto de Ivy.

– O exame de sangue dela chegou. Ela era viciada em heroína e HIV positiva. É provável que tenha passado para o neto.

– Quando ele me mordeu, a pele rasgou – disse Erika, tomando um golinho de chá.

– Então eu recomendo um teste de HIV. – Isaac escreveu um número em um pedaço de papel e entregou-o a ela. – É da clínica de pronto atendimento que uso quando faço teste. É rápida, limpa e anônima. Pode levar de seis a nove meses para o vírus se manifestar. Você vai ter que fazer o teste de novo.

– Obrigada.

– O que você vai fazer?

– Tenho que comparecer a uma audiência formal. Avaliação psiquiátrica. Uma médica, sem dúvida.

– Se você for diagnosticada com HIV...

– Vou ter que lidar com isso, se acontecer. Neste momento, medo de morrer é uma das minhas últimas preocupações.

O álbum tinha acabado e a sala ficou confortavelmente silenciosa. Isaac olhou para ela, ponderando se falava ou não alguma coisa.

– Não desista deste caso – pediu ele.

– Acho que o caso desistiu de mim – disse Erika.

– Eu voltei a meus registros antigos. Fiz as autópsias de três casos em que as vítimas eram garotas do Leste Europeu, todas com suspeita de terem sido traficadas para o Reino Unido. Encontraram todas as três estupradas e estranguladas, com as mãos amarradas, jogadas na água nos arredores de Londres. Tinham o cabelo arrancado e estavam sem roupa da cintura pra baixo.

– O quê? Quando? – perguntou Erika.

– A primeira foi em março de 2013, a segunda, em novembro daquele ano e a terceira, em fevereiro de 2014. Pouco menos de um ano atrás.

– Como assim? Por que isso nunca foi divulgado? – perguntou Erika, sentando mais pra frente na poltrona.

— Muitas vezes a circunstância se sobressai às evidências. Infelizmente as três garotas eram todas prostitutas, quer tenham escolhido isso ou não. Elas ficaram perdidas em meio a todas as outras mortes. É como se esperássemos que uma prostituta seja morta. Nunca ligaram um caso ao outro e eles permanecem abertos.

— Prostitutas sujas e pobres do Leste Europeu encontradas mortas: ok, merdas acontecem. Jovem filha de nobre milionário encontrada estrangulada...

— É, a leitura é bem diferente, não é? – concordou Isaac.

— Por que você não mencionou isso antes? – perguntou Erika.

— Alguma coisa na morte de Ivy despertou isso na minha memória. É claro, Andrea se difere desses casos porque ela não foi estuprada. No entanto, as outras três garotas foram encontradas em estado de decomposição e eram profissionais do sexo; é possível que elas tenham sido estupradas, mas não ao mesmo tempo em que estavam sendo mortas. Ivy também era prostituta e foi encontrada com dois tipos de sêmen, é possível que o assassino dela também não a tenha estuprado.

— Jesus! – disse Erika, levantando-se. – Isso muda tudo! Nós agora temos quatro mortes ligadas à Andrea.

— E eu, é claro, passei essa informação para o Detetive Sparks assim que fiz a descoberta.

— Quando?

— Ontem de manhã.

— E o que ele achou?

— Não me disse mais nada. Acho que está se concentrando no principal suspeito dele, o cara italiano.

— Ele deveria estar pelo menos averiguando essas datas, checando onde Marco Frost estava quando esses assassinatos aconteceram. Jesus! Posso ver o arquivo?

— Não.

— Não?

— Eu pensei em te contar. Depois decidi que não faria isso. Aí você apareceu, e, bom, eu tenho uma boa intuição para pessoas... – comentou ele, antes de passar os olhos pela prateleira de livros de crimes. – É, uma boa intuição para todo mundo, menos para amantes.

— Por favor, me deixe ver os arquivos.

– Não. Sinto muito. Acho que é muito injusto o que aconteceu com você na imprensa, mas precisa esfriar a cabeça. Tem que pensar taticamente. Nenhum de seus colegas pode te fornecer essas informações?

– É possível. E você não vai mesmo me contar mais nada?

Ele esticou o braço, pegou um bloco de papel e falou:

– Vou te dar os nomes e as datas de nascimento delas. Mas eu não tenho nada a ver com isso. Ouviu bem?

– Prometo que ficará entre nós – disse Erika.

Pelo monitor das câmeras de vigilância, Isaac observou Erika percorrer o corredor segurando com força a lista de nomes e desejou que ela cumprisse sua promessa.

CAPÍTULO 35

Quando chegou à estação Brockley, Erika foi direto para a cafeteria. Pediu um café, abriu seu notebook e começou a fazer buscas na internet. Armada com nomes e datas, não levou muito tempo para encontrar detalhes das garotas. A primeira vítima tinha 19 anos, chamava-se Tatiana Ivanova e era da Eslováquia. Um solitário nadador encontrou o corpo em março de 2013, em um lago de Hampstead Heath. Tinha sido um início de primavera quente, e o corpo dela estava muito decomposto. A imprensa usou uma foto de Tatiana em uma competição de dança; ela estava de collant preto com franjas prateadas brilhantes, fazendo pose, com a mão na cintura. Devia fazer parte de um grupo de dança, mas as outras garotas tinham sido cortadas da foto. Tinha cabelo escuro, era muito bonita e parecia ser mais nova do que realmente era.

A segunda vítima era Mirka Bratova, 18 anos. Natural da República Tcheca, foi encontrada 18 meses após seu desaparecimento, em novembro de 2013. Um dos seguranças do balneário público Serpentine descobriu o corpo dela flutuando na água, em meio a folhas e lixo, preso a uma pequena barragem. Na foto da imprensa, ela também tinha cabelo preto, aparentava ser muito bonita e segurava um gatinho preto em uma varanda ensolarada. Atrás dela, blocos de apartamentos estendiam-se ao longe.

A terceira vítima era Karolina Todorova, também de apenas 18 anos. Em fevereiro de 2014, um homem estava caminhando certa manhã bem cedo, e o cachorro dele encontrou o corpo na margem de um dos lagos no Regent's Park. Karolina era da Bulgária. A imprensa tinha usado uma foto tirada em uma cabine fotográfica. Ela estava arrumada para sair à noite, com uma blusa decotada, e tinha uma mecha rosa no cabelo. Outra garota a estava abraçando na foto, presumivelmente uma amiga, mas o rosto dela estava desfocado.

Erika ficou frustrada por não ter acesso a mais nada, pois os detalhes sobre as mortes nas matérias da imprensa eram superficiais e quase desdenhosos.

Outra coisa mencionada sobre todas as garotas era que tinham ido para a Inglaterra trabalhar como *au pairs*, e que depois "caíram" na prostituição. Erika se perguntou se a transição de babás a garotas de programa havia sido gradual. As garotas tinham sido atraídas para o Reino Unido sob o pretexto de conseguirem uma vida ou um trabalho melhores? A oportunidade de aprender inglês?

Sentada onde estava, Erika levantou a cabeça e olhou pela janela da cafeteria. Do lado de fora, chovia forte, a água martelava o toldo, onde várias pessoas juntavam-se para se abrigar. Ela tomou um gole do café, mas ele estava frio.

Erika tinha saído da Eslováquia com apenas 18 anos para fazer a mesma coisa, ser *au pair*. Ela deixou a rodoviária de Bratislava em uma fria e escura manhã de novembro, rumo a Manchester, na Inglaterra, com um leve conhecimento de inglês.

Erika trabalhou para uma família tranquila. As crianças eram uns amores, mas a mãe era fria com Erika, como se, de alguma maneira, as pessoas do Leste Europeu valessem um pouquinho menos como seres humanos. Erika achava sinistra a rua em que moravam, e o clima na casa era sempre tenso entre marido e esposa. Eles se recusaram a deixá-la ir para casa mais cedo no primeiro Natal, quando a mãe de Erika foi diagnosticada com cirrose no fígado, no entanto, 18 meses depois, quando decidiram que não precisavam mais de *au pair*, deram a ela três dias para sair de lá, e não perguntaram se tinha algum lugar para onde ir.

Erika se deu conta de que, apesar de tudo, foi sortuda e abençoada em comparação às outras. Tatiana, Mirka e Karolina deram adeus para a família como ela? Erika se lembrou do terminal rodoviário caindo aos pedaços na Bratislava: várias fileiras de plataformas de ônibus, todas com estruturas de metal enferrujado, sustentando por muito tempo uma compridíssima cobertura que estava sempre úmida. Ela tinha curiosidade de saber se aquela umidade era causada pelas lágrimas de todas aquelas adolescentes que tiveram que dizer adeus e abandonar aquele belo país onde a única maneira de prosperar era ir embora.

Os pais das três garotas mortas choraram? Eles não sabiam que suas meninas nunca voltariam. O que tinha acontecido quando as garotas chegaram a Londres? Como acabaram trabalhando como prostitutas?

Lágrimas rolaram pelo rosto de Erika e, quando o garçom foi recolher a xícara de café, ela virou a cabeça para o outro lado e enxugou as lágrimas com raiva.

Já tinha derramado lágrimas suficientes para uma vida inteira. Estava na hora de agir.

CAPÍTULO 36

Na tarde seguinte, Erika sentia que tinha esgotado todas as opções à sua disposição como civil. Estava fazendo outra xícara de café e ponderando suas alternativas quando escutou uma campainha tocar. Levou algum tempo para se dar conta de que era a dela. Saiu do apartamento e desceu até a portaria. Quando abriu a porta, Moss estava na escada e sua expressão não revelava nada.

— Você está fazendo visitas domiciliares? – perguntou Erika.

— Cacete, desse jeito parece que eu sou uma senhorinha da Avon – respondeu Moss, com um sorrisão debochado.

Erika ficou de lado para deixá-la entrar. Ela jamais imaginou que receberia visita no apartamento e teve que abrir espaço para Moss no sofá. Recolheu pratos sujos, que se acumulavam havia dias na mesinha de centro, e a xícara de chá transbordando bitucas de cigarro. Moss não fez comentário algum e se sentou, encolhendo os ombros para tirar a mochila que estava carregando.

— Você quer um chá? – ofereceu Erika.

— Quero, sim, chefe.

— Não sou mais sua chefe. Me chame de Erika – pediu ela, despejando os pratos sujos dentro da pia.

— Prefiro chefe mesmo. Usar os primeiros nomes ia ser esquisito. Não ia querer você me chamando de Kate.

Erika parou com a mão flutuando sobre uma caixa de pacotinhos de chá.

— Seu nome é *Kate Moss*? – perguntou para ver se ela estava brincando, e Moss confirmou com um triste movimento de cabeça. – A sua mãe colocou em você o nome de Kate Moss?

— Quando me colocaram o nome de Kate, a outra, ligeiramente mais magra...

— Ligeiramente! – gargalhou Erika, sem querer.

– Isso, a Kate Moss *ligeiramente* mais magra, não era uma supermodelo famosa.

– Leite? – perguntou Erika, dando risada.

– Quero, e duas colheres de açúcar.

Ela terminou de fazer o chá, enquanto Moss se ocupou de tirar uma papelada da mochila.

– Está bem gostoso – elogiou Moss, tomando um golinho. – Como você aprendeu a fazer um chá tão bom? Não foi na Eslováquia, né?

– Não... Mark, meu marido, me ensinou todo o ritual do chá e o meu sogro também...

Moss mostrou-se desconfortável por ter levado a conversa para aquele caminho e disse:

– Que merda, chefe. Olha só, ninguém da equipe na delegacia gostou de ler sobre... sobre, bom, você sabe. E a gente não sabia do...

– Mark. Tenho que começar a falar sobre ele em algum momento. Quando você perde alguém, não só a pessoa vai embora, mas os outros ao seu redor também param de falar sobre ela. Isso me deixa um pouco maluca. É como se ela tivesse sido deletada... Enfim, por que é que você está aqui, Moss?

– Acho que você pode ter alguma razão, chefe. Isaac Strong mandou os arquivos de alguns casos pra gente. O Detetive Sparks está se recusando a ver a ligação, mas três garotas foram mortas em circunstâncias similares às de Andrea e Ivy. As três foram encontradas na água, com as mãos atadas e com falhas no couro cabeludo. Todas estranguladas. Havia evidência de estupro, mas elas eram profissionais do sexo.

– É, fiquei sabendo disso – disse Erika.

– Okay, só que tem mais. A caixa do celular que achamos debaixo da cama da Andrea. Crane solicitou o rastreamento do IMEI[*] escrito na caixa. Ele bate com o iPhone antigo da Andrea, aquele que ela alegou ter perdido. Depois, Crane entrou em contato com a operadora e deu esse número. Eles confirmaram que o aparelho ainda está ativo.

– Eu sabia! Então, Andrea alegou que tinha perdido o celular, mas ficou com ele e comprou um chip novo – disse Erika, com um tom triunfante.

– Isso mesmo. O último sinal emitido daquele aparelho foi perto da London Road, no dia 18 de janeiro – informou Moss.

– Alguém o roubou e eles estão usando o aparelho?

---

[*] Número de identificação global e único que cada telefone celular possui. (N.E.)

– Não – disse Moss, pegando um grande mapa topográfico e começando a desdobrá-lo. – O sinal veio de um bueiro que se estende por seis metros debaixo da rua. Ele escoa na London Road, ao lado do trilho do trem que vai para a estação Forest Hill. Depois, segue na direção da próxima estação daquela linha, a Honor Oak Park.

Erika conferiu o mapa.

– O bueiro é um importante afluente – continuou Moss –, e ao longo dos últimos dias, uma enorme quantidade de água, da neve derretida e das chuvas, penetrou no solo e escoou por ele.

– Empurrando tudo o que encontrava, inclusive um celular – concluiu Erika.

– Isso.

– Obviamente, agora o telefone está sem bateria, certo?

– Não conseguimos detectar nada. É um iPhone 5S, e a operadora nos informou que ele ainda transmite sinal de localização para as torres de telefonia durante cinco dias depois que a bateria descarrega... É claro que esse tempo agora já passou.

Erika olhou para o mapa e viu que Moss tinha traçado uma linha vermelha da estação London Road até a Honor Oak Park. Era uma distância de apenas dois quilômetros e meio.

– E aí? A teoria é que o celular foi jogado em um bueiro ou que caiu lá dentro quando pegaram Andrea, correto?

– É, só que não é uma teoria que o Detetive Sparks e o Superintendente Marsh querem escutar. Eles estão convencidos de que Marco Frost é o cara, e estão sofrendo pressão de Oakley *e outros* para fazerem alguma condenação. Eles vasculharam o notebook de Frost e tem Andrea pra todo lado. Fotos, cartas que ele escreveu para ela, pesquisas no Google sobre os lugares em que ela estava e que iria...

– Essa reviravolta é gigantesca, mas por que você está aqui, Moss? – perguntou Erika, levantando-se para fazer mais chá.

– Eu estava lá quando interrogamos Marco, e ele está... estava... obcecado pela Andrea. Só que não parece que ele seria capaz de... Além disso, ele tem mãos muito grandes. Isaac mostrou as marcas das mãos na Andrea. E, eu não sei, não é nada além de um palpite...

– Você não acha que foi ele que fez aquilo.

– Tenho dúvidas, mas é algo que venho pensando. Acho que esse celular pode esclarecer a investigação.

– Bom, você tem que mandar uma equipe para o bueiro, pelo menos para dar uma olhada – disse Erika.

– É, mas com que autoridade, chefe? Eu não tenho autonomia. As suas mãos estão atadas. O custo pode ser muito alto, mais a mão de obra envolvida... Quem autorizaria uma coisa dessas agora? A equipe está concentrando recursos para instaurar o processo contra Marco Frost.

Erika pensou e perguntou:

– Há mais alguém com a mesma dúvida que você sobre Marco Frost?

Moss concordou com um gesto de cabeça.

– Peterson? Crane?

– E outros. Fizemos cópias dos arquivos de Tatiana Ivanova, Mirka Bratova e Karolina Todorova.

Ela os passou para Erika, que os folheou, olhando para as fotos das garotas: todas deitadas de costas, nuas da cintura para baixo, com o cabelo molhado grudado no rosto. Havia medo nos olhos.

– Você acha que ele deixa os olhos delas abertos de propósito? – perguntou Erika.

– É possível.

– Se ele é *mesmo* o assassino de todas elas, como Andrea se encaixa nisso?

– Quem quer que seja, se aventurou fora da zona de conforto. Ela é um tipo diferente de garota – disse Moss.

– Só porque ela era rica. As garotas são todas similares. Morenas, bonitas, magras.

– Você acha que Andrea estava trabalhando como prostituta? Viu as coisas que saíram no jornal?

– Ela não precisava do dinheiro. Acho que, acima de tudo, ela via o sexo como uma aventura – disse Erika.

– A aventura da caça – completou Moss.

– E se Andrea tivesse se apaixonado pelo homem que está fazendo isso? Ela sentia atração por homens morenos e bonitos.

– Mas e Ivy Norris? A morte dela possui as mesmas características dos assassinatos anteriores, mas ela não se encaixa no padrão. Ela não era jovem nem atraente como o restante das garotas.

– Talvez não fosse essa a questão. O ponto em comum é o fato de que ela era prostituta. E se ela viu Andrea com o assassino no pub? Pode ter sido morta pra ficar de boca fechada.

Moss não tinha resposta para isso.

Erika se deu conta de que elas estavam sentadas no escuro. O Sol tinha se posto. Ela foi até uma gaveta na cozinha e pegou o bilhete que tinha recebido. Voltou e o colocou sobre a mesinha de centro em frente a Moss.

– Puta merda. Onde conseguiu isso? – perguntou Moss.

– Achei no meu bolso.

– Quando?

– Logo depois que fui suspensa.

– Por que não o entregou à polícia?

– É o que estou fazendo agora.

Moss levantou a cabeça e olhou para Erika.

– Eu sei... Nossa, isso significa que nós temos um *serial killer* à solta – concluiu Erika.

– Um *serial killer* que chegou perto o bastante pra pôr isso no seu bolso. Você quer que eu providencie um carro pra ficar aí do lado de fora?

– Não. Eles já acham que eu sou doida demais. Me mandaram fazer uma avaliação psicológica. A última coisa que quero é botar mais lenha na fogueira. Falar que tem alguém me perseguindo... – Erika viu a expressão de Moss e prosseguiu: – Nesses anos todos, já recebi muita correspondência com mensagens nojentas e odiosas.

– Mas todas elas foram entregues em mãos?

– Estou bem, Moss. Vamos focar no que a gente pode fazer a partir de agora.

– Então tá... Crane está batendo as datas com os movimentos de Marco Frost, mas a gente não sabe o horário exato das mortes dessas garotas.

– A gente tem que pegar aquele celular. Andrea podia estar se comunicando com esse cara, pode ter o número, mensagens de voz e o e-mail dele. Ou até fotos. Esse celular é a chave – disse Erika.

– Precisamos dos recursos para recuperar o aparelho... – disse Moss.

– Vou dar uma ideia para Marsh – disse Erika.

– Tem certeza? Isso não é um pouco arriscado? – perguntou Moss.

– Conheço Marsh há muito tempo.

– É seu ex?

– Pelo amor de Deus, não. Me formei com ele e fui eu que o apresentei à esposa. Isso tem que valer alguma coisa – alegou Erika. – E se não valer, bom, o que é que eu tenho a perder?

CAPÍTULO 37

O Superintendente Marsh estava se esforçando para comer seu segundo *crème brûlée*. Sentia-se satisfeito, mas estava tão gostoso. Ele pegou seu potinho e mergulhou a colher na casquinha de caramelo, que fez um *croc* gratificante. Marcie o tinha amolado para que ele lhe desse um daqueles maçaricos de cozinha no Natal com a promessa de que faria *crème brûlée* toda semana. Ela quase cumpriu a promessa.

Ele olhou para ela, banhada pela luz de velas da sala de jantar. Marcie estava sentada ao lado dele na comprida mesa e conversava efusivamente com um homem de cara redonda e cabelo escuro, cujo nome havia escapado a Marsh. Ele ficou a noite inteira prestando atenção para ver se Marcie mencionava o nome daquele sujeito, mas, até então, ela não tinha feito isso. Esquecer o nome do aluno mais brilhante da turma dela garantiria que nada acontecesse mais tarde no quarto; e Marsh a desejava muito. Seus cabelos escuros escorriam pelos ombros e ela estava com um vestido comprido e esvoaçante branco que colava na curva de seus seios. Ele olhou ao redor da mesa para os três outros convidados, pensando o quanto eram pouco atraentes em relação a ela: uma mulher de meia-idade, com batom escarlate, que tinha sido bem-sucedida em ficar, ao mesmo tempo, desarrumada e elegante; um homem velho com uma barba rala e unhas compridas, que Marsh estava convencido de que só tinha aparecido por causa da comida de graça; e um sujeito afeminado, com o cabelo grisalho preso em um rabo de cavalo. Eles conversavam animadamente sobre Salvador Dalí.

No momento em que Marsh estava se perguntando se seria grosseria oferecer o café enquanto ainda comiam sobremesa, alguém bateu na porta. Marcie inclinou a cabeça para Marsh e franziu a testa.

— Não se incomode, eu vou — disse ele.

Impaciente, Erika levantou a mão e bateu novamente. Ela viu que tinha gente em casa; as cortinas estavam fechadas na grande janela saliente e risos escapavam juntamente a um brilho suave. Momentos depois, a luz da entrada se acendeu e Marsh abriu a porta.

– Detetive Foster. O que posso fazer por você?

Ela notou o quanto ele estava bonito de calça cáqui e camisa azul, com as mangas dobradas.

– Não está atendendo às minhas ligações e preciso conversar com o senhor – disse ela.

– Dá pra esperar? Estamos com visitas – disse Marsh. Ele percebeu que Erika segurava uma pilha do que pareciam ser arquivos de casos.

– Senhor, acredito que os assassinatos de Andrea Douglas-Brown e Ivy Norris têm ligação com três outros assassinatos. Garotas encontradas nas mesmas circunstâncias que Andrea. Os assassinatos têm acontecido periodicamente desde 2013. Todas encontradas na água, na área metropolitana de Londres...

Marsh sacudiu a cabeça, exasperado.

– Não acredito nisto, Detetive Foster...

– Senhor, eram todas jovens do Leste Europeu – insistiu Erika. Ela abriu um arquivo e levantou a foto de Karolina Todorova na cena do crime. – Olhe, esta garota tinha só 18 anos. Foi estrangulada, as mãos dela estavam amarradas atrás das costas com uma abraçadeira de nylon, foram arrancados tufos de cabelo da têmpora e ela foi jogada na água como lixo.

– Quero que você vá embora – disse Marsh.

Ela ignorou-o, pegou mais duas fotos e continuou:

– Tatiana Ivanova, 19 anos, e Mirka Bratova, 18. Igualmente estranguladas, mãos atadas do mesmo jeito, cabelo arrancado da cabeça e jogadas na água. Tudo em um raio de 15 quilômetros do centro de Londres. Até o tipo de garotas é o mesmo. Cabelo escuro comprido, corpo de ampulheta... Senhor, Detetive Sparks está com esses arquivos há dois dias. As similaridades são óbvias até para um policial que acabou de sair...

Uma porta no final do corredor foi aberta, libertando uma explosão de gargalhadas. Marcie se aproximou da porta da frente.

– Tom, quem é? – perguntou ela. Em seguida, viu a foto que Erika estava segurando, de Karolina seminua apodrecendo na água.

– O que está acontecendo? – perguntou ela, olhando ora para Erika, ora para Marsh.

– Marcie, por favor, volte lá pra dentro, deixe que eu resolvo isso...

– Vamos ver o que Marcie acha – cortou Erika, abrindo outra pasta e levantando uma foto grande do corpo de Mirka Bratova fotografado de comprido, com um rosto de expressão aterrorizada. Folhas estavam grudadas à sua carne pálida, os pelos púbicos emaranhados com sangue.

– Como você ousa! Esta é a minha casa! – Gritou Marcie, colocando a mão sobre a boca. Erika se recusou a fechar o arquivo.

– Essa menina só tinha 18 anos, Marcie. 18! Ela veio pra Inglaterra achando que ia trabalhar como *au pair*, mas foi forçada a se prostituir. Sem dúvida era estuprada regularmente, depois foi pega e brutalmente estrangulada. O tempo passa rápido, não passa? Quantos anos têm as suas duas menininhas agora? Elas vão ter 18 anos antes de vocês perceberem...

– Por que ela está aqui? Por que vocês não tratam disso no trabalho? – reclamou Marcie.

– Já chega, Erika! – berrou Marsh.

– Ele não está tratando disso no trabalho! – disse Erika. – Por favor, senhor. Eu sei que conseguiram rastrear o celular que pertencia a Andrea Douglas-Brown. Me dê os recursos para eu achar aquele telefone. Ele tem coisas sobre a vida de Andrea, coisas que ela mantinha em segredo. Acredito que essa informação pode nos levar a encontrar quem matou Andrea e essas meninas. Olhe as fotos delas de novo. Olhe!

– O que é isso? Tom? – perguntou Marcie.

– Marcie, volte lá pra dentro. AGORA.

Marcie deu mais uma olhada nas fotos e voltou para a sala. Alguém deu uma risada, que foi sufocada quando ela fechou a porta novamente.

– Como você se atreve, Erika?!

– Não, senhor, como *nós* nos atrevemos?! Isso não é sobre mim. Está bem, é uma doideira vir aqui bater na sua porta? É uma puta doideira! Mas eu consigo viver com as pessoas achando que eu sou uma filha da puta. O que não consigo é viver com o que aconteceu com essas garotas. O senhor consegue dormir à noite sabendo que a gente podia ter se esforçado mais? Pense na época em que a gente entrou pra força, senhor. Nós não tínhamos nenhum poder. Mas você pode tomar essas decisões agora. *Você*. Foda-se, pode mandar a conta da equipe de busca pra mim, me demita, eu sinceramente não ligo... Mas olha pra isso, olha! – disse Erika, levantando as fotos novamente.

– Já *chega*! – berrou Marsh. Ele bateu com força a porta, e Erika escutou as fechaduras sendo trancadas.

– Bom, pelo menos eu tentei – ela falou para as fotos. Ela fechou a pasta, recolocou-a delicadamente na bolsa e caminhou de volta para a rua.

CAPÍTULO 38

A figura tinha se materializado no beco em frente ao apartamento de Erika quando a escuridão caiu, um pouco antes de a Detetive Moss sair pela porta e ir embora de carro.

O que é que a sapata gorda estava fazendo lá? Tem alguma novidade.

Observar os movimentos da Detetive Foster tornou-se quase um vício. Com a chuva torrencial, tinha sido fácil segui-la com o capuz levantado, a cabeça abaixada e três jaquetas à prova d'água diferentes em uma mochila.

O segredo para se misturar à multidão é não tentar fazer isso. Todo mundo está muito obcecado consigo mesmo.

Os olhos da figura foram atraídos por Erika, que olhava pela janela, fumando.

No que ela está pensando? O que aquela outra policial, Moss, estava fazendo lá? Era para a Detetive Foster estar afastada do caso...

Abruptamente, Erika levantou-se e fechou as cortinas. Momentos depois, ela saiu pela porta da frente. Estava com sua bolsa e seguiu em direção à estação. A figura recuou e correu pelo beco até um carro, depois dirigiu pela rua principal, tentando andar devagar, ser normal, se misturar.

Erika estava entrando na estação Brockley quando a figura virou o carro, pegando o acesso à estação. Um outro carro começou a sair de uma vaga em frente. A figura aproveitou a oportunidade para parar e ficou observando Erika atravessar a passarela para a plataforma do outro lado. O motorista em frente terminou de sair da vaga e acenou em agradecimento. A figura sorriu e acenou também, depois acelerou, fazendo o retorno, passou pelo apartamento escuro da detetive e estacionou a algumas ruas de distância.

Quando o motor do carro silenciou, a figura observou por um momento o prédio da Detetive Foster. Um muro alto cercava a parte de trás da propriedade e um beco estendia-se por um dos lados. Quando a grande casa foi transformada em apartamentos, deixaram uma bagunça de janelas velhas e novas, canos e calhas na parte de trás.

A figura saiu do carro e tirou uma mochila do porta-malas.

Eu não ia fazer isso agora, mas parece que as coisas aceleraram. Ficar olhando pelo lado de fora não está mais me dando informações suficientes...

No caminho para o apartamento da Detetive Foster, alguns pedestres passaram na rua, conversando animados e distraídos. Ao chegar na rua, a figura subiu no muro que cercava o prédio, depois de ter pensado cuidadosamente em como chegar ao último andar.

Avance gradativamente pelo muro até a parte de trás do prédio, ponha o pé no peitoril, segure no cano, enganche uma perna na janela mais alta e suba, usando o cano.

Os peitoris eram de pedra lisa, e a figura, sem fôlego por causa do esforço, parou por um instante. Tudo certo até aquele momento...

Use o cano grosso do para-raios para se erguer, depois haverá mais três janelas alinhadas. Fácil...

Ensopada de suor por causa do esforço, a figura chegou à janela do banheiro de Erika. Estava fechada, o que já era esperado. No entanto, havia um exaustor ao lado da janela. Sua sorte é que o equipamento era vagabundo e tinha sido instalado porcamente. Com a mão coberta por uma luva, a figura agarrou a grade do exaustor de plástico pelas beiradas e puxou. Ela quebrou e se soltou, deixando exposto um cano de ventilação. A figura enfiou um braço lá dentro, sentindo os nós dos dedos cobertos com couro entrarem em contato com a parte de trás do revestimento de plástico do exaustor na parede de dentro. Com um tranco rápido, ele se soltou, fazendo barulho ao arrastar-se pela parede do banheiro dependurado pelo fio.

A figura puxou um pedaço de arame de cabide de um bolso lateral da mochila e o inseriu no cano de ventilação. Foram necessárias algumas tentativas remexendo o arame, mas ele, por fim, enganchou-se na maçaneta da janela, que abriu fazendo um *click*. A figura moveu-se rapidamente, enfiando a cabeça primeiro, mantendo os braços esticados, apoiando-se no assento da privada.

Entrei.

Sentia-se eufórica depois de ficar observando a Detetive Foster à distância por tanto tempo. O banheiro era pequeno e funcional. Ao abrir o armarinho da pia, a figura viu que nele havia uma caixa de absorventes internos, pomada vaginal e uma caixa de folhas depilatórias. Já estavam vencidas.

Que patética. Ela tem uma caixa velha de folhas depilatórias.

A figura recolheu o conteúdo do armarinho e seguiu para o pequeno quarto. O cheiro era neutro. Às vezes, o cheiro de algumas mulheres podia ser interessante e exótico. O de outras podia causar aversão...

Só consigo sentir fedor de cigarro... e comida frita. Um indício de perfume vagabundo.

A figura puxou as cobertas, dispôs organizadamente o conteúdo do armarinho do banheiro no colchão e recolocou as cobertas, antes de ir para a sala. Estava escuro, exceto pela luz alaranjada de um poste lá na rua. Espalhados sobre a mesinha de centro, em meio a xícaras sujas e um cinzeiro, havia cópias de arquivos policiais.

A figura pegou um deles com a mão coberta pela luva e uma onda de fúria começou a surgir. Fotos de Mirka Bratova. Mirka Bratova viva, depois morta e em decomposição na água.

A Detetive Foster sabia. Ela ligou os pontos, e aquela puta daquela sapata gorda a estava ajudando!

A figura escutou um barulho no corredor e um rangido na escada. Movendo-se cuidadosamente até a porta, espiou pelo olho mágico.

Uma mulher idosa de cabelos brancos chegou ao corredor, aproximou-se da porta e tentou espiar de maneira maldosa no olho mágico. Ela ficou escutando por um momento, depois se virou e seguiu na direção da porta do seu apartamento.

A figura sentiu uma repentina necessidade de sair dali, de ir embora, de planejar.

A Detetive Foster me colocou contra a parede, não me deixou outra alternativa.

Terei que matá-la.

CAPÍTULO 39

Quando Erika voltou ao seu apartamento, tomou um longo banho quente e se enrolou em uma toalha. Ela foi até o quarto, sentou-se na cama e se concentrou, repassando os acontecimentos da noite na cabeça. Eles não adquiriram uma aparência melhor do que a realidade.

Quando foi colocar seu celular na tomada, parou e puxou o edredom. Debaixo dele, o conteúdo de seu armarinho do banheiro tinha sido disposto organizadamente no colchão. Erika levantou-se rapidamente e foi até a janela do banheiro. Estava fechada, e uma parede totalmente vertical a separava do beco lá embaixo. Ela foi até a sala e acendeu a luz. O lugar estava como ela o havia deixado: persianas fechadas, arquivos e xícaras de café espalhados pela mesa. Ela passou pela porta da frente. Não possuía caixa de correio. Tinha trancado a porta? *É claro que tinha*, pensou. Voltando ao banheiro, abriu o armarinho sobre a pia. Estava vazio.

A janela estava fechada enquanto tomava banho e ela não a tinha aberto. *Não*, ela pensou; estava apenas cansada e um pouco esquecida. Devia ter sido ela mesma quem tinha tirado as coisas do armarinho. Ela percebeu o quanto o banheiro estava cheio de vapor e puxou a corda do pequenino exaustor. Puxou-a de novo. Nada aconteceu.

– Merda – disse ela, desembaçando o espelho com a palma da mão. Por que Marsh também tinha que ser o proprietário do apartamento? A última coisa que ela queria fazer era entrar em contato com ele. Erika apagou a luz, voltou para o quarto e tirou as coisas da cama, sentindo-se incomodada. Tinha pegado aquilo no armarinho do banheiro? E havia o bilhete que ela tinha recebido.

Mas como alguém poderia entrar ali? Teria precisado de uma chave.

Na manhã seguinte, Erika arrumou o apartamento e estava pensando em ligar para a delegacia e fazer queixa sobre uma possível invasão, possível era a palavra exata, quando ouviu um carteiro jogar as correspondências no carpete lá embaixo. Depois de separar as contas dos vizinhos e deixá-las em uma mesa ao lado da porta, Erika encontrou uma carta endereçada a ela. Sua primeira correspondência no novo apartamento. Era uma intimação da Polícia Metropolitana para que ela comparecesse a uma avaliação psicológica dali a sete dias.

– Não estou louca, estou? – Erika perguntou a si mesma, de brincadeira, mas nem tanto. Quando ela voltou para o apartamento, seu celular tocou.

– Erika, é o Marsh. Você tem seis horas com uma equipe do Thames Water. Se não achar o celular, já era. Entendeu?

Erika sentiu a esperança crescer no peito.

– Entendi. Obrigada, senhor.

– Praticamente não existe possibilidade de ele estar lá embaixo. Você viu o quanto está chovendo?

Erika olhou para fora e a chuva martelava sua janela.

– Eu sei, mas vou arriscar, senhor. Já resolvi casos com menos...

– Mas não vai resolver este. Está suspensa, lembra? E você vai passar qualquer evidência para o Detetive Sparks. Imediatamente.

– Sim, senhor – concordou Erika.

– Moss vai entrar em contato para te passar os detalhes.

– Ótimo, senhor.

– E se algum dia você fizer uma idiotice daquela de novo, aparecer na minha casa e ficar esfregando fotos doentias de cenas de crime na cara da minha mulher... Você não vai ser só suspensa, a sua carreira vai acabar.

– Não vai acontecer de novo, senhor – disse Erika.

Um clique ressoou e Marsh desligou.

Erika sorriu e comentou:

– Por trás de todo homem poderoso há uma mulher que sabe muito bem como convencê-lo a fazer as coisas. Mandou bem, Marcie.

Erika foi a pé se encontrar com Moss e Peterson. O bueiro que dava acesso ao cano de escoamento de água era ao lado do cemitério da igreja de Honor Oak Park, a apenas alguns quarteirões do apartamento de Erika. A igreja ficava a algumas centenas de metros depois da estação de trem, empoleirada em uma ladeira. A chuva tinha parado, e as nuvens deram uma leve dispersada, quando Erika se encontrou com Moss ao lado de uma grande van com o símbolo da Thames Water. Peterson segurava uma bandeja de cafés em copos descartáveis e os entregava para um grupo de sujeitos de macacão.

– Este é o Mike. A equipe dele vai coordenar a busca – apresentou Moss.

– Sou Erika Foster – disse, aproximando-se para dar um aperto de mão. Os caras não enrolaram. Engoliram seus cafés e minutos depois estavam suspendendo a tampa gigante do bueiro e rolando-a de lado, ruidosamente.

– Bom te ver, chefe – disse Peterson, passando, sorridente, um café a ela.

Mike os levou ao espaço apertado dentro da van. Ela estava equipada com um paredão de monitores, um pequeno chuveiro e aparelhos de comunicação para todos os homens que desceriam no cano. Em um dos monitores, um mapa via satélite do clima atualizava-se constantemente, mostrando listras cinza-escuro atravessando um mapa da área metropolitana de Londres.

– Essa é a diferença entre a vida e a morte – explicou Mike, batendo uma caneta na tela. – Os canos lá embaixo combinam água de tempestade e esgoto. Uma chuvarada repentina pode inundar os canos e rapidinho você tem uma onda gigante seguindo na direção do Tâmisa.

– O que vocês faziam antes dessa tecnologia toda? – perguntou Peterson, apontando para as telas de televisão e mapas do clima via satélite.

– O bom e velho barulho – disse Mike. – Se viesse uma tempestade, a gente levantava a tampa do bueiro uns 15 centímetros e deixava cair de novo. O barulho metálico ecoava pelos túneis e a gente torcia para que fosse o suficiente para os homens lá embaixo saírem correndo.

– Só homens trabalham lá embaixo? – perguntou Moss.

– Por quê? Está querendo se candidatar a uma vaga? – brincou Mike.

– Muito engraçado... – disse Moss.

Eles saíram da van novamente e olharam para o céu. A nuvem parecia estar se dissipando, mas estava ficando mais escuro no horizonte.

– É melhor a gente começar logo com isso – disse Mike, movendo-se na direção do lugar onde os quatro homens haviam posicionado um guindaste sobre o bueiro, e estavam se prendendo a equipamentos de segurança. Erika se aproximou e espiou pelo buraco onde degraus de ferro desciam escuridão abaixo.

– Então, o que é que a gente vai procurar? Um celular? – perguntou Mike.

– É um iPhone 5S, acreditamos que seja branco, mas pode ser preto – respondeu Moss. Ela entregou a cada um deles uma foto plastificada.

– Descobrimos que ele está aí embaixo há quase duas semanas, mas se vocês o acharem, por favor, evitem encostar nele. Precisamos preservar qualquer prova forense remanescente. Vou dar a vocês esses pacotes de evidência, onde o celular vai ter que ser colocado imediatamente – disse Erika.

Todos pegaram um saquinho transparente. Eles pareciam céticos.

– Mas e aí? Vocês querem que a gente faça o celular levitar pra fora da bosta? – perguntou um dos homens.

– Nós realmente contamos com a ajuda de vocês, rapazes – disse Peterson. – Vocês se juntaram a nós em um estágio crucial de um caso angustiante envolvendo garotas que foram assassinadas. Encontrar esse celular é uma peça gigante do nosso quebra-cabeça. Só tentem não encostar nele com as mãos descobertas.

A atitude dos homens mudou completamente. Eles colocaram rapidamente os capacetes e começaram a conferir as lanternas e os rádios. Quando estavam prontos, ficaram todos ao redor do bueiro, enquanto Mike baixava uma sonda lá para dentro.

– Estamos conferindo se não há gases venenosos – explicou ele. – Não é só com bosta e mijo que a gente tem que se preocupar lá embaixo. Tem ácido carbônico, que os trabalhadores de minas costumavam chamar de "gás sufocante"; hidrogênio carburado, que explode; e hidrogênio sulfurado, produto de decomposição pútrida... Pessoal, está todo mundo com os detectores químicos no uniforme?

Todos confirmaram com um gesto de cabeça.

– Nossa, vocês não preferiam trabalhar em um supermercado? – perguntou Moss.

– O salário aqui é muito melhor – disse o mais jovem, enquanto era o primeiro a ser guinchado para dentro do bueiro.

Eles ficaram observando os outros homens descerem escuridão adentro, com suas lanternas iluminando o encardido interior marrom do cano de escoamento de água. Erika olhou para Moss e Peterson enquanto inclinavam-se sobre o buraco. Trocaram olhares tensos.

– Como procurar agulha em um palheiro – comentou Peterson.

Lentamente, a luz abaixo deles começou a esmorecer e eles foram deixados no silêncio. Mike entrou na van para acompanhar o progresso dos homens.

Uma hora mais tarde, não havia nada a ser informado e eles estavam batendo os dentes de frio. Então, uma mensagem chegou pelo rádio da polícia. Houve um incidente em um supermercado em Sydenham. Um homem tinha sacado uma arma e tiros foram disparados.

– Nós estamos de plantão hoje – disse Moss, olhando para Peterson. – Melhor a gente atender. Marsh falou que isto aqui não é prioridade.

– Podem ir, pessoal; posso ficar aqui e esperar – disse Erika. Moss e Peterson saíram apressados e deixaram-na sozinha; ela se deu conta novamente de que não tinha um distintivo, nem autoridade. Era só uma mulher parada perto de um esgoto aberto. Ela entrou na van e perguntou a Mike se estavam progredindo.

– Nada. Chegamos em um ponto em que estou quase querendo que eles não avancem mais. A rede se ramifica muito na direção do centro de Londres.

– E...

– E as chances de um celular minúsculo aparecer são pequenas – disse ele. – Não é a mesma coisa como um cachorro que engoliu um anel de diamante e você...

– Tá bom, entendi o recado – falou Erika. Ela saiu da van, sentou-se no tronco de uma árvore e fumou um cigarro. A igreja agigantava-se sobre ela no frio e um trem passava ruidosamente ao longe. Os homens saíram uma hora e meia depois, cobertos de lama, exaustos e ensopados de suor. Eles sacudiram a cabeça negativamente.

– Como eu pensei, ele pode estar em qualquer lugar agora. Até no mar. Os canos de escoamento foram abertos duas vezes desde o dia 12 de janeiro, e muita coisa passou por eles, nada ia ficar lá embaixo com a água fazendo tanta pressão – explicou Mike.

– Obrigada – disse Erika. – Nós tentamos.

– Não. Eles tentaram... – disse Mike, apontando para os homens. – Eu falei para o seu chefe que não era pra ter esperança, que ia ser uma missão impossível do cacete.

Erika se perguntou se essa era a razão pela qual Marsh tinha providenciado aquilo. Enquanto caminhava de volta para casa, permanecia convencida de que o celular de Andrea tinha que ser encontrado. Ela pensou na carta que havia recebido e nas coisas deixadas em sua cama.

Sentiu-se como a única pessoa que sabia que a polícia havia prendido o homem errado.

CAPÍTULO 40

Passaram-se três dias sem uma palavra de Moss e Peterson. Todo o entusiasmo e a positividade de Erika esgotaram-se, e, o que era pior, ela não tinha nada para fazer. No terceiro dia, estava a ponto de ligar para Edward e enfrentar a visita à lápide de Mark, quando o celular tocou em sua mão.

— Chefe, você não vai acreditar nisso – disse Moss. – O celular da Andrea acabou de aparecer.

— O quê? No esgoto? – perguntou Erika, pegando uma caneta.

— Não. Em uma loja de celulares de segunda mão em Anerley.

— Fica a poucos quilômetros – comentou Erika.

— Isso mesmo. Crane passou o número de IMEI para os comerciantes de telefones usados da região e falou que se um aparelho com esse número aparecesse na loja deles, era para entrarem em contato com a sala de investigação imediatamente.

— E eles fizeram isso?

— Ele também falou que pagaria o valor de um iPhone 5S desbloqueado, o que deve ter adoçado o acordo...

— Como ele apareceu em Anerley? – perguntou Erika.

— Uma mulher achou. A enorme quantidade de chuva e água da neve derretida na semana passada fez com que os bueiros transbordassem na parte mais baixa da Forest Hill Road. Os canos estavam tão sobrecarregados que a água, com muita pressão, foi forçada a subir pelo sistema de esgoto e escorrer pela rua. O celular veio junto. Ela o viu e, mesmo no estado em que ele estava, conseguiu uma grana por ele.

— E ele está beleza? Está funcionando?

— Não, e a tela está toda quebrada, mas a gente mandou o aparelho rapidinho para a equipe da informática, que o colocou no topo da fila de trabalho. Estão tentando retirar o máximo possível da memória interna.

— Moss, estou indo praí.

– Não, chefe, segura aí. Se você quer vir até aqui, espera pelo menos até ter um motivo pra chegar chutando a porta e soltar o verbo na cara deles.

Erika começou a protestar.

– É sério, chefe. Prometo que vou te ligar no segundo em que souber de alguma coisa.

Moss desligou.

Seis longas e tensas horas depois, Moss ligou para avisar que a Unidade de Crimes Cibernéticos de Londres tinha recuperado uma quantidade substancial de dados do telefone de Andrea.

Erika foi de táxi até o endereço que Moss lhe deu e encontrou-se com ela em frente à unidade, que ficava em um prédio comercial de aparência comum, próximo à Tower Bridge. Pegaram o elevador até o último andar e chegaram a um enorme escritório aberto. Todas as mesas estavam ocupadas. Em cada uma delas havia um policial fatigado debruçado sobre uma tela de computador, e ao lado deles, um celular ou um notebook aos pedaços, ou uma bagunça de fios e circuitos eletrônicos.

Na parede nos fundos, do outro lado, havia uma fileira de algo que pareciam janelas com vidros escuros. Erika estremeceu só de pensar no que aqueles policiais tinham que assistir naquelas telas.

Um homem baixo e bonito com uma blusa de lã surrada encontrou-se com elas no bebedouro. Ele se apresentou como Lee Graham. Elas o seguiram até um depósito com prateleiras e mais prateleiras de computadores, celulares e tablets, todos embalados e lacrados. Eles passaram por uma prateleira baixa onde um notebook estava coberto com plástico e incrustado de sangue ressecado.

Ele as levou até uma mesa bagunçada no outro canto sobre a qual estava o celular danificado e rachado de Andrea. Tinham tirado a parte de trás e ele estava conectado a um computador grande com telas gêmeas.

– Conseguimos recuperar muita coisa deste telefone – disse Lee, sentando-se e ajustando uma das telas. – O HD estava em boas condições.

Moss puxou algumas cadeiras e elas se sentaram ao lado dele.

– Ele tem 312 fotos – continuou Lee –, 16 vídeos e centenas de mensagens de texto que datam de maio de 2012 a junho de 2014. Passei todas as fotos pelo nosso software de reconhecimento facial; ele revira o banco nacional de dados criminais inteiro e usa o reconhecimento facial em busca de alguma compatibilidade. O programa destacou um nome.

Erika e Moss se entreolharam, entusiasmadas.

– Qual era o nome dele? – perguntou Erika, animada.

Lee começou a teclar e respondeu:

– Não era ele, era ela.

– O quê? – disseram Erika e Moss em uníssono. Lee percorreu uma série de imagens em miniatura e clicou em uma delas: um rosto familiar.

– Linda Douglas-Brown está no banco de dados da polícia? – perguntou Moss, surpresa.

Na foto, Linda e Andrea estavam sentadas em uma mesa de bar; Andrea encarava a lente confiante e tinha uma aparência impecável em sua blusa creme. Com os botões abertos, ela exibia uma escura e profunda fenda entre os seios e um colar prateado aninhava-se nela. Linda, em comparação, estava corada e com o cabelo desgrenhado. Ela usava uma blusa de gola rulê preta, que era alta o bastante para acomodar seu queixo duplo. A blusa era bordada com imagens de pequenos poodles brincando pelo tecido. Ela tinha um grande crucifixo dourado pendurado no pescoço. A mão dela estava jogada ao redor de Andrea e o rosto exibia um grande sorriso bêbado.

– Essa aí é a mãe da vítima? – perguntou Lee.

– Não, é a irmã da vítima. A diferença de idade entre elas é de quatro anos – informou Erika. Eles deixaram aquela informação pairar por um momento.

– Okay. Bom, puxei a ficha criminal dela; estou imprimindo para vocês neste minuto – informou Lee.

CAPÍTULO 41

Lee encontrou uma mesa vaga no escritório, onde elas poderiam dar uma primeira lida na ficha de Linda.

— Nossa, Linda tem uma ficha considerável, que começou vários anos atrás. Incêndio criminoso, roubo, furto de loja... — disse Erika. — Entre julho e novembro do ano passado, o noivo de Andrea, Giles Osborne, registrou três queixas na polícia, falando que Linda estava hostilizando e mandando mensagens ameaçadoras.

— Policiais falaram com ela em todas as três ocasiões — leu Moss.

— Sim, mas ela não foi presa em nenhuma das vezes. A primeira queixa de Giles Osborne foi em julho de 2014, referente a e-mails ofensivos que recebeu de Linda; em uma mensagem ela ameaçou matar o gato dele, e depois o próprio Giles. A segunda queixa foi um mês depois. O apartamento dele foi invadido e o gato, envenenado. Encontraram as digitais de Linda na propriedade, mas o advogado alegou que elas estariam lá de qualquer maneira porque a garota tinha estado lá recentemente como convidada para um jantar que ele deu em comemoração ao noivado com Andrea.

— Linda também foi capturada por uma câmera de segurança na rua ao lado do apartamento de Giles Osborne a poucos minutos do horário da invasão. Ela se rendeu e declarou que foi até a casa depois da invasão para tentar salvar o gato, que parecia estar sofrendo quando ela o viu pela janela.

— Parece que ela tem um advogado bom pra cacete — comentou Moss.

— Talvez. De qualquer maneira, não tinham provas suficientes para comprovar isso. A terceira queixa foi em outubro do ano passado, quando Linda causou um prejuízo de 8 mil libras no escritório de Giles. Ela jogou um tijolo em uma das enormes vidraças das janelas. Desta vez, conseguiram pegá-la nas câmeras de vigilância.

A imagem era clara demais e preta e branca, mas era possível ver uma figura corpulenta de sobretudo comprido e boné de beisebol abaixado sobre o rosto. O casaco abriu quando a pessoa recuou para jogar o tijolo, e a blusa debaixo, com a ilustração dos poodles dançarinos, ficou visível.

Moss estava com seu notebook em uma bolsa. Ela o pegou e ligou.

– Vamos analisar as fotos do telefone da Andrea – disse ela, encaixando um pen drive em que estava armazenado o conteúdo do celular. Elas aguardaram o notebook carregar zumbindo e zunindo. A luzinha mostrando que o pen drive estava sendo lido começou a piscar e um monte de fotos dispararam na tela.

Andrea foi fotografada em várias festas: havia muitas selfies; fotos de Andrea de topless no espelho de seu banheiro, segurando sedutoramente um dos seios e inclinando a cabeça para trás; em seguida, uma série de fotos tiradas em uma noitada em um bar. Parecia ser o mesmo bar da foto com Linda.

– Para, volta! – disse Erika.

– Não tenho como parar, temos que deixar carregar tudo – disse Moss.

– Anda... – disse Erika, impaciente, quando o computador parou em uma foto que não passava de um borrão preto, obviamente tirada por engano. Em seguida, as fotos voltaram a carregar novamente e o processo terminou. Erika começou a passar por elas.

– Isso. Vamos nessa, essas são as mais recentes, do bar – disse Erika.

– Quem você acha que é esse? – perguntou Moss, olhando para a tela. Um homem grande e alto, que aparentava pouco mais de 30 anos, tinha tirado uma foto com Andrea. Ele era moreno, tinha olhos castanhos grandes e uma barba por fazer em seu bonito rosto anguloso.

As primeiras fotos foram tiradas por Andrea segurando o celular. Em todas, ela estava debruçada no peito do homem. Ele era realmente muito bonito.

– Homem de cabelo escuro... – disse Erika, com uma voz suave e entusiasmada.

– Vamos com calma – aconselhou Moss, que também transparecia entusiasmo.

Erika seguiu clicando nas fotos. Pareciam todas tiradas na mesma festa: pessoas preenchiam o fundo, sentadas nas mesas ou dançando. Andrea tinha pirado e não parava de tirar fotos com o homem, que parecia feliz com isso. As primeiras poses eram dos dois, lado a lado, e Andrea erguia a cabeça na direção dele com o brilho do amor nos olhos. Nas fotos seguintes, ele beijava Andrea. As bocas coladas deixavam escapar um vislumbre de língua, e as unhas vermelhas de Andrea roçavam o maxilar esculpido com a barba por fazer.

— Elas foram tiradas no dia 23 de dezembro do ano passado — disse Moss ao ver a data das fotos.

— Aquela foto da Linda com a Andrea. Ela foi tirada na mesma noite. É a mesma festa...

A foto em que o Banco Nacional de Dados Criminais reconheceu o rosto de Linda apareceu novamente.

— Pelo jeito, estão no fim da noite; elas parecem estar pra lá de Bagdá — comentou Erika.

— Então, Linda estava lá no mesmo período que aquele cara. Ele pode ter tirado essa foto — palpitou Moss.

Elas seguiram vendo as próximas imagens. As datas mostravam uma lacuna de alguns dias, depois se depararam com fotos tiradas em uma cama com lençóis claros. Andrea deitada com o homem de cabelo escuro, novamente segurando a câmera. O peito dele era forte e coberto por um punhado de cabelos escuros. Andrea estava com seu braço dobrado por baixo dos seios nus. As fotos iam ficando mais explícitas: um close-up do homem com o mamilo de Andrea entre os dentes brancos, uma imagem frontal completa de Andrea deitada na cama, sorrindo. Em seguida, o rosto de Andrea encheu a tela. Seus lábios estavam travados ao redor da base do pênis do homem. Parecia que ele segurava o queixo dela. Um de seus polegares compridos estendia-se na maçã do rosto dela.

A foto seguinte era abruptamente menos pornográfica. Andrea e o homem foram fotografados no dia 30 de dezembro, de mãos dadas na rua. Ambos com roupas de inverno. Uma conhecida torre de relógio estava ao fundo.

— Puta merda. É o Horniman Museum — afirmou Moss.

— E isso foi quatro dias antes de ela desaparecer — disse Erika.

— Você acha que foi com esse cara que viram Andrea conversando no pub? — perguntou Moss.

— Esse pode ser o cara que a matou — respondeu Erika.

— Mas, de acordo com o que sabemos, a ficha dele é limpa; o software do banco de dados criminais não o identificou...

— Ele parece russo ou... não sei... romeno? Sérvio? Ele pode ter sido fichado no exterior.

— Mas a gente não tem o nome e isso pode levar tempo — disse Moss.

– Mas a gente conhece alguém que pode ter o nome dele. Linda Douglas-Brown – afirmou Erika. – Ela estava em uma das fotos da mesma noite. No mesmo bar.

– A gente intima a Linda? – perguntou a Moss.

– Segura a onda – respondeu Erika.

– Como assim segura a onda? É óbvio que ela está omitindo informação, chefe.

– Mas temos que tomar muito cuidado antes de intimar Linda. Os Douglas-Brown vão contratar um advogado no mesmo segundo em que fizermos qualquer coisa. Parece que eles vêm gastando uma boa grana para colocar essa menina na linha.

Moss pensou um pouco e perguntou:

– Sabe o que seria uma boa pedida para o seu apartamento, chefe?

– O quê?

– Flores recém-colhidas!

– Tem razão. A gente devia fazer uma visitinha a uma florista – disse Erika.

CAPÍTULO 42

A Jocasta Floristry ficava enfiada entre uma joalheria elegante e um prédio de escritórios de granito polido em uma rua comercial de Kensington. A vitrine esbanjava alegria em sua decoração para o início da primavera. Havia um carpete de grama de verdade com narcisos, tulipas e açafrão que exibiam suas flores vermelhas, rosa, azuis e amarelas. Vários coelhos da Páscoa de porcelana chinesa estavam dispostos na grama ou espiavam de trás de cogumelos e ovos pintadinhos gigantes. Na fachada, perto do vidro e sobre uma almofada de veludo vermelha, havia uma pequena foto de Andrea sorrindo para a câmera...

Moss estava abrindo a porta de vidro, mas viu ao lado dela uma pequena campainha branca e uma placa com as palavras: TOQUE PARA SER ATENDIDO.

Erika apertou o botão. Momentos depois, uma idosa baixinha com cabelo impecavelmente escovado as examinou com seus olhos meio escondidos por baixo das pálpebras baixas. Era a mesma senhora que havia atendido a porta na casa dos Douglas-Brown. Ela gesticulou com desdém para que fossem embora. Erika pressionou a campainha novamente. Perceberam o quanto o vidro era grosso quando ela abriu a porta e o som da campainha foi amplificado.

— O que vocês querem? — reclamou ela. — Já falamos com a polícia, vocês têm um homem detido. Estamos nos preparando para um funeral!

Ela estava começando a bater a porta, mas Moss a segurou.

— Nós gostaríamos de falar com Linda, por favor, se ela estiver aí.

— Vocês têm uma pessoa detida, não têm? O que mais querem com a família? — repetiu a mulher.

— Ainda estamos montando o caso, senhora. Achamos que Linda pode nos ajudar a confirmar alguns detalhes que levariam a uma condenação mais rápida — disse Moss.

A senhora ficou observando as policiais, com os olhos saltando de um lado para o outro debaixo das pálpebras baixas, a pele enrugava e se contorcia, o que fazia Erika se lembrar de um camaleão. Ela abriu a porta, e ficou de lado para deixá-las entrar.

– Limpem os pés – ordenou ela, depois de ver a calçada molhada do lado de fora.

Acompanharam a senhora até uma sala de espera decorada de branco. Ao longo da parede dos fundos, uma enorme mesa de vidro transparente para reuniões brilhava e mudava de cor. As paredes eram adornadas com fotos dos trabalhos anteriores decorados pela Jocasta Floristry: casamentos da alta sociedade, lançamentos de produtos. A mulher desapareceu por uma porta nos fundos e um momento depois, Linda chegou com os braços abarrotados de narcisos. Estava com uma comprida saia evasê e outra blusa de gato, nessa o animal escapulia por trás de um avental branco. Desta vez era um gato malhado de olhos lânguidos.

– Minha mãe não está aqui. Eles pediram para ela repousar – disse ela. O tom de voz sugeria que a mãe estava fazendo corpo mole. Ela atravessou até a mesa grande, colocou os narcisos no vidro e começou a separá-los em maços. Erika e Moss aproximaram-se dela.

– O que você está fazendo aqui, Detetive Foster? Achei que tivesse sido afastada do caso...

– Com certeza, você mais do que qualquer outra pessoa, deve saber que não se pode acreditar em tudo que sai na imprensa – comentou Erika.

– É. Jornalistas. São todos umas bestas. Um dos tabloides me descreveu como "solteirona com cara de Lua".

– Sinto muito por isso, Linda.

– Sente mesmo? – duvidou Linda, cravando o olhar nelas.

Erika respirou fundo.

– Quando conversamos com você antes, perguntamos se tinha alguma informação que pudesse nos ajudar na investigação. Você não nos disse que Andrea tinha um segundo celular – disse Erika.

Linda voltou a fazer os buquês de narcisos.

– E então? – insistiu Moss.

– Vocês não me fizeram uma pergunta. Fizeram uma afirmação – argumentou Linda.

– Okay. Andrea tinha um segundo celular? – perguntou Erika.

– Não. Eu não tinha conhecimento disso – respondeu Linda.

– Ela deu queixa de que ele tinha sido roubado em junho de 2014, mas ficou com o aparelho e comprou um cartão pré-pago – afirmou Moss.

— E daí? Você está aqui em nome da empresa de seguros para investigar fraude?

— A gente achou a sua ficha criminal, Linda. É uma ficha e tanto: agressão, furto a loja, fraude de cartão de crédito, vandalismo – disse Erika.

Linda parou de fazer os buquês de narcisos e levantou os olhos na direção delas.

— Aquela era a Linda antiga. Agora eu encontrei Deus – comentou ela. – Sou uma pessoa diferente. Se você olhar bem, todos nós temos um passado de que nos arrependemos.

— Então, quando foi que você encontrou Deus? – perguntou Moss.

— Perdão? – questionou Linda.

— Bom, você ainda está em liberdade condicional e causou um prejuízo no valor de 8 mil libras ao escritório de Giles Osborne quatro meses atrás. Por que você fez aquilo?

— Eu estava com ciúme – disse Linda. – Ciúme da Andrea, do Giles. Ela encontrou alguém, eu ainda estou procurando. Tenho certeza de que vocês podem imaginar o que eu sentia.

— E o que a Andrea e o Giles disseram sobre o seu ataque?

— Eu pedi desculpa, disse que aquilo nunca ia acontecer de novo e a gente fez as pazes.

— Ele te perdoou por matar o gato dele também? – perguntou Moss.

— EU NÃO MATEI O GATO DELE! – berrou Linda. – Eu nunca faria uma coisa dessas. Os gatos são as criaturas mais lindas, inteligentes... Você pode olhar nos olhos deles, e acho que eles sabem todas as respostas... Se ao menos eles pudessem falar.

Erika lançou um olhar para Moss, para ela não ir longe demais.

O rosto redondo de Linda ficou sombrio e ela deu um murro na mesa de vidro.

— Não fiz aquilo. Não sou mentirosa!

— Okay, okay – disse Moss. – Você pode nos contar quem é esse homem na foto com a Andrea? – Ela colocou a foto da irmã na festa com o homem de cabelo escuro ao lado da pilha de narcisos.

— Não sei – respondeu Linda, dando uma olhada rápida.

— Olha direito, por favor, Linda – pediu Moss, segurando a foto em frente ao rosto dela.

Linda olhou para a foto e depois para Moss.

— Já te falei, não sei.

– E essa aqui? – questionou Moss, sacando a foto de Linda e Andrea. – Esta foto de você e da Andrea foi tirada na mesma noite, no mesmo bar. Provavelmente foi ele que tirou a foto.

Linda olhou para a foto novamente e pareceu se recompor.

– Está vendo, policial, o seu uso da palavra *provavelmente* é bem revelador. Eu cheguei a esse bar uns minutos antes de fechar para tomar alguma coisa. Fiquei trabalhando aqui a noite toda. Quando cheguei, Andrea estava sozinha; se tinha alguém com ela antes, essa pessoa já tinha ido embora. Ela me esperou pra gente beber alguma coisa e colocar o papo em dia, antes das comemorações do Natal começarem. Esse homem pode até ter estado lá, mas não na mesma hora que eu.

– Andrea falou alguma coisa sobre ele?

– Andrea sempre recebia muita atenção dos homens quando saía. Eu só concordei em ir se ela prometesse não ficar falando disso a noite inteira.

– Você não gosta de homens?

– *Homens* – bufou Linda. – Sabe, duas mulheres inteligentes podem passar uma noite sem conversar sobre homens, não é mesmo?

– Qual era o nome do bar? – perguntou Erika.

– Hum... acho que chamava Contagion.

– Com quem Andrea estava?

– Já te falei. Eu não sei. Andrea tinha uma porta giratória de companheiros de balada.

– Onde Giles estava?

– Eu imaginava que ele tivesse ido embora àquela altura, para evitar se encontrar comigo.

– Por que você o ameaçou, vandalizou o escritório dele e matou o... – completou Moss.

– Quantas vezes mais vou ter que te falar? Não matei Clara! – berrou Linda. Lágrimas brotaram nos olhos dela. Ela puxou uma manga de sua blusa de gato malhado e limpou os olhos. – Clara era... ela era um animal adorável. Deixava que eu a segurasse no colo. Não permitia que muitas outras pessoas fizessem isso, nem o Giles.

– Então, quem a envenenou?

– Não sei – respondeu Linda, com a voz suave. Ela tirou um bolo de lenços de dentro do bolso da blusa e esfregou os olhos até começarem a ficar vermelhos.

— O que você pode nos dizer sobre isto? – perguntou Moss, colocando o saco de evidências que continha a carta que Erika tinha recebido.

— O que é isso? Não, não, não. Não sei de nada! – disse Linda, com novas lágrimas aparecendo no rosto.

— Acho que Linda já foi condescendente demais – disse uma voz dos fundos da sala. A governanta dos Douglas-Brown de pálpebras baixas tinha se materializado e seguia na direção delas. – Se quiserem conversar mais com ela, talvez possamos providenciar algo mais formal, com a presença do advogado da família.

— Linda, este homem – insistiu Moss, batendo na foto do rapaz bonito com Andrea – também é suspeito de estuprar e matar três garotas do Leste Europeu nos últimos dois anos, e de assassinar recentemente uma mulher de 47 anos.

Os olhos de Linda se arregalaram. A governanta estava segurando o braço dela para que fossem embora.

— Linda... por favor, entre em contato com a gente se você se lembrar de alguma coisa, por menor que seja – pediu Erika.

— Ou ela não sabe quem aquele cara é, ou ela é uma mentirosa muito boa – comentou Moss, quando estavam de volta à rua.

— Só acredito no que ela falou sobre o gato. Ela não matou aquele gato – disse Erika.

— Mas a gente não está investigando assassinatos de gatos.

— Acho que devíamos fazer uma visitinha a Giles Osborne – sugeriu Erika. – Ver o que ele tem a dizer sobre Linda e essas fotos.

CAPÍTULO 43

Ela é completamente maluca – afirmou Giles Osborne. – A ponto de meter medo em mim e em um monte de funcionários meus.

Moss e Erika estavam sentadas no escritório envidraçado de Giles, que tinha vista para os jardins nos fundos de uma fileira de casas geminadas. Um trem barulhento passou por trás das casas, e de uma área industrial que ficava ao lado. Quatro reservatórios de gás gigantes elevavam-se, lustrados pela chuva. Parecia absurdo construir casas tão bacanas com uma vista tão deplorável.

Giles dava a impressão de que não tinha dormido, e a pele de seu rosto estava frouxa e fatigada. Erika também notou que ele tinha perdido peso nas duas últimas semanas desde que o corpo de Andrea foi descoberto.

– A família toda sabe como Linda é – prosseguiu Giles. – Parece que ela foi a ovelha negra durante muito tempo, expulsa de todas as escolas em que a colocaram. Quando ela tinha 9 anos, apunhalou a professora com um compasso. A coitada da mulher perdeu um olho.

– Então você acha que Linda tem problemas psicológicos? – perguntou Erika.

– Você faz com que a coisa pareça bem mais misteriosa e exótica do que realmente é. É uma espécie de loucura causada pelo tédio. Mas coloque grana e uma família influente na mistura e fica tudo mais intenso. O problema é que Linda sabe que não existem consequências reais para as ações dela.

– *Ainda...* – disse Moss.

Giles deu de ombros.

– Sir Simon está sempre lá para tapar o problema com dinheiro ou dar uma palavrinha com alguém influente... No final, ele comprou uma casa para a professora. Ela mora na parte de cima e aluga a parte de baixo. Quase vale a pena a perda de um olho, vocês não acham?

Houve silêncio. Outro trem barulhento passou no trilho e apitou.

– Desculpem. Não quis ser cruel. Estou organizando o funeral da Andrea. Achei que estaria preparando o nosso casamento, nunca pensei... Linda está responsável pelas flores; ela insistiu que fosse na igreja que ela frequenta, em Chiswick. Estou sentado aqui olhando para uma tela em branco, tentando escrever o discurso de homenagem.

– Você tem que conhecer bem alguém para poder escrever esse tipo de discurso – afirmou Moss.

– Tem mesmo – concordou Giles.

– Andrea era religiosa? – perguntou Erika, levando a conversa para longe das águas turbulentas.

– Não.

– E David?

– Se todas as freiras tivessem peitos grandes e usassem decotes, tenho certeza de que ele seria católico – opinou Giles, dando um sorriso seco.

– O que você quer dizer com isso?

– Meu Deus, você tem que levar tudo ao pé da letra? Foi uma piada, o David gosta de mulheres. Ele é jovem e completamente normal. Puxou mais a mãe do que...

– A Linda – completou Moss.

– É, são apenas Linda e ele agora – disse Giles. Ele limpou uma lágrima.

– Linda vai à igreja regularmente?

– Vai. Tenho certeza de que Deus não se sente muito radiante por ter que escutar as rezinhas pervertidas dela toda noite – comentou Giles.

– Linda já veio ao seu escritório em outras ocasiões?

– Ela veio uma vez com Andrea, para conhecer o lugar. Depois apareceu mais duas vezes sozinha.

– Quando foi isso? – perguntou Moss.

– Julho e agosto do ano passado.

– E por que ela apareceu sozinha?

– Ela veio me ver, e muito rapidamente ficou claro que ela queria, queria... bom, ela queria fazer sexo.

– E como ela demonstrou isso? – perguntou Moss.

– Como você acha, cacete?! – questionou Giles, ficando vermelho. Ele olhava para os lados desesperado para estar em algum outro lugar.

– Ela tirou o suéter e se expôs. Me falou que ninguém ficaria sabendo.

– E o que você fez?

– Falei para ela ir embora. Mesmo se não fosse irmã de Andrea, ela não é exatamente...

– Não é exatamente...?

– Bom, ela não é nenhum colírio para os olhos, né?

Moss e Erika permaneceram em silêncio.

Giles continuou:

– Até onde sei, não é crime achar alguém...

– Repulsivo? – completou Erika.

– Eu não pegaria tão pesado – disse Giles.

– Aí as coisas desandaram. Linda vandalizou o seu escritório e, de acordo com os registros, invadiu seu apartamento e envenenou seu gato.

– Sim, e eu não sei... Então, vocês leram os arquivos dos casos?

Erika e Moss confirmaram com um gesto de cabeça.

– Eu me encontrava em um triste dilema com Linda. Sir Simon me pediu para retirar as queixas. O que eu podia fazer?

– Sinto por ter que trazer isto à tona, Giles, mas você estava ciente de que Andrea saía com outros homens quando vocês estavam juntos? – perguntou Erika.

Giles ficou em silêncio por um momento e respondeu:

– Agora estou.

– E como você se sente?

– Cacete, como você acha que eu me sinto?! Nós estávamos noivos. Eu achava que ela era a pessoa certa. É claro, ela gostava de flertar e sair, e eu devia ter percebido, mas achava que ela ia parar depois que nos casássemos; e depois a gente ia embarrigar.

– Embarrigar? – perguntou Erika. – Você quer dizer ter filhos?

– Isso. Eu não tinha ideia de que ela estava em atividade com vários homens. Ela foi burra o bastante para se envolver com aquela criatura odiosa, Marco Frost. Ele assustou Andrea com aquela *obsessão*. Vocês acham que têm provas suficientes para garantir a condenação dele?

Erika olhou para Moss.

– Sr. Osborne, posso lhe pedir o favor de dar uma olhada nesta foto?

Ela colocou na mesa a imagem de Andrea com o homem de cabelo escuro no bar. Ele olhou para ela.

– Não. Não conheço este homem.

– Não perguntei se você o conhecia. Por favor, olhe direito, ela foi tirada apenas quatro dias antes de Andrea desaparecer.

Giles olhou para a foto novamente.

– Bom, para o que é que eu estou olhando? Ele era provavelmente um dos muitos homens que paqueravam Andrea.

– E o que acha disto? E disto... e disto? – perguntou Erika, colocando a série de fotos em frente a Giles: Andrea deitada nua na cama com o homem de cabelo escuro, o mamilo entre os dentes dele, e Andrea com os lábios bem abertos e o pênis na boca.

– Que merda vocês estão fazendo? – gritou Giles, empurrando a cadeira para trás e se levantando. Havia lágrimas nos olhos dele. – Como podem vir aqui e tirar vantagem da minha boa vontade?!

– Senhor, elas são do segundo celular de Andrea que foi recentemente recuperado. Nós te mostramos essas fotos por uma razão. Elas foram tiradas apenas alguns dias antes de ela desaparecer.

Giles foi até a porta de vidro.

– Obrigado, detetives, mas vim ao meu escritório hoje para me lembrar de Andrea e escrever sobre sua vida. Fui convidado para discursar no funeral dela, e vocês vêm aqui e maculam a memória que tenho com fotos pornográficas?

Ele abriu a porta e sinalizou para que fossem embora.

– Senhor, acreditamos que o homem na foto com Andrea também está envolvido na morte de três garotas do Leste Europeu que trabalhavam como prostitutas e no assassinato de uma mulher de 47 anos. Também acreditamos que Andrea estava com esse homem na noite em que morreu – explicou Erika, que olhou para Moss.

Giles percebeu a troca de olhares.

– Espere aí. E Marco Frost? Achei que ele fosse o responsável. O Superintendente Marsh me garantiu, e o Comissário Assistente Oakley... – disse Giles.

– Estamos seguindo uma outra linha de investigação – explicou Erika.

– Então vocês realmente não têm ideia de quem matou Andrea? Ainda assim vêm aqui me perturbar com um palpite? Andrea era um ser humano imperfeito e tinha seus segredos. Mas tudo que ela fazia era amor, tudo que ela queria era amor... – Giles desabou, arfando e chorando. Ele colocou a mão na boca. – Não aguento isso por muito mais tempo. Por favor! Vão embora!

Erika e Moss voltaram à mesa, recolheram as fotos e saíram, deixando Giles aos prantos.

– Puta que pariu – xingou Moss, quando elas voltaram para o carro estacionado a algumas ruas de distância.

– Fui eu que falei, não você – disse Erika.

– Chefe, eu tenho que reportar isso ao Detetive Sparks e ao Marsh.

– Eu sei. Tudo bem.

Moss deixou Erika em casa e, apesar de tudo o que tinha acontecido e de todas as revelações, Erika não se sentiu mais próxima da verdade e achou que estava muito distante de ser readmitida e conseguir seu distintivo de volta. Quando chegou à sala do apartamento, acendeu a luz e se viu refletida na janela, assim como a imagem da sala. Ela voltou ao interruptor e apagou a luz novamente. Pela janela, olhou para a rua deserta lá embaixo, estava tudo sossegado. Quieto.

CAPÍTULO 44

Nos dois dias que se seguiram, Moss e Peterson tiveram que ir ao tribunal e apresentar evidências sobre o homem armado no supermercado em Sydenham. Boa parte da equipe que iniciou o trabalho de investigação da morte de Andrea tinha sido transferida para outros casos depois que Marco Frost foi acusado do assassinato. Erika estava presa em um limbo, aguardando a audiência relativa à sua má conduta. Ela recebeu uma ligação de Marsh naquela manhã.

– Você e Moss procuraram Linda Douglas-Brown e Giles Osborne? – perguntou com raiva.

– Sim, senhor.

– Os dois reclamaram comigo, e Sir Simon está ameaçando prestar uma queixa formal.

Então, você atende as ligações deles e as minhas, não?, era o que Erika queria falar. Ela mordeu o lábio e disse:

– Senhor, eu estava lá como conselheira da Detetive Moss; nas duas ocorrências, não me pediram para apresentar identificação.

– Pare com isso, Erika.

– O senhor está sabendo que recuperamos o segundo celular da Andrea, senhor?

– Estou, sim. Moss fez o relatório.

– E?

– *E...* você reteve evidência. O bilhete que recebeu.

– Mas, senhor, o bilhete...

– O bilhete pode ter vindo de muitos lugares. Pense nos seus antigos colegas de Manchester. Ainda há muita raiva em relação a você... – Marsh recuou. – Desculpe. Isso foi injusto... Eu acho, Erika, que você precisa deixar isto pra lá.

– O quê? O senhor viu as fotos?

– Vi, eu vi as fotos e li com muito cuidado o relatório da Moss; apesar de poder escutar a sua voz enquanto lia. Ele ainda não prova nada, você não tem absolutamente nenhum fundamento para provar que o tal... que aquela pessoa, quem quer que seja, estava envolvida nas mortes de Andrea ou Ivy.

– Ou de Tatiana, Karolina, Mirka?

– O que você conseguiu fazer muito bem foi deixar uma porrada de gente puta e, metaforicamente, cagar na memória de Andrea Douglas-Brown.

– Mas, senhor, eu não tirei aquelas fotos em que ela...

– Ela tinha um celular secreto, pelo amor de Deus! Todo mundo tem segredos!

– Imagino que esta conversa seja extraoficial.

– É, é, sim, Erika. E tenho que te informar que *você* é extraoficial. Você está suspensa. Então, seja sensata. Aproveite que está recebendo seu salário integral. Fontes seguras me disseram que se você ficar na sua e de boca fechada, vai ser reintegrada no mês que vem.

– Ficar na minha até o quê? Até Marco Frost ser preso por uma coisa que ele não fez?

– Suas ordens...

– Vindas de quem? – disse ela, cortando-o. – De você, do Comissário Assistente Oakley ou de Sir Simon Douglas-Brown?

Marsh ficou em silêncio por um momento.

– O funeral de Andrea Douglas-Brown é amanhã. Não quero te ver lá. E não quero ouvir falar de você metendo o nariz em mais nada. Quando isso acabar, *se* você for reintegrada, vou me certificar de que seja transferida para uma delegacia muito, mas muito longe daqui. Fui claro?

– Sim, senhor.

Marsh desligou. Erika sentou-se no sofá. Enfurecida, ela xingou o superintendente e depois a si mesma. Será que tinha pirado? Seus instintos falharam desta vez?

Não. Não falharam.

Ela fumou um cigarro e depois foi escolher algo apropriado para um funeral.

CAPÍTULO 45

Erika levantou antes de o dia clarear e ficou sentada fumando e tomando café à janela da frente. O dia estendia-se diante da detetive, cheio de obstáculos, e ela tinha que navegar por ele da maneira mais tranquila possível. Tomou um banho e, quando saiu, logo depois das 9h, o céu ainda estava tingido de um azul acinzentado. Erika achava que não era justo ir ao funeral de alguém tão jovem; talvez o dia estivesse protestando, recusando-se a começar.

Ela procurou em sua mala algo apropriado para usar no funeral de Andrea, mas se deu conta de que a maior parte de seu guarda-roupa era adequada para funerais. No fundo, ela encontrou o elegante vestido preto que tinha usado havia mais de um ano em uma festa de Natal organizada pela Polícia Metropolitana de Manchester. Lembrava-se claramente daquela noite; da preguiçosa tarde que a antecedeu, quando ela e Mark fizeram amor, e depois ele preparou a banheira para ela, colocando seu óleo de sândalo preferido na água fumegante. Mark sentou-se ao lado da banheira, e eles conversaram e beberam vinho, enquanto ela desfrutava da água. Quando chegou o momento de colocar o vestido, Erika o achou justo e reclamou que estava gorda. Mark deslizou o braço ao redor da cintura da esposa, puxou-a para perto de si e falou que ela era perfeita. Erika foi à festa orgulhosa de estar de braços dados com ele, sentindo o calor de ser amada, de ter alguém especial.

Agora, ao colocar o vestido em frente ao pequenino espelho no quarto úmido e com pouca mobília, ele pendeu frouxo em seu corpo esguio. Fechou os olhos e tentou imaginar a sensação de Mark ao seu lado, puxando-a para abraçá-la. Mas não conseguiu... Estava sozinha. Abriu os olhos e encarou seu reflexo.

– Não consigo fazer isso sem você. A vida... tudo... – reclamou ela. Em seguida, dentro da cabeça, Erika escutou o que Mark costumava falar quando achava que ela estava sendo dramática demais: *Desce da cruz, tem gente precisando da madeira!*

Ela riu, apesar das lágrimas, e falou:

– Eu preciso retomar as rédeas, não preciso?

Enxugou os olhos e pegou o estojo de maquiagem, intocado havia meses. Não era grande fã de maquiagem, mas passou um pouco de base e batom e olhou para seu reflexo. Perguntou-se por que estava indo ao funeral, desobedecendo o chefe novamente. Fazia aquilo por Andrea, por Karolina, Mirka... Tatiana.

E por Mark... Como no caso das garotas, a pessoa que o matou nunca foi capturada.

A igreja de Our Lady Of Grace & St Edward, na rua comercial de Chiswick, era uma lúgubre construção de aparência industrial. Sua estrutura quadrada de tijolos vermelhos seria mais apropriada para uma estação elevatória de água da era vitoriana do que uma igreja. Em sua torre alta e simples, um sino tocou, mas o trânsito continuou passando incessantemente. Um carro fúnebre reluziu na luz cinza da manhã com as janelas de trás abarrotadas de flores. Erika aguardou no lado oposto da rua, observando o trânsito enquanto as pessoas de luto entravam em fila.

Ela só conseguia distinguir, em meio à penumbra das portas da frente, Simon, Giles e David. Estavam de preto entregando os folhetos litúrgicos. As pessoas estavam elegantes e eram muito mais velhas do que Andrea. Enquanto Erika observava, três ex-membros do gabinete de Tony Blair desceram de um elegante Mercedes e foram calorosamente cumprimentados por Simon ao entrarem na igreja. Um pequeno grupo de fotógrafos teve permissão para comparecer ao funeral e estava posicionado em uma calçada a certa distância, e seus obturadores funcionavam de maneira quase respeitosa.

Era uma história que não precisava de estímulo nem de encenação. Uma garota tinha morrido, muito jovem, e as pessoas ali estavam de luto. É claro, esse não era o capítulo final. Marco Frost enfrentaria o tribunal nos meses por vir, e sem dúvida os complexos e sórdidos detalhes da vida e morte de Andrea seriam repetidos, requentados e debatidos de uma maneira nova. Contudo, por ora, aquele ali era um ponto final. O fechamento de uma etapa.

Uma vistosa BMW parou ao meio-fio. Marsh e Oakley saíram de ternos pretos. Marcie e a vistosa esposa de meia-idade do Comissário Assistente desceram em seguida, também de preto. Eles moveram-se rapidamente para a entrada da igreja, parando por um instante para falar com Simon e Giles, e para abraçar David, que parecia vulnerável, apesar de ser mais alto que Giles e que o pai.

As últimas pessoas a chegarem ao funeral foram a mãe de Andrea, Linda e a senhorinha de pálpebras baixas. Uma limusine parou ao meio-fio, Linda irrompeu na calçada e deu a volta até a porta do lado oposto, onde ajudou Diana a sair do carro. Tanto ela quanto a senhora, cujo nome Erika ainda não sabia, estavam dolorosamente magras, chiques e elegantes de preto. Linda estava enrolada em uma faixa de gaze preta disforme, com uma jaqueta escura de lã e tinha um grande crucifixo de madeira dependurado ao redor do pescoço. Seu cabelo castanho acinzentado estava arrumado, mas parecia que alguém tinha colocado uma tigela em sua cabeça e cortado em volta. Seu rosto estava desprovido de maquiagem e dava a impressão, mesmo no frio, de que ela suava. Os fotógrafos se interessaram muito por elas e dispararam suas máquinas. Diana e a mulher idosa baixaram a cabeça, mas Linda encarou as câmeras desafiadoramente. Erika aguardou mais alguns minutos até achar que todos que compareceriam ao funeral já estavam lá dentro, atravessou a rua e entrou furtivamente na igreja.

Ela se sentou em um banco ao fundo da igreja abarrotada. Um bonito e ornado caixão de madeira estava apoiado em um suporte em frente ao altar, enfeitado com uma coroa de flores brancas. A família Douglas-Brown ocupava o banco da frente, e quando o órgão da igreja parou, Erika notou Diana olhando freneticamente ao redor enquanto as pessoas na igreja aquietavam-se. O padre, com uma túnica branquíssima, moveu-se para a frente e deu a impressão de estar aguardando um sinal para informá-lo que já era apropriado começar. Entretanto, Simon negou com a cabeça. Em seguida, ele se inclinou para debaixo da aba do enorme chapéu de Diana, onde pareciam estar deliberando. Linda aproximou-se pelo outro lado e se juntou à discussão. Erika se deu conta sobre o que estavam conversando: David ainda não estava no banco. Então, Linda se levantou lá na frente, à vista de toda a congregação, chegou a apenas alguns centímetros do caixão de Andrea e fez uma ligação de seu celular. Constrangido, o padre aguardava no altar. Linda falou poucas palavras antes de desligarem na cara dela. Ela ligou novamente para o número e esticou o braço para entregar o celular ao pai.

– Linda... *Linda!* – chamou Simon, acenando para que ela se aproximasse. Linda bufou, parada, antes de desistir e aproximar-se um pouco mais do pai. Ele pegou o celular e a conversa ficou bem acalorada. Erika não conseguia decifrar o que estava sendo dito, mas o tom nervoso dele reverberava pela igreja. A congregação estava agora mexendo-se nos bancos inquieta. A cena se sobrepunha desconfortavelmente ao caixão lustrado e coberto de flores. O murmúrio da voz de Simon parou de repente, e Erika se mexeu no banco para ver o que estava acontecendo.

Foi então que ouviu, de seu assento ao lado da porta, o toque baixinho de um celular. Simon se moveu para a lateral, com o celular na orelha. Erika levantou-se de seu assento e saiu furtivamente.

Havia muitas casas e lojas construídas próximo à igreja, deixando apenas um pátio em frente a ela e uma fina faixa de calçamento ao longo de uma de suas laterais, terminando em um muro alto. David estava em pé ao lado dele com um cigarro apagado entre os dentes. Ele enfiou seu celular dentro do blazer.

Erika caminhou na direção dele.

– Precisa de fogo? – perguntou ela, pegando seu isqueiro.

David olhou para ela por um segundo e inclinou-se para aproximar-se do isqueiro, colocou as mãos ao redor da chama e tragou furiosamente, fazendo a ponta do cigarro brilhar vermelha.

Erika também acendeu um e tragou.

– Você está bem? – perguntou ela, enfiando o maço de cigarro de volta no bolso do casaco. David estava dolorosamente magro, com as bochechas fundas. A pele tinha cor de mel, e havia uma pequena quantidade de espinhas. Apesar disso, seu rosto ainda era bonito. Tinha os mesmos olhos castanhos e lábios grossos de Andrea. Ele encarou Erika com os olhos semicerrados e deu de ombros.

– Por que você não está lá dentro para a missa? – perguntou Erika.

– Isso é bobagem... Meus pais planejaram essa pretensiosa homenagem, o que não tem *nada* a ver com quem Andrea era. Ela era uma vagabunda escandalosa e grossa e completamente aérea. Mas ela era boa... Era muito legal quando ela estava por perto. Odeio aquela frase: "ela iluminava o lugar". As pessoas falam isso o tempo todo, mas com ela era verdade. Meu Deus, por que tinha que ser Andrea e não Lin... – sua voz se extinguiu e ele ficou envergonhado.

– Linda?

– Não... Eu não quis dizer isso. Mas eu acho que a Linda é tão desesperada por atenção que ela bem que ia gostar de ser brutalmente assassinada. Ia ser mais interessante do que escrever no perfil do facebook dela "Sou florista e gosto de gatos..." – David começou a chorar. – Merda, merda, merda... Jurei que não ia usar isto – disse ele, tirando um pacotinho de lenços do bolso.

– Olha, David... Vai se arrepender se não entrar lá. Confie em mim, você precisa de um ponto final. Outra frase clichê, eu sei.

David assoou o nariz e pegou outro lenço do pacote.

– Por que você está aqui? – perguntou ele.

– Vim prestar meus pêsames.

– Você sabe que os meus pais culpam você pela cobertura da mídia.

– E o que você acha?

– Acho que Andrea sempre foi honesta sobre sair com homens, sobre adorar sexo.

– E Giles?

– Ele queria uma esposa troféu. Alguém puro-sangue com quem misturar seus genes. Muitos primos se casaram na família dele. Você deve ter percebido que ele é um pouco circense.

– Circense?

– É, tipo aqueles personagens de show de horrores...

– Ah...

– Desculpa, tenho sido um cuzão.

– Você tem esse direito, hoje mais do que em todos os outros dias – disse Erika.

– É, e vocês pegaram o assassino. Marco Frost.

Erika deu um trago em seu cigarro.

– Você não acha que ele é o assassino, acha?

– Como sua mãe está lidando com tudo isso? – perguntou Erika.

– Se está querendo mudar de assunto, escolha uma pergunta menos idiota. Você está longe de parecer idiota – disse David, dando um demorado trago no cigarro.

– Okay – falou Erika, pegando a foto de Andrea no bar com o homem de cabelo escuro. – Você já viu este homem?

– Que mudança sutil... – disse David.

– David, por favor... É importante – insistiu Erika, olhando para o rosto do garoto.

Ele pegou a foto e mordeu o lábio.

– Não.

– Tem certeza?

– Tenho.

– Porque a Linda também estava lá nessa noite.

– Bom, eu não estava – afirmou David.

– Não acredito nisso – reclamou uma voz.

Erika virou e viu que Simon se aproximava atravessando o pátio. A cabeça dele estava inclinada para um lado e os olhos castanhos ardiam de raiva. Diana seguia-o de salto alto com passos vacilantes, o chapéu e os óculos um pouco fora do lugar.

– Você não tem respeito? – xingou ele, aproximando-se do rosto dela.

Ela se recusou a ser intimidada e o encarou de volta.

– David, por que você está aqui fora? – perguntou Diana, com a voz falhando, ao chegar perto deles.

– Estou perguntando ao David se ele viu este homem; um homem que acredito... – começou Erika.

Simon agarrou a foto, amassou e a jogou no chão. Depois agarrou o braço de Erika e começou a arrastá-la pelo pátio.

– Estou de saco cheio de você ficar se intrometendo nos meus assuntos – berrou ele.

Erika tentou se soltar, mas ele a segurava com força e continuou a arrastá-la na direção da rua.

– Estou fazendo isso por vocês, pela Andrea... – justificou Erika.

– Não. Você está fazendo isso para progredir nessa sua carreira de merda. Se eu te pegar perto de minha família de novo, vou conseguir um mandado de segurança. O meu advogado falou que tenho bases legais para isso!

Chegaram ao meio-fio exatamente quando um táxi estava passando. Simon esticou o braço e o carro mergulhou no espaço a frente deles. Sir Douglas-Brown abriu a porta com um puxão e jogou Erika lá dentro, batendo a cabeça dela na porta com o movimento.

– Leva essa puta para longe daqui – ordenou ele, batendo na janela do motorista e jogando uma nota de 50 libras lá dentro.

Erika olhou para ele de dentro do carro. Os olhos castanhos de Simon estavam furiosos.

– Você está bem, moça? – perguntou o motorista do táxi, olhando para ela pelo retrovisor.

– Estou, pode ir – respondeu ela.

O motorista arrancou, misturou-se ao trânsito e Erika ficou observando Simon Douglas-Brown encarando-a furiosamente da calçada. David estava caminhando lentamente para a entrada da igreja, com o braço da mãe enganchado no dele.

Por cima da jaqueta de couro, Erika esfregou o braço, que latejava onde Simon havia agarrado com força.

CAPÍTULO 46

Erika chegou ao crematório de Brockley algumas horas depois. Ele ficava em uma pequena área residencial, recuado em relação à rua principal. De seu apartamento, dava para ir a pé. Ela caminhou pelo sinuoso caminho da entrada, passou por sempre-vivas e viu Sargento Woolf do lado de fora da porta de vidro dupla do crematório. Ele usava um terno que não lhe caía bem, e seu papo estava vermelho por causa do frio.

– Obrigado por vir, chefe – agradeceu ele.

– Foi uma boa ideia – disse Erika. Ela deu o braço para ele e entraram juntos. A capela era agradável, embora um pouco institucional. O carpete e as finas cortinas vermelhas estavam desbotados, e as fileiras de bancos, um pouco lascadas.

Lá na frente havia um caixão de papelão sobre um balcão com revestimento de madeira que, a uma inspeção mais atenta, via-se que era uma esteira rolante.

Uma assistente social indiana de meia-idade estava sentada na fileira da frente com os três netos de Ivy. Eles tinham tomado banho; as duas meninas usavam vestidos azuis que combinavam, e o menino, um terno um pouco grande para ele. Os três apontaram seus olhares zangados para Erika e Woolf, com a mesma desconfiança que encaravam o restante do mundo. Havia mais três pessoas presentes no funeral sentadas perto do fundo: a mulher grande que Erika tinha visto no pub com Ivy, e uma mulher magra de cara fechada que tinha o cabelo loiro com uns cinco centímetros de raízes pretas. Sentado atrás delas, estava o proprietário do The Crown. Tinha penteado o cabelo loiro avermelhado bem rente à cabeça e estava grande e imponente em um terno elegante. Ele cumprimentou Erika com um gesto de cabeça quando se sentaram em assentos perto da porta.

Um padre levantou-se e fez uma missa respeitosa, porém impessoal, chamando-a sempre de Ivy *Norton*. Todos foram encorajados a rezar o pai-nosso, em seguida Erika surpreendeu-se ao ver Woolf se levantar e passar por ela. Ele foi até o púlpito e colocou os óculos. Respirou fundo e começou a falar:

> *When I am gone, release me, let me go.*
> *I have so many things to see and do,*
> *You mustn't tie yourself to me with too many tears,*
> *But be thankful we had so many good years.*
>
> *I gave you my love, and you can only guess*
> *How much you've given me in happiness.*
> *I thank you for the love that you have shown,*
> *But now it is time I travelled on alone.*
>
> *So grieve for me a while, if grieve you must,*
> *Then let your grief be comforted by trust.*
> *It is only for a while that we must part,*
> *So treasure the memories within your heart.*
>
> *I won't be far away for life goes on.*
> *And if you need me, call and I will come.*
>
> *Though you can't see or touch me, I will be near.*
> *And if you listen with your heart, you'll hear,*
> *All my love around you soft and clear.*
>
> *And then, when you come this way alone,*
> *I'll greet you with a smile and a "Welcome Home".*

Quando Woolf terminou, Erika estava com os olhos cheios de lágrimas e sentia-se quase com raiva. A leitura tinha sido algo comovente e bonito

---

* Tradução literal:

Quando eu morrer, me solte, me deixe ir./ Eu tenho tantas coisas para ver e fazer,/ E você não deve ficar preso a mim com suas lágrimas,/ Mas deve ficar agradecido pelos bons anos que tivemos.// Eu te dei o meu amor, e você só pode imaginar/ O quanto me fez feliz./ Eu agradeço por todo amor que você demonstrou,/ Mas agora é hora de eu seguir sozinha.// Então, fique de luto por um tempo, se for importante para você,/ Mas, depois, deixe a sua dor ser consolada pela certeza./ Nós ficaremos separados apenas por um tempo,/ Então cultive as lembranças em seu coração.// Eu não estarei muito longe, a vida continua./ E se precisar de mim, é só me chamar.// Embora você não consiga me ver ou tocar, eu estarei sempre por perto./ E se você ouvir seu coração, você escutará/ Todo o meu amor, claro e suave.// Então, quando você vier ao meu encontro,/ Eu estarei aqui com um sorriso para te receber e dizer: "Seja bem-vindo".

de se fazer, mas ela tinha achado que ficaria sentada ouvindo um triste, embora inevitável funeral. Porém, a leitura de Woolf tinha comovido-a profundamente e a transportado para um lugar onde não queria ir. Quando Woolf voltou para o assento, viu Erika chorando. Ele fez um gesto desajeitado de cabeça para ela e seguiu na direção da porta. Em seguida, uma música começou a tocar e o caixão de Ivy rolou através de uma cortina, que se abriu e fechou com um leve zumbido.

Woolf estava esperando ao lado de um círculo de pequenos canteiros vazios perto da porta, quando Erika saiu.

— Tudo bem, chefe?

— Está, sim, tudo bem. Bonito poema — respondeu ela.

— Achei na internet. O nome é *To those whom I love and those who love me*,[*] é anônimo. Achei que Ivy merecia algo em sua despedida — disse ele, constrangido.

— Vocês vão ao velório? — perguntou uma voz. Eles se viraram e viram o proprietário do The Crown.

— Tem velório? — perguntou Erika.

— Bom, algumas bebidas. Ivy era frequentadora assídua.

Os olhos de Erika capturaram as duas mulheres, gorda e magra; estavam fumando debaixo de uma árvore nos pequenos jardins memoriais.

— Peraí, volto em um segundo — pediu Erika. Aproximou-se delas apressada, tirando da bolsa uma foto de Andrea com o homem de cabelo escuro.

— Você é muito cara de pau — xingou a mulher grande, quando Erika as alcançou.

— Preciso fazer uma pergunta a vocês... — começou Erika, mas a mulher inclinou a cabeça para trás e cuspiu na cara dela.

— Você é muito cara de pau de ficar lá chorando essas lágrimas de crocodilo. Você é a razão de Ivy estar morta, sua filha da puta!

E saiu, deixando a loira maltrapilha encarando o choque de Erika.

— É, e a gente não sabe de nada — adiantou-se, dando uma olhada na foto, antes de sair atrás da companheira grandona.

Erika procurou um lenço na bolsa e limpou o rosto.

---

[*] Tradução literal:
Para aqueles que amei e aqueles que me amam.

Quando voltou, viu que Woolf tinha ido embora, mas o proprietário esperava por ela.

— Seu colega recebeu uma ligação e teve que ir embora — informou ele. — Quer tomar uma?

— Você quer mesmo que eu volte ao seu pub depois da última vez?

— Ah, eu sei lá. Acho que as loiras problemáticas me atraem — justificou ele, sorrindo e dando de ombros. — Qual é, você está me devendo. Eu te livrei de uma aquele dia.

— Por mais tentador que seja receber um convite pra sair em um funeral... sinto muito, mas tenho que ir embora.

— Como quiser — concordou ele. — Você está atrás desse aí? George Mitchell?

Erika ficou paralisada e perguntou:

— O quê?

— A foto... — respondeu ele. — Em que George está metido agora?

— Você conhece este homem?

Ele riu e disse:

— Sei quem é, mas não consideraria o cara um amigo.

Erika levantou a foto e perguntou:

— O nome desse homem é George Mitchell?

— É. E agora você está me deixando preocupado. Esse é o tipo de cara que eu não quero foder. Isso não vai dar problema pra mim, vai?

— Não... Você sabe onde ele mora?

— Não, e isso é tudo o que eu vou te dizer. Não sei de nada. Nunca falei com você, okay? Estou falando sério, okay?

— Tudo bem. Okay... — falou Erika.

Toda aquela conversa sobre tomar uma desapareceu, e ela observou o dono do The Crown se afastar do crematório, entrar no carro e ir embora. Erika virou-se e olhou novamente para a construção baixa com seu terreno imaculado. Uma fumaça preta saia lentamente de uma chaminé comprida e alta.

— Vá, Ivy. Agora você está livre para voar — disse Erika, empolgada. — Acho que acabei de achar o filho da puta que fez isso com você.

CAPÍTULO 47

Passava um pouco das 22h, e Erika tinha deixado várias mensagens para Moss, Peterson, Crane e até para Woolf. Ninguém estava disponível quando ela ligou para Lewisham Row, então ela deixou mensagens nos celulares.

Não tinha ideia se ainda estavam trabalhando, mas supôs que, ao contrário dela, todos tinham vida social fora do trabalho. Quando chegou do funeral, tinha passado em uma cafeteria e procurado George Mitchell na internet. Não conseguiu nada que fosse interessante.

Ela foi à geladeira para servir outra taça de vinho, mas viu que a garrafa estava vazia. De repente sentiu-se cansada; precisava dormir.

Erika apagou a luz, foi para o banheiro e tomou um longo banho quente. Quando saiu, a combinação de ar frio e vapor rodopiante irritou-a. Sentia falta do banheiro luxuoso de sua casa, que agora estava alugada. Na verdade, sentia falta da casa como um todo: da mobília, da cama antiga, do jardim... Ela tentou ligar o exaustor mais uma vez, depois esfregou o espelho para desembaçá-lo. Decidiu que se ninguém desse retorno até a manhã seguinte, iria à delegacia Lewisham Row. Ao subir na cama, tentou falar com Peterson novamente, e depois com Moss. Deixou mensagens para ambos, repetindo que sabia o nome do homem na foto. Em seguida, sentindo-se frustrada e irritada, Erika apagou a luz.

Pouco antes da meia-noite, Erika estava dormindo suavemente. Passageiros do último trem tinham passado em frente ao apartamento e o silêncio acomodou-se na rua lá fora. O suave brilho dos postes entrava pela sala e se derramava na parede do fundo do banheiro. Dormindo, Erika rolou e trocou o lado da cabeça no travesseiro. Ela não escutou o som do exaustor do banheiro sendo tirado e balançar, roçando na parede de um lado para o outro.

Erika acordou de repente de um sono sem sonhos. Estava escuro e o relógio ao lado da cama mostrava, com um brilho vermelho, 00:13. Arrumou o travesseiro e se virou para voltar a dormir quando ouviu um leve rangido. Prendeu a respiração. Rangido novamente. Passaram-se alguns segundos e ela escutou o roçar de folhas de papel na sala, depois ouviu uma gaveta ser aberta, quase silenciosamente. Seus olhos percorreram o quarto em busca de uma arma ou algo com que se defender.

Não havia nada. Então, viu o abajur ao lado da cama. Era de metal, pesado, como um pequeno castiçal. Muito calmamente, sem tirar os olhos da porta, Erika inclinou-se ao lado da cama e o tirou da tomada. Prendendo a respiração, enrolou o cabo ao redor da base da lâmpada e ouviu um leve rangido em frente à porta do quarto.

Segurando o abajur, desceu cuidadosamente da cama. Escutou um rangido mais distante na sala, afastando-se da porta. Ficou parada, ouvindo. Silêncio... Erika moveu-se rapidamente até onde seu celular estava carregando no chão ao lado da parede e o ligou, desejando, naquele momento, um telefone fixo. Ouviu outro rangido. Desta vez, estava vindo do lado de fora do banheiro. Parte dela queria apenas que quem quer que fosse tivesse se dado conta de que não tinha nada ali que valia a pena roubar e fosse embora. Quando Erika estava movendo-se lentamente na direção da porta, tomando cuidado para colocar seu pé descalço de maneira equilibrada e suave no assoalho de madeira, o celular tocou a música do aparelho sendo ligado. Ela reverberou pela sala.

Merda, que burrice do caralho. Seu coração disparou. Silêncio novamente. Em seguida, um som de passos na direção do quarto, passos pesados, confiantes, nada rasteiros e sem medo algum de serem ouvidos.

Aconteceu de repente: a porta foi aberta com um chute, e uma figura, de preto dos pés à cabeça, voou pra cima dela e a agarrou pela garganta com uma luva de couro preta e os olhos brilhantes através de um gorro. Erika ficou chocada com a força da mão e sentiu sua garganta e traqueia sendo esmagadas. Lutou, segurando o abajur, mas ele escorregou de sua mão e caiu na cama. A figura empurrou-a de volta para a cama, o tempo todo apertando-lhe a garganta.

Erika chutava, balançando a perna, mas a figura dava guinadas habilidosas para o lado, prendendo as duas pernas dela com uma coxa. Ela esticava os braços, tentando agarrar o gorro, mas a figura tinha prendido seus braços com cotovelos pontudos.

As mãos apertavam seu pescoço. Ela não conseguia respirar, nem fazer nada. Sentiu a baba escorrer de sua boca aberta até o queixo. O sangue parecia preso no rosto e na cabeça, e aquelas mãos continuavam espremendo, espremendo com tanta força que ela achou que sua cabeça poderia explodir antes que sufocasse. A figura estava muito tranquila. Muito calma. Sua respiração tinha um ritmo estável e os braços tremiam devido à força que fazia para continuar apertando.

A dor era insuportável; os polegares na traqueia empurravam e esmagavam. Erika estava começando a ver manchas pretas. Elas se espalhavam e aumentavam.

Então, a campainha de Erika tocou. O aperto em sua garganta ficou mais forte e o restante de sua visão começou a falhar. A campainha tocou de novo, mais demoradamente. Deram um murro na porta, e ela escutou a voz de Moss.

– Você está aí, chefe? Desculpe te procurar tão tarde, mas preciso falar...

Ela ia morrer, sabia disso. Estava derrotada. Flexionou os dedos e sentiu o abajur na cama ao seu lado. Sua visão estava sendo inundada pela escuridão. Ela recolheu toda a energia que conseguiu e forçou os dedos na direção do abajur, que saiu um pouco do lugar. Moss bateu mais uma vez. Erika usou o restante de sua energia para dar um empurrão no abajur. Ele caiu da cama, bateu no chão e a lâmpada quebrou, fazendo um barulhão.

– Chefe? – chamou Moss, esmurrando a porta de novo. – Chefe? O que está acontecendo? Vou arrombar a porta!

De repente, o aperto no pescoço de Erika afrouxou, e a figura fugiu do quarto. Erika ficou deitada ali, engasgando, tentando puxar ar para dentro da garganta devastada e dos pulmões. Um baque anunciou que Moss tentava derrubar a porta. Com dificuldade, Erika conseguiu puxar o ar uma vez, duas; se ergueu, e quando um pouco de oxigênio atingiu o restante de seu corpo, a visão começou a voltar. Com uma determinação super-humana, ela se arrastou até a beirada da cama e caiu ruidosamente no assoalho de madeira, sentindo cacos de lâmpada furarem seu braço. Ela cambaleava na direção da porta sem se importar se a figura ainda estava lá.

Moss tentou derrubar a porta com o ombro outra vez, o que fez um barulho ainda mais alto. Na terceira tentativa, ela rachou, lascou e abriu violentamente.

– Jesus, chefe! – berrou Moss, correndo para onde ela estava deitada no chão. Erika continuava tentando puxar o ar, segurando a garganta. O sangue escorria abundantemente do corte no braço e cobria o queixo e a garganta. Seu rosto estava cinza e ela desabou para trás na porta.

– Puta merda, chefe, o que aconteceu?

– Sangue... só o meu braço – grasnou Erika. – Tinha alguém... aqui...

CAPÍTULO 48

Moss agiu rápido, chamou reforço, e em minutos o apartamento de Erika estava cheio de policiais. Depois, uma equipe de peritos colheu material das unhas e do pescoço dela, e em seguida disse que precisava tirar toda a roupa da detetive.

A vizinha idosa tinha ficado relutante em abrir a porta para Moss, mas quando viu polícia, ambulância e peritos forenses perambulando para cima e para baixo na escada, relaxou e os deixou entrar.

Erika estava de macacão branco. Tudo no apartamento dela era agora parte da cena do crime. Dois paramédicos entraram e fizeram uma bandagem em seu braço e ela sentou-se no pequeno sofá na sala da senhora. Periquitos saltitavam e bicavam em uma gaiola no alto da parede.

– Ai, minha querida, você quer uma xícara de chá? – ofereceu a mulher enquanto dois paramédicos, um homem e uma mulher, examinavam Erika.

– Não acho que chá quente seja uma boa ideia – orientou o paramédico.

Erika se viu em um espelho acima da lareira, que ficava um pouco inclinado para mostrar a sala inteira. O pescoço estava inchado e havia vergões vermelhos e irritados; o branco dos olhos estava todo rosa. No canto do olho esquerdo, uma mancha vermelha floresceu.

– Você estourou um pequeno vaso no olho esquerdo – confirmou o paramédico, iluminando o olho com uma lanterna clínica. – Consegue abrir bem a boca pra mim? Vai doer, mas abra o máximo que puder, por favor.

Erika engoliu dolorosamente e abriu a boca. O paramédico iluminou sua garganta.

– Okay, está bom... agora, você consegue manter a boca aberta e dar um suspiro, mas fazendo barulho?

Erika tentou, mas começou a engasgar.

– Okay, vai devagar... Não vejo nenhuma evidência de fratura da laringe nem de edema das vias respiratórias superiores.

– Isso é bom, não é? – perguntou Moss, que tinha aparecido à porta.

O paramédico fez que sim com um gesto de cabeça.

– Que tal uma boa bebida gelada? Tenho um pouco de groselha negra na geladeira – sugeriu a senhora, que estava ao lado deles com um comprido roupão e usava uma fileira impecável de rolinhos por baixo de sua redinha de cabelo.

– Só um pouco de água na temperatura ambiente – disse a paramédica. – Você tem algum outro ferimento? Além do braço? – acrescentou ela.

Erika negou com a cabeça, recuando.

– Agora fique quieta um pouco, chefe. Vou lá conversar com a equipe que está no seu apartamento – informou Moss, saindo.

– Vamos ficar esperando lá embaixo; a gente precisa dar pontos nesse braço – disse a paramédica que tinha feito a bandagem.

Erika confirmou com um gesto de cabeça enquanto pegavam a caixa de primeiros socorros para saírem. A senhora voltou com um pequeno copo de água. Erika o aceitou agradecida e deu pequenos goles cautelosos. Ela tossiu e engasgou, e a senhora aproximou-se rapidamente com um lenço.

– Tente de novo, querida, dê golinhos bem pequenininhos – aconselhou ela, segurando o lenço debaixo do queixo de Erika. Ela conseguiu dar um gole bem pequeno, mas sentiu muita queimação.

A mulher prosseguiu:

– Nesta área, quando me mudei pra cá, em 1957, nós todos nos conhecíamos. Você podia deixar a porta aberta; era uma verdadeira comunidade. Mas hoje em dia... Não passa uma semana sem a gente ouvir falar de um assalto ou uma invasão... Pode ver que coloquei grades em todas as janelas e tenho um alarme residencial que eu mesma disparo.

Ela deu um tapinha em um pequeno botão vermelho pendurado no pescoço. Alguém bateu na porta. A mulher se levantou e voltou alguns momentos depois.

– Tem um sujeito negro e alto falando que é policial – disse a mulher, entrando cuidadosamente na sala com Peterson.

– Nossa, chefe... – disse ele.

Erika deu um sorriso fraco.

– Você é chefe dele? – perguntou a mulher.

Erika deu de ombros e depois confirmou com um gesto de cabeça.

– Você é policial?

– Ela é detetive inspetora chefe – revelou Peterson. – Temos uma tonelada de policiais fazendo um porta a porta, mas nada... quem quer que tenha feito isso vazou.

– Meu Deus! E pensar que isso aconteceu com uma detetive inspetora chefe! E o restante de nós? Quem fez isso não deve ter medo. E você é o quê? – perguntou a velhinha à Peterson.

– Sou policial.

– Eu sei, querido; qual é a sua patente?

– Detetive inspetor – respondeu Peterson.

– Sabe quem você me lembra? – perguntou a mulher. – Qual é aquele programa sobre um policial negro?

– *Luther...* – respondeu Peterson, tentando não parecer irritado.

– Oh, isso, Luther. Ele é muito bom. Alguém já te falou que você parece um pouco com ele?

Apesar de tudo o que tinha acontecido, Erika sorriu.

– Pessoas como você geralmente falam isso...

– Oh, obrigada – agradeceu a senhora, sem captar o que ele quis dizer. – Eu tento mesmo assistir a bons programas na televisão; nada daqueles negócios que eles chamam de *reality shows*. Qual é a patente do Luther?

– Acho que ele é detetive inspetor chefe. Olha...

– Bom, se ele consegue, você consegue também! – incentivou a senhora, dando um tapinha no braço dele.

– Pode por favor nos dar licença um minuto, senhora? – pediu Peterson.

A mulher concordou e saiu. Ele revirou os olhos. Erika tentou rir, mas doía.

– Nossa, chefe, eu sinto muito – disse Peterson, pegando seu caderno e folheando até uma página em branco. – Levaram alguma coisa?

Erika negou e depois deu de ombros. Só conseguia gesticular sim ou não com a cabeça, e Peterson fazia todas as perguntas de praxe, mas, além de a figura ser alta e forte, ela não conseguia dar nenhuma outra informação.

– É patético – engoliu Erika dolorosamente. – Eu devia ter...

Ela fez um gesto de arrancar o gorro.

– Chefe. Está tudo bem. Depois que passa, temos a impressão de que era muito simples – consolou Peterson.

Moss voltou, carregando a armação do exaustor.

– Ele entrou usando o cano de ventilação – informou ela.

– Era... não sei, eu acho que era um homem – sussurrou Erika.

– Chefe, a perícia forense vai trabalhar noite adentro. Você tem onde ficar? – perguntou Peterson.

– Hotel – sussurrou novamente.

– Não, chefe, você vai ficar comigo – afirmou Moss. – Tenho um quarto vago. Também posso te emprestar umas coisas para vestir... parece que você está saindo para uma noitada do final dos anos 1990.

Erika tentou rir novamente, mas estava dolorido. De um jeito estranho e confuso, sentiu-se contente. Ele tinha ido atrás dela. Erika estava na cola dele.

CAPÍTULO 49

A figura acelerou pela rua comercial de Camberwell, berrando enfurecida dentro do carro sem se importar com a velocidade.

Eu estava tão perto, porra! TÃO PERTO!

Suas narinas se abriam e lágrimas jorravam de seus olhos. Eram lágrimas de fúria e dor. A saída do apartamento da Detetive Foster foi aterrorizante, escorregando pela parede de trás do prédio, mal conseguindo se segurar, depois batendo com força no muro de tijolos, antes de despencar na calçada. A figura não tinha se preocupado com a dor e continuou correndo pela escuridão na direção dos postes. Não se importava com quem a via, simplesmente corria, ensopada de suor. O medo e a dor juntaram-se para lhe dar uma explosão final de energia.

A Detetive Foster chegou tão perto. O brilho nos olhos dela tinha começado a se apagar, e então...

Um semáforo vermelho apareceu abruptamente no para-brisa. Quando a figura pisou com força no freio, o carro derrapou, gritando até parar, logo depois de ter avançado um cruzamento onde havia um pub. Um grupo de estudantes desceu da calçada e rodeou o carro, gargalhando e apontando.

Merda, ainda estou de gorro.

Alguns alunos esmurraram a traseira do carro ao passarem e um grupo de garotas olhava pelo para-brisa ao caminhar na frente do carro.

Calma, se controle, aja como eles: estudantes idiotas.

A figura arrancou o gorro dando uma disfarçada, fazendo caretas imbecis para os alunos. A loucura deve ter ficado evidente, porque o grupo de garotas gritou e se afastou assustado, enquanto um cara cambaleou para a frente e vomitou ao lado da janela.

O semáforo ficou verde, a figura pisou fundo no acelerador e saiu cantando pneu na direção da ponte Oval and Blackfriars.

Ela não viu nada, não tinha como. Minha cabeça estava coberta. Minha cabeça estava coberta...

O medo foi substituído pela raiva.

Ela me negou o assassinato.

CAPÍTULO 50

Moss levou Erika para o Lewisham Hospital, onde tiraram raio X da garganta e deram 12 pontos no corte do braço. Recomendaram que ela ficasse de repouso por uma semana e, mais importante, que não falasse.

Já passava das 4h quando ela foi embora de carro com Moss. A adrenalina que inundava o corpo de Erika tinha diluído e um cansaço devastador esmagou-a. Ela tremia ao seguir Moss pelo portãozinho de uma elegante casa em Ladywell. Uma mulher loira bonita abriu a porta, embalando um pequeno menino de cabelo escuro e pijama azul.

— Ele acordou, então achei que podia dar um oizinho rápido antes de levá-lo de volta para a cama – disse ela.

— Desculpe por perder a hora de colocá-lo para dormir – falou Moss, aconchegando o menino nos braços quando entraram. Plantou um enorme beijo na bochecha dele, que esfregou os olhos timidamente e sorriu.

— Estes são minha esposa, Celia, e o nosso filho, Jacob – apresentou Moss ao caminharem pelo aconchegante corredor de entrada.

— Oi, Erika – cumprimentou Celia, sem saber muito bem como lidar com a imagem do pescoço destruído, dos olhos rosa e do macacão de cena de crime.

— Você veio do espaço, moça? – perguntou Jacob, com uma expressão séria. Um fraco sorriso irrompeu no rosto de Erika e todos riram. O que foi bom para quebrar o gelo.

— Não... – sussurrou Erika.

— É, não existem criminosos no espaço. Aposto que seria uma paz – disse Celia. – Vou lá colocar este pequeno na cama. Por favor, sinta-se em casa, Erika. Você quer tomar um banho?

Erika fez que sim com um gesto de cabeça.

— Kate, pega uma toalha pra Erika lá no armário, enquanto coloco Jacob de volta na cama. Dê boa noite, Jacob.

— Boa noite, Jacob – disse ele com um sorriso.

– A cama no quarto de hóspedes está feita e coloquei o aquecedor pequeno lá – acrescentou Celia.

Moss deu um beijo em Celia e Jacob e eles saíram da sala.

– Família bacana – sussurrou Erika, sentando-se na beirada do sofá, sem saber muito bem o que fazer consigo mesma.

– O médico disse para você não falar, chefe... Obrigada. Tive muita sorte. O Jacob chegou há alguns anos. Foi a Celia que deu à luz. Eu adoraria ter uma garotinha. A gente sempre disse que cada uma teria um. É que.... o trabalho sempre acaba nos impedindo.

Erika sussurrou alguma coisa.

– O que foi?

Erika sacudiu a cabeça frustrada e tentou novamente:

– Não deixe para muito tarde... filhos.

Moss assentiu compreensiva. Ela foi à cozinha e voltou com dois copos de suco de laranja. O de Erika tinha um canudo.

– Parece que você está precisando de um pouco de açúcar.

Elas bebericaram por um momento.

– Coloquei um dos policiais do turno da noite para investigar George Mitchell no banco de dados. Nada.

Erika engoliu e balançou a cabeça.

– Chefe, alguém acabou de tentar te matar. Você não acha que tem alguma ligação?

Erika sentiu-se acabada. Não sabia se era o choque ou a exaustão, mas não se importava. Queria dormir. Ela concordou com um gesto de cabeça.

– Banho? – perguntou, olhando para si vestida com o macacão.

– Lógico, claro, chefe – disse Moss. Ela observou Erika por um momento. Preocupação misturada com um pouco de pena.

Erika ficou debaixo do chuveiro durante muito tempo, com o braço enfaixado estendido para cima, para evitar a água. Ela inalava o vapor, tentando livrar-se da terrível dor da garganta. Moss tinha lhe emprestado um pijama, e Erika o vestiu. Ela se olhou no espelho do banheiro. Os olhos ainda estavam esbugalhados e tingidos de rosa, e a garganta, tão inchada que lhe dava uma aparência de sapo. Abriu o armarinho de remédio, mas só havia analgésicos e medicamento para gripe. Erika queria ter encontrado algo para ansiedade ou algum comprimido para dormir, mas tomou um remédio para gripe com muito cuidado; mesmo assim a dor para engoli-lo era quase insuportável.

Quando saiu do banheiro, a casa estava escura e silenciosa, com exceção de uma pequena luminária no corredor. A caminho do local onde dormiria, ela parou no quarto de Jacob. A porta estava entreaberta e ele dormia profundamente debaixo de um cobertor azul. Um móbile girava acima da cama e luzes suaves deslizavam pelas paredes ao som de uma canção de ninar.

Moss colocava a vida dela em risco quase todos os dias, misturando-se com os loucos na rua e suas facas e revólveres, vinganças e ressentimentos. Jacob dormia, seu peito levantava e abaixava lentamente. O mundo dele eram suas duas mães, seus brinquedos e o móbile girando acima de sua cabeça com a musiquinha calma já perdendo o ritmo. Pela primeira vez, Erika questionou se aquilo tudo valia a pena. Prendia-se um bandido e dez outros apareciam no lugar dele.

Ela foi até o quartinho nos fundos da casa, subiu na cama de solteiro, colocou a coberta por cima da cabeça e tentou dormir. Toda vez que fechava os olhos, via a figura vindo para cima dela e espremendo a vida para fora de seu corpo. O rosto vazio debaixo da máscara de lã, apenas um par de olhos resplandecendo à meia-luz.

O fato de Moss ter chegado no momento exato foi obra do destino? Por que Erika tinha sido poupada? Mark era uma pessoa muito melhor do que ela jamais seria. Era gentil e paciente; um policial brilhante. Ele tinha criado um espaço neste mundo para si. Tinha praticado tanto bem, e ainda era capaz de muito mais.

Por que ele partiu e ela foi poupada?

CAPÍTULO 51

Erika ficou com Moss e Celia por alguns dias. No início, estava exausta e conseguia dormir. Mas logo, a dor na garganta e no braço, a frustração por não poder se comunicar e a claustrofobia no quartinho dos fundos da casa se apoderaram dela.

Celia era muito gentil, levava bandejas com sopa e revistas; e Jacob ia visitá-la quando voltava da escola. Algumas vezes levava seu pequeno DVD e eles sentavam-se para ver *Minions* ou *Hotel Transilvânia*.

Os detalhes sobre o caso ficavam dando voltas na cabeça de Erika. Ela retornava ao momento em que o corpo de Andrea foi encontrado debaixo do gelo, depois se lembrava do encontro com a família, Simon e Diana, cujas vidas tão ocupadas faziam com que criassem os filhos à distância. Linda e David eram como a água e vinho, e tiveram relações completamente diferentes com Andrea. Nenhum deles sabia o que a irmã estava fazendo na noite em que desapareceu, não sabiam porque ela tinha ido a um pub sujo e perigoso para se encontrar com George Mitchell e a mulher loira, ainda não identificada. Havia Ivy Norris, que por acaso tinha visto Andrea e seus companheiros naquela noite, assim como a garçonete, Kristina. De qualquer forma, nenhuma delas estava presente para contar a história completa.

E havia as três garotas mortas. Por lealdade e semelhança, Erika se recusava a chamá-las de prostitutas. Existia alguma ligação com Andrea? Com Ivy? Ou elas simplesmente estavam na esquina errada, na hora errada? E havia também Marco Frost, o cara que o Detetive Sparks tinha definido como principal suspeito, usando tênues, embora convincentes evidências que o ligavam a Andrea.

Os detalhes do caso cresciam e se emaranhavam na cabeça de Erika como uma gigantesca cama de gato. Em algum lugar havia um elo perdido, algo que pudesse ligar o homem que tentou matar Erika a todas as outras mortes.

Em sonho, o homem visitava Erika novamente, mas, assim que agarrava sua garganta, ela conseguia alcançar e arrancar o gorro que lhe cobria a cabeça.

Era sempre um rosto diferente: George Mitchell, Simon Douglas-Brown, Mark, David, Giles Osborne... até Linda. No último sonho de Erika, quando arrancou o gorro, era Andrea, com a mesma aparência de quando a encontraram morta: com os olhos arregalados, dentes expostos e seu comprido cabelo escuro molhado e cheio de folhas.

Os dias se passavam e Erika não recebia notícia alguma de Marsh. Moss estava ocupada com audiências no tribunal e outros casos, portanto só conseguiam conversar brevemente à noite. O banco de dados da polícia não tinha nada sobre George Mitchell, e uma busca nos registros eleitorais e bancos de dados financeiros também não renderam nada. Houve apenas um avanço: um fio de cabelo foi encontrado na roupa que Erika estava usando. Ele podia ser do agressor; porém, novamente, verificaram o banco de dados de DNA e não obtiveram resultado algum.

Na quarta manhã, a garganta de Erika estava começando a sarar, e ela já conseguia falar. Sabia que tinha que encarar as coisas e voltar ao apartamento. Agradeceu a Celia e deu um abraço de despedida em Jacob, que a entregou um desenho em que ela, vestida com um macacão, entrava em um OVNI que os levaria para o espaço com um grupo de Minions.

Ele resumia muito bem como ela se sentia.

O interior do carro estava quieto. Erika usava as roupas que Celia tinha lhe emprestado. Moss olhou para ela do banco do motorista.

— Chefe, você está bem?

— Estou.

— O que vai fazer?

— Sei lá. Tirar a fita de isolamento da polícia e depois visitar meu sogro.

— E o caso?

— Encontre George Mitchell, Moss. Ele é a chave.

— Mas, e você?

— Eu o quê? Estou suspensa. A coisa sensata a se fazer é esperar até a audiência, quando eu, assim espero, vou recuperar meu distintivo sem perder minha dignidade. Bom, não estou nem fodendo para minha dignidade, mas não posso fazer nada sem o meu distintivo.

Chegaram ao apartamento de Erika.

— Obrigada. Foi tudo realmente ótimo.

– Quer que eu entre?

– Não, pode ir trabalhar.

– Não vou desistir do caso, chefe – prometeu Moss.

– Eu sei. Mas você tem família. Faça o que você tem que fazer.

Quando Erika chegou, a fita amarela e preta ainda adornava a porta da frente. O apartamento estava uma zona. As superfícies estavam cobertas de pó magnético preto, usado para encontrar impressões digitais. Ela foi até o quarto e olhou fixamente para a cama. Dava para ver o contorno de seu corpo no edredom e as pernas compridas de quem a tinha agredido, com as marcas mais fundas dos joelhos onde tinha ficado por cima de Erika. Ela se aproximou e puxou a ponta do edredom. A impressão desapareceu. Rapidamente, ela fez a mala. Foi ao banheiro e recolheu os produtos de higiene pessoal, notando o pó de digitais no espelho e o buraco onde o exaustor ficava coberto com fita. Erika saiu de casa e seguiu puxando sua mala de rodinhas até a estação. O dia estava frio e claro, e ela parou na cafeteria em frente à construção, decidida a tomar um café, mesmo que doesse.

– Açúcar ou você já é doce? – sorriu o garçom bonito com piercing no lábio ao anotar o pedido dela.

– Estou precisando ser adoçada – respondeu Erika.

– A gente consegue providenciar isso – disse ele.

Erika ficou olhando-o trabalhar e, quando ele serviu o café, deu uma piscadinha. Erika devolveu o sorriso e atravessou a rua.

– Bom dia, tomara que você não tenha vindo fumar na minha bela saída da estação – disse o vendedor de bilhetes, abrindo a máquina de autoatendimento ao lado de Erika.

– Não, eu parei – disse Erika. Ela selecionou uma passagem só de ida para Manchester Piccadilly e enfiou o cartão de crédito.

– Bom pra você, querida – disse o vendedor de bilhetes, fechando a máquina. Ele sorriu e voltou para a estação. A passagem de Erika caiu na gavetinha de aço. Havia poucas pessoas na plataforma. Ela pegou o telefone e ligou para Edward, que atendeu depois de alguns toques. A voz dele se acendeu quando se deu conta de quem era. Erika falou que estava indo vê-lo e acrescentou:

– Espero não estar avisando muito em cima da hora.

– Não, de jeito nenhum, querida. Só preciso arrumar a cama no quarto de hóspedes – disse ele, transparecendo felicidade. – Dá uma ligadinha pra gente quando estiver chegando que coloco a chaleira no fogo.

– Vão ser só alguns dias...

– Muito ou pouco... pode ficar o tempo que quiser.

Erika desligou quando o trem fez a curva no trilho adiante. Tinha tomado o último gole de café e estava procurando uma lixeira quando seu celular tocou.

– Chefe, sou eu – disse Moss, ofegante. – Marco Frost acabou de ser solto.

O trem passou por baixo da passarela e um borrão de vagões veio em seguida.

– Solto? Por quê? – perguntou Erika.

– O advogado estava trabalhando no álibi dele e achou um vídeo de uma câmera de vigilância de uma delicatéssen em Micheldever.

O trem estava reduzindo a velocidade; Erika conseguia ver os passageiros dentro dos vagões.

– Onde é Micheldever? – perguntou ela, sentindo o entusiasmo crescer no estômago.

– Uma hora ao sul da estação London Bridge. Marco declarou, em seu segundo álibi, que lá era o lugar aonde tinha ido. Como você sabe, havia pouca evidência para respaldar isso. A Micheldever é uma estação minúscula sem câmeras... Esse era o problema da defesa, nada de câmeras de segurança – comentou Moss.

O trem parou e as pessoas na plataforma apressaram-se na direção dele.

– A câmera da delicatéssen mostrou Marco Frost parando do lado de fora para acender um cigarro às 20h50. A loja fica a 35 minutos a pé da estação, então ele chegou no trem das 20h10, que veio da London Bridge.

As portas do trem abriram depois de um aviso sonoro, e passageiros se aglomeraram ao redor de Erika.

Moss continuou:

– Ou seja, podemos considerar que Marco Frost estava a 1h30 de Londres por volta do horário em que Andrea desapareceu. É totalmente improvável que ele tenha conseguido voltar à estação e pegar o trem pra Londres naquela noite. Ele está fora de suspeita.

Os passageiros já tinham embarcado no trem. O fiscal estava em pé na beirada da plataforma, aguardando passarem os segundos até o horário da partida.

– É claro que agora o Marsh está desesperado. A Promotoria Pública vinha se vangloriando para a imprensa sobre como nós tínhamos capturado o assassino da Andrea, e agora um advogado dá uma ligada para uma delicatéssen, pede a cópia da fita da câmera de segurança e destrói o caso... Ainda está aí, chefe?

– Estou, sim – respondeu Erika.

O fiscal soprou o apito.

– Se afaste se não vai entrar no trem! – berrou ele, gesticulando para que Erika ficasse atrás da linha amarela. Ela olhou para dentro do vagão. Havia um banco livre ao lado da porta, e um ar frio soprava para o lado de fora. As portas acenderam as luzes e deram o aviso sonoro.

– Achei que fosse ficar muito feliz, chefe. – disse Moss.

– Eu estou, isso significa...

– Eu queria dar a notícia pra você, porque acho que o Marsh vai te ligar.

As portas do trem estavam prestes a se fechar quando um homem de jaqueta de couro desceu como um raio as escadas da passarela. Ele chegou à plataforma e mergulhou para dentro do vagão, mas as portas se fecharam exatamente em cima dele. Um apito ressoou e elas abriram para libertá-lo.

Um bipe começou a interromper a ligação e Erika viu que era uma chamada de Marsh.

– O superintendente está me ligando agora.

– Okay, vou liberar a linha – disse Moss. – Depois me ligue para contar o que está acontecendo.

As portas estavam se fechando. Era a última chance de entrar no trem e ir para o Norte. As portas se fecharam. Erika atendeu o telefone.

– Detetive Foster, como você está? – perguntou Marsh, transparecendo falsidade e pânico.

– Agora sei como uma galinha segundos antes da morte se sente – brincou ela.

O trem deu um estalo, zumbiu e afastou-se da plataforma.

– Desculpe por não ter entrado em contato, tem sido...

– É, eu soube que teve que soltar Marco Frost.

– Você estaria disposta a vir à delegacia? Precisamos conversar – disse ele.

Erika ficou em silêncio, observando o trem se distanciar e desaparecer por uma curva.

– Posso chegar aí em 15 minutos, senhor – respondeu a detetive.

Ela ergueu a mala e olhou para o mundo real, teve uma breve sensação de que se juntaria a ele.

Depois, se apressou na direção da saída da estação.

CAPÍTULO 52

Quando Erika entrou na delegacia Lewisham Row, havia uma briga na área da recepção. Dois adolescentes bateram ruidosamente no chão de concreto e começaram a rolar, estimulados por irmãos e mães igualmente jovens. O garoto maior subiu em cima do menor e começou a lhe dar socos na cara até seus dentes ficarem rosados de sangue. Woolf enfiou-se no meio da briga com o apoio de outros guardas. Erika passou pela confusão de cabeça abaixada, e Moss apertou o interfone para abrir a porta que dava acesso ao interior da delegacia.

– Cacete, é bom ver você aqui de novo – disse ela, quando começaram a andar pelo corredor.

– Calma aí. Só me chamaram para vir aqui, mais nada – disse Erika sentindo-se nervosa e empolgada.

– É, só que Marsh está surtando – informou Moss.

– É isso que acontece quando você deixa gente de fora comandar uma investigação – alfinetou Erika.

Chegaram à porta da sala de Marsh. Moss bateu e elas entraram na mesma hora. Marsh estava pálido, em pé em frente ao computador, assistindo às notícias da última hora no site da BBC News, anunciando que Marco Frost tinha sido solto.

– Obrigado, Detetive Moss. Detetive Foster, por favor, sente-se.

– Gostaria que Moss ficasse, senhor. Ela vem trabalhando nisto enquanto eu...

– Estou ciente de suas... *investigações*.

Depois de uma ligeira batida na porta, a secretária de Marsh enfiou a cabeça na abertura.

– Sir Simon Douglas-Brown está no telefone, disse que é urgente.

Marsh passou a mão pelo cabelo curto e mostrou-se acuado.

– Estou em uma reunião importante aqui, por favor, dê esse recado a ele e diga que vou ligar o mais rápido possível, obrigado.

A secretária concordou com um gesto de cabeça, saiu e fechou a porta.

– Sou a reunião importante do senhor? – perguntou Erika.

Marsh deu a volta na mesa e sentou-se. Erika e Moss puxaram suas cadeiras. Marsh tentou sorrir.

– Olha, Detetive Foster... Erika. O que aconteceu foi desastroso. Admito que você pode ter sido tratada injustamente, e vou relatar isso no devido tempo. Entretanto, estamos no meio de uma crise repentina. Estamos em desvantagem. Preciso de todas as informações e *insights* que vocês conseguiram nessa investigação paralela.

– Aquela que, espero, vá se tornar a investigação principal.

– Isso aí sou eu quem irá julgar. Me conte tudo o que você sabe – disse Marsh.

– Não – respondeu Erika.

– Não?

– Chefe, vou te contar tudo o que sei e vou te explicar todas as minhas teorias quando o senhor devolver o meu distintivo e me reintegrar como comandante desta investigação.

Erika recostou-se e ficou olhando para ele.

– Quem você pensa que é pra chegar aqui... – começou Marsh.

– Okay. Vou deixar o senhor à vontade pra bater seu papinho com Sir Simon. Fale que eu mandei um oi.

Erika se levantou para sair.

– O que você está pedindo é praticamente impossível. Há uma alegação séria contra você, Detetive Foster!

– Eu acho que é uma besteira do cacete. Oakley agiu sob ordens de Simon Douglas-Brown quando me retirou deste caso. O pequeno Mike Norris entra e sai do centro de detenção de menores há anos. Já agrediu vários assistentes sociais e, vou repetir, na hora em que bati no menino, os dentes dele estavam cravados nas costas da minha mão. Agora, se é isso que está decidindo o caso, tudo bem, mas pode dar adeus para a pessoa que poderia pegar esse cara. E, é claro, vou repetir isso para a imprensa, porque não vou ficar calada.

Marsh passou os dedos pelo cabelo.

– Senhor, Marco Frost acabou de arrumar um álibi e fez todo mundo aqui parecer um bando de policiais de uma comédia barata. O Detetive Sparks não pensou em fazer investigações para se certificar da acusação? Pelo amor de Deus. Vídeos de câmera de segurança de uma delicatéssen!

Ah, e faço questão de que a imprensa saiba que um assassino ainda está solto graças ao senhor, ao Detetive Sparks e, é claro, à raposona elegante em pessoa, o Comissário Assistente Oakley.

Parecia que Marsh ia explodir. Erika continuou encarando-o sem desviar o olhar.

– Me coloque de volta no caso que eu pego esse filho da puta – garantiu ela.

Marsh levantou-se, foi até a janela e ficou observando a desolada paisagem de janeiro. Ele se virou e falou:

– Puta que pariu. Okay! Mas a sua rédea está bem curta, entendeu, Detetive Foster?

Moss deu um pequeno e triunfante sorriso para Erika.

– Entendi. Obrigada, senhor.

Marsh voltou e sentou-se à mesa.

– Certo, me conte o que você descobriu.

– Okay. Vamos jogar isso na mídia. Fazer um novo apelo, e se o senhor conseguir mexer uns pauzinhos, vamos reconstruir nossa imagem na televisão. Vão cair matando na gente por causa do Marco Frost, e o senhor precisa estar preparado para bombardear a imprensa com todas as coisas que nós *estamos* fazendo, para que eles possam se concentrar nisso, e não em todas as coisas que nós *não* fizemos.

Marsh olhava para Erika, que prosseguiu falando.

– Nós já comemoramos uma vez a prisão do assassino. Não podemos fazer isso de novo, a não ser que tenhamos pegado a pessoa certa. Então, vamos colocar esse ciclo novo para funcionar. Transformar George Mitchell no nosso foco principal. Inundar a imprensa com a foto dele com Andrea... também precisamos de um bode expiatório. A imprensa vai querer ver alguém pagando o pato por essa cagada. E eu sei muito bem quem vai ser essa pessoa.

CAPÍTULO 53

Erika respirou fundo e abriu a porta da sala de investigação. Detetive Sparks estava em pé, em frente aos quadros-brancos, que estavam limpinhos, e o restante da equipe, desanimada, sentada ao redor.

Sparks parecia nervoso e exausto, seu cabelo preto comprido estava jogado para trás e manchas oleosas brotavam nas partes em que encostava no colarinho.

— Vou conversar com um por um, e as perguntas vão ser duras. Vamos voltar para o início e descobrir quem foi que falhou na verificação da porra da cronologia do itinerário de Marco Frost desde que ele entrou no trem na London Bridge...

A voz de Sparks sumiu quando ele viu Erika entrar com Moss.

— Você está aqui para assinar seu aviso prévio, Foster? — zoou ele.

O restante dos policiais permaneceu com o rosto petrificado.

— Não, na verdade, vim buscar o meu distintivo — respondeu Erika, mostrando-o para Sparks.

Ele ficou confuso.

— Você levou o cargo de comandante da investigação a sério, Detetive Sparks?

— Bom, levando em consideração que só um de nós dois ficou com ele, levei, sim. Posso te ajudar? Estou no meio de um *briefing* aqui.

— A posição de chefe da investigação é de muita responsabilidade. Mas ser "chefe" não significa ser mais foda do que todo mundo e nem que você pode agredir todos os seus subordinados quando a merda bate no ventilador. Significa que *você* assume a responsabilidade pelas cagadas.

— Não estou entendendo — disse Sparks, perdendo um pouco de sua segurança.

— Aí é que está o problema. Fui reintegrada como chefe, e a minha primeira ordem é: suma daqui e vá direto para a sala do Marsh.

Detetive Sparks ficou paralisado.

– *Agora!*

Ele encarou Erika, assim como o restante da sala de investigação, depois foi lentamente para a sua mesa, pegou o casaco e saiu. Antes de ter passado pela porta, Crane começou a aplaudir. Outros policiais se juntaram a ele, e Peterson colocou os dedos nos lábios e assoviou. Erika comoveu-se e abaixou o olhar ao ruborizar.

– Tá bom, galera – disse ela. – Fico muito lisonjeada, mas ainda temos um assassino solto por aí.

Os aplausos aquietaram-se. Erika foi aos quadros-brancos na frente da sala e pregou a foto de Andrea e George Mitchell.

– Este é o nosso principal suspeito: George Mitchell. Amante de Andrea Douglas-Brown e, em última análise, assassino dela. Também é suspeito de estuprar e assassinar Tatiana Ivanova, Mirka Bratova, Karolina Todorova e Ivy Norris.

A sala ficou em silêncio.

– Até hoje, o foco tinha sido no assassinato de Andrea Douglas-Brown. O rosto dela estava na capa de todos os jornais, navegadores de internet e telas de TV, e já está na consciência nacional. Sim, ela era rica e privilegiada. Só que sofreu uma morte terrível: sozinha, com medo e indefesa. Tatiana Ivanova, Mirka Bratova, Karolina Todorova e Ivy Norris podem ter sido prostitutas, mas garanto que esse não era um mundo no qual elas entraram voluntariamente. Dadas diferentes circunstâncias, elas podiam ter sido tão afortunadas na vida quanto Andrea. Elas também morreram de maneira angustiante. Estou falando tudo isso porque quero que vocês esqueçam a posição dessas mulheres na sociedade. Não façam o que sempre fazemos neste país, separando-as em classes sociais. Elas são todas iguais, todas vítimas, e merecem igual atenção de nossa parte.

Erika ficou em silêncio por um momento. Crane tinha começado a colar fotos das vítimas no quadro.

– Então, esta é a pessoa que demanda nossa atenção extrema e que é nosso foco principal – disse Erika, apontando para a foto de George Mitchell. – Ele tinha um relacionamento sexual com Andrea, e foram fotografados juntos quatro dias antes de ela desaparecer. Também acredito que ela se encontrou com ele e uma mulher loira, ainda não identificada, na noite em que a mataram. Quero que todos vocês revisem o conteúdo do segundo celular de Andrea Douglas-Brown na intranet. Por favor, olhem para ele com novos olhos. Não existe pergunta idiota. Quando acharmos este homem, eu acredito que desvendaremos este caso.

Os policiais concordaram com um gesto de cabeça geral.

Erika continuou:

– Hoje à tarde, vamos fazer um novo apelo público por informações. Vamos pra cima e apontar George Mitchell como suspeito. Esperamos que isso nos conduza a novas informações ou que o tire de onde quer que ele esteja escondido.

Erika ficou em silêncio por um momento, para conferir se tinha a total atenção deles, e continuou:

– Por favor, foquem também nas nossas outras vítimas. Os assassinatos de Tatiana Ivanova, Mirka Bratova e Karolina Todorova são casos não solucionados e que nunca foram conectados antes. Quero que revisem as evidências de todos os três assassinatos. Busquem ligações, quaisquer similaridades; as vítimas se conheciam? Em caso afirmativo, como e por quê?

Bateram na porta da sala de investigação, e Colleen, a assessora de imprensa da polícia, entrou.

– Desculpe interromper, Detetive Foster; tenho uma teleconferência com a Reuters* a qualquer momento. Imaginei que gostaria de participar – disse ela.

– Certo, obrigada a todos, temos que progredir. Esqueçam Marco Frost. Ignorem a imprensa; se livrem de suas ideias preconcebidas. Concentrem-se no que está na nossa frente agora. Se progredirmos neste novo ciclo, começamos a vencer.

Erika se levantou e saiu da sala de investigação, que começou a borbulhar de tanta atividade.

---

* Maior agência internacional de notícias do mundo. Com sede em Londres, é responsável por disponibilizar informações para jornais, redes de televisão, estações de rádio e websites de todo o mundo. (N.E.)

CAPÍTULO 54

O apelo à imprensa era o oposto da coletiva anterior no Marble Arch. Ao contrário da outra, que teve uma natureza mais refinada, com suas telas de vídeo e sua sala de reunião elegante, Erika insistiu para que essa nova fosse realizada na escada da delegacia Lewisham Row e que devia demonstrar mais autenticidade e senso de urgência.

Além disso, Erika insistiu para que Marsh não estivesse presente, o que não tinha sido muito bem recebido. A luz estava diminuindo quando Erika, Moss e Peterson reuniram-se na escada da Lewisham Row em frente a diversos jornalistas da TV e da impressa em geral. Apontaram-lhes uma luz hostil, que ricocheteou na madeira lascada da entrada da delegacia atrás deles.

– Obrigada por comparecerem hoje – começou Erika, falando de maneira que sua voz se sobressaísse à aglomeração de pessoas.

Ela estava de frente para dezenas de lentes. As câmeras de TV apontavam para a escada, e máquinas fotográficas disparavam flashes. Moss e Peterson olhavam fixamente para a frente. Erika continuou:

– Suponho que muitos de vocês aqui hoje já devem ter escrito esta história e possuem uma ideia preestabelecida sobre o que eu vou falar. Mas antes de começarem a divagar e, metaforicamente, arquivarem a versão de vocês na cabeça e escreverem de maneira tempestuosa sobre a incompetência policial, ou antes mesmo de decidirem que a morte de Andrea é uma notícia que vale muito mais a pena ser publicada do que a de alguém que não nasceu com uma vida de privilégios, repensem no porquê de nós todos estarmos aqui hoje. Nosso trabalho é pegar os fora da lei e o trabalho de vocês é relatar isso de maneira imparcial e justa. É verdade, nós usamos uns aos outros. A polícia usa a imprensa para beneficiar a própria causa e para espalhar uma mensagem. Vocês vendem suas colunas. Então, senhoras e senhores da imprensa, peço que trabalhemos juntos hoje. Deixem-me dar a vocês uma nova história com a qual trabalhar.

Erika ficou em silêncio por um momento.

– Marco Frost foi solto hoje por insuficiência de provas. Ele conseguiu apresentar um álibi e não tivemos escolha a não ser soltá-lo. Ele é inocente. Mas essa não é a história para vocês. A história é que o assassino de Andrea ainda está nas ruas, à solta na sociedade. Depois de revisar as evidências e mudar o foco da investigação, temos fortes motivos para acreditar que a morte de Andrea não foi um caso isolado. O homem que procuramos já tinha matado antes. Acreditamos que ele é responsável pela morte de três garotas do Leste Europeu: Tatiana Ivanova, Mirka Bratova e Karolina Todorova. Todas elas sonhavam em vir para Londres com a crença de que haveria um bom trabalho aqui para elas. O que aconteceu, entretanto, é que elas foram traficadas como prostitutas e forçadas a trabalhar para pagar uma dívida. Também acreditamos que o mesmo indivíduo é responsável pela morte de Ivy Norris, de 47 anos. Agora, por favor, vocês verão a foto do nosso principal suspeito neste caso. O nome dele é George Mitchell...

Na sala de investigação, o Superintendente Marsh estava assistindo, junto a Colleen, à coletiva de imprensa transmitida ao vivo pelo canal BBC News.

– Está amador, e ela está parecendo uma diretora de escola da velha guarda – reclamou ele, quando a imagem cortou de Erika, Moss e Peterson, iluminados pelas câmeras, para uma foto de George Mitchell.

– É claro, uma mulher segura da sua opinião parece mesmo *uma diretora de escola da velha guarda*... – comentou Colleen.

Um número de telefone e um endereço apareceram na parte inferior da tela. Depois de alguns momentos, a imagem cortou para Erika novamente.

– Por favor, se tiverem qualquer informação sobre este homem, entrem em contato conosco pelo número e endereço na tela. A ligação é confidencial. Também recomendamos que ninguém se aproxime dele caso o veja. Agradeço ao pessoal da imprensa pelo tempo e por nos ajudar com essa questão.

Houve silêncio na tela por um instante, em seguida os jornalistas começaram a disparar perguntas.

– Marco Frost terá direito a indenização? – gritou uma voz.

– O caso de Marco Frost será tratado da mesma maneira que todos os outros. A Promotoria Pública está cuidando disso como uma questão urgente – respondeu Erika.

Os jornalistas bombardearam Erika com mais perguntas.

– Esses assassinatos estão ligados às atividades comerciais de Sir Simon Douglas-Brown?

– Temos que nos lembrar de que Sir Simon é um pai cuja filha morreu de maneira terrível. Assim como as outras garotas... Elas também têm famílias que sentem a perda delas todos os dias. Esta investigação já sofreu demais pela maneira com que imaginamos que deveríamos fazer as coisas. Nós tomamos consciência agora de que os segredos de Andrea são exatamente aquilo que nos levará ao assassino. Por favor, não a julguem nem a família dela.

– Meu Deus, eu sabia que isto era uma má ideia – apavorou-se Marsh.

– Não. Isto é bom. Ela está se conectando de verdade com as pessoas. Esta coletiva de imprensa é bem mais real e autêntica do que a de antes – disse Colleen.

Marsh deu uma olhada de lado para ela, mas Colleen estava grudada na tela.

A imagem da coletiva de imprensa foi sendo ampliada quando Erika, Moss e Peterson começaram a subir a escada de volta à delegacia. A televisão cortou para o estúdio da BBC News, onde o âncora do jornal pediu ao repórter no local para tecer seus comentários.

– *Esta é uma manobra audaciosa da polícia que, depois de várias semanas, ainda tem muito poucas evidências. Com um suspeito à solta, o tempo está se esgotando.*

– O que ele quer dizer com *se esgotando*? – ridicularizou Marsh.

Na tela, o repórter continuou:

– *Sir Simon Douglas-Brown se deparou com uma nova rodada de revelações nos jornais sobre as ligações dele com o comércio de armas na Arábia Saudita. Também foram feitas alusões a um caso extraconjugal.*

A câmera cortou para o âncora:

– *Esta coletiva de imprensa representa uma virada marcante na investigação policial. Considerando que nas semanas anteriores a Polícia Metropolitana parecia estar dançando conforme a música tocada pela família Douglas-Brown, eles agora estariam colocando em marcha uma linha de investigação convincente, com base em evidências que a família poderia querer que fosse mantida fora da mídia?*

A câmera cortou novamente para o repórter em frente à Lewisham Row:

– *Creio que sim. Acredito que esta coletiva de imprensa pode ter prejudicado o relacionamento entre a família e a força policial, mas pode muito bem ter dado mais credibilidade e autonomia aos investigadores, o que irá, tenho certeza, ajudar a recuperar o apoio do público.*

– Aí, viu? Esse é o ângulo que estamos procurando. Vou fazer algumas ligações e pedir para que providenciem a circulação desses comentários – disse Colleen.

Marsh sentiu uma gota de suor se formar na testa e o celular tocar no bolso. Ao pegá-lo, viu que era Sir Simon Douglas-Brown.

CAPÍTULO 55

O s últimos dias passaram sob uma neblina de frustração. Depois de ter chegado tão perto, ter que recuar deixou a figura enfurecida. A Detetive Foster não tinha apenas sobrevivido, ela tinha voltado mais forte.

Colocaram a filha da puta de volta no caso!

Depois de testemunhar o apelo feito na Lewisham Row, em que Foster publicamente conectou os assassinatos, a figura ficou devastada. Um instinto lhe dizia para fugir, começar de novo, mas também havia uma coceirinha que não podia ser ignorada. A conexão havia sido feita, mas a polícia não tinha nada. A figura tinha certeza disso.

Então, às 18h, a figura foi de carro até a estação de trem de Paddington, onde os táxis pegavam e deixavam passageiros, e onde as garotas ficavam de bobeira...

A menina ficou confusa quando viu a figura parar o carro. Ela estava em pé pertinho da esquina de uma rua suja que dava acesso a uma rodovia e era usada pelos táxis para fazerem o retorno ou por pessoas em busca de diversão.

— Eu posso fazer você se divertir – ofereceu automaticamente. Era uma garota magra com um sotaque pesado do Leste Europeu. Ela tremia de legging, camiseta de alcinha e um casaco de peles falso e esfarrapado. Era ossuda, pálida e tinha o cabelo alisado na altura do ombro. Seus olhos estavam cobertos de sombra com glitter e ela mascava chiclete. A garota reclinou-se e se apoiou no salto, aguardando uma resposta.

— Estou mesmo em busca de diversão... mas de algo um pouco diferente, um pouco mais raro.

— Ah é? Bom, você sabe, quando o negócio é raro, custa mais caro.

— Conheço o seu chefe – disse a figura.

Ela riu falsamente:

— É, todo mundo fala isso... Se está querendo desconto, pode ir se foder – xingou ela, começando a se virar.

A figura se inclinou e falou um nome. Ela parou e voltou até a janela, deixando de lado toda a postura sedutora fingida.

Os olhos estavam amedrontados. Medo cercado de glitter.

– Ele te mandou? – perguntou, olhando os carros ao redor.

– Não, mas ele sabe que eu o ajudo bastante nos negócios... Então, ele espera que eu consiga o que quero.

A garota apertou os olhos. Tinha bons instintos. Aquilo podia ser mais difícil do que o esperado.

– Então... você vem aqui e solta o nome do meu chefe. O que você quer fazer?

– Eu gosto de cenários ao ar livre.

– Okay.

– E gosto que a garota finja que está com medo.

– Você está falando que quer realizar a fantasia de um estupro? – perguntou a garota sem rodeios, revirando os olhos. Ela olhou para os lados e abaixou a camiseta, mostrando seus seios pequenos e empinados. – Isso vai sair mais caro.

– Eu posso bancar – disse a figura.

Ela levantou a camiseta e perguntou:

– É? Me mostra.

A figura pegou a carteira e a abriu, passando-a perto do nariz da garota. O dinheiro estava organizado em um maço de notas novinhas, cintilando à luz dos postes.

– 1.500 libras. E a gente combina uma palavra de segurança – disse ela, tirando o celular da legging. A figura esticou a mão e cobriu o telefone.

– Não, não, não, não. Quero que seja o mais real possível, no reino da fantasia. Não conta pra ninguém aonde você está indo...

– Eu tenho que avisar.

– Mais 500 libras por fora. O chefe não precisa ficar sabendo.

– De jeito nenhum. Se ele descobre, nenhuma palavra de segurança vai me salvar.

– Okay. O combinado não sai caro. 2 mil libras e a palavra de segurança é Erika.

– Erika?

– É. Erika.

A garota olhou ao redor e mordeu o lábio.

– Okay – concordou ela, abrindo a porta e entrando no carro. A figura arrancou, travou as portas e falou para ela que aquilo também fazia parte do jogo.

CAPÍTULO 56

A sala de investigação estava bem silenciosa depois da coletiva de imprensa. Policiais aglomeravam-se quando, ocasionalmente, um telefone tocava. Aquele ar de expectativa precisava ser extinguido. As poucas ligações que receberam foram das habituais pessoas que não têm o que fazer.

— Jesus! Quando você acha que alguém ia se apresentar para dar informações... — disse Erika, olhando para seu relógio. — Não aguento isso; vou lá fora fumar um cigarro.

Ela tinha acabado de chegar à escada da delegacia quando o Detetive Crane apareceu atrás dela.

— Chefe, você vai querer atender esta ligação — afirmou ele.

— Quem é? — perguntou Erika.

— Uma pessoa falando que é Barbora Kardosova, a garota que costumava ser melhor amiga de Andrea — respondeu Crane.

Erika entrou depressa e atendeu o telefone na sala de investigação.

— É a policial que estava na televisão hoje à tarde? — perguntou a voz feminina com sotaque do Leste Europeu.

— É. Aqui é a Detetive Erika Foster. Você tem alguma informação sobre George Mitchell?

— Tenho — respondeu ela. Houve um momento de silêncio. — Mas não posso falar pelo telefone.

— Posso te garantir que tudo o que você falar aqui vai ser confidencial — assegurou Erika. Ela olhou para baixo e viu que era um número bloqueado. Erika encarou Crane, que gesticulou a cabeça para mostrar que já estava trabalhando no rastreamento.

— Desculpe, não vou falar pelo telefone — disse a garota, com a voz trêmula.

— Tudo bem, está tudo bem. Posso me encontrar com você? — perguntou Erika. — Pode ser em qualquer lugar que você quiser.

Peterson escreveu às pressas em seu bloco de anotações: CONVENCE A GAROTA A VIR PRA DELEGACIA!

– Você está em Londres? Gostaria de vir à delegacia em Lewisham Row?

– Não... Não, não... – a voz da garota mostrava pânico. Houve um breve silêncio. Erika levantou os olhos para Crane, que gesticulou com a boca dizendo que se tratava de um celular pré-pago.

– Alô, Barbora, você ainda está aí?

– Estou. Não vou falar mais nada pelo telefone. Preciso conversar com você, te contar algumas coisas. Posso te encontrar amanhã às 11h. O endereço é o seguinte...

Erika escreveu às pressas e ia fazer mais perguntas, porém a ligação tinha caído.

– Era um pré-pago, chefe; sem chance – disse Crane.

– Ela parecia muito agitada – disse Erika, colocando o telefone no gancho.

– Onde ela quer se encontrar? – perguntou Peterson. Erika digitou o endereço no computador. Uma imagem do Google Maps abriu na tela. Era uma vasta extensão verde.

– Norfolk – respondeu Erika.

– Norfolk? O que diabos ela está fazendo em Norfolk? – questionou Moss.

O celular de Erika tocou. Ela viu que era Edward.

– Desculpe, tenho que atender. Vocês podem traçar um caminho, e a gente decide como vamos proceder quando eu voltar – falou ela antes de sair da sala de investigação.

O corredor do lado de fora estava tranquilo, ela atendeu o celular.

– É, moça, imagino que você não venha mais – disse Edward. Erika viu que já eram 17h05.

– Me perdoe... Você não está esperando aí ainda, está? Na plataforma?

– Não... Eu te vi na TV hoje à tarde e pensei: "a não ser que ela seja capaz de voar, não consegue estar aqui às 17h".

Erika pensou naquele dia. A manhã parecia estar a milhões de anos atrás.

– Você foi bem na coletiva de imprensa, querida – elogiou Edward. – Você fez com que eu me preocupasse com a garota, Andrea. Os jornais não estavam publicando coisas muito legais sobre ela, né?

– Obrigada. Aconteceu tudo muito rápido. Fui chamada hoje pela manhã, quando estava prestes a entrar no trem pra ir te ver e...

– E a coisa toda saiu do controle, hein?

– É – respondeu Erika, suavemente.

– Escute, querida. Faça o que tem que fazer. Vou estar aqui quando precisar.

Moss apareceu à porta, gesticulando que queria falar com ela.

– Desculpe, eu tenho que ir. Posso te ligar mais tarde? – perguntou Erika.

– Pode, querida. Se cuida, está bem? Pega aquele camarada, prende o sujeito e joga a chave fora.

– Pode deixar – disse Erika. Ela escutou um clique, Edward tinha desligado.

Suspirando profundamente, voltou para a sala de investigação, se perguntando exatamente quando conseguiria cumprir sua promessa.

CAPÍTULO 57

No dia seguinte, Erika, Moss e Peterson saíram cedo de Londres para se encontrarem com Barbora Kardosova. Eles tentaram buscar informações sobre ela várias vezes, mas não conseguiram nada. Sua previdência social, seu passaporte e suas contas bancárias tinham encerrado as atividades há mais de um ano. A mãe morreu há mais de dois anos, e ela não tinha nenhum outro parente vivo.

Assim que o sol irrompeu de entre nuvens, eles mergulharam na escuridão do túnel de Blackwall. Quando saíram alguns momentos depois, o sol tinha desaparecido de novo atrás de um monte de nuvens cor de aço.

— Agora que a gente atravessou o rio, vamos pegar a A12, chefe — explicou Moss.

Peterson estava no banco traseiro absorto em seu celular. Eles pararam para abastecer um pouco antes de Greenwich, e Moss satisfez seu desejo por doces com pacotes de tirinhas de alcaçuz. A área urbana de Londres logo deu lugar à A12, uma rodovia de pista dupla que estava descuidada, se desintegrando em algumas partes, e perceberam o quanto a paisagem era plana. Passaram zunindo por campos marrons e árvores nuas, e na direção da cidade de Ipswich saíram da pista dupla e diminuíram a velocidade ao pegarem uma estrada de mão única.

— É muito misterioso, né? Essa estrada reta atravessando o nada — disse Peterson, falando pela primeira vez em 150 quilômetros.

A estrada esculpia seu caminho através de uma vasta extensão de campos, e o vento rugia pelo solo nu e atingia o carro. Depois de uma leve subida na estrada, atravessaram uma ponte de metal por cima de um canal de águas agitadas. Cinzentos juncos mortos forravam as margens do canal até o horizonte. Erika se perguntou se a água chegava a um ponto em que desaguava no nada.

— É uma antiga estrada romana, a A12 — comentou Moss, enchendo a boca com outra tirinha de doce vermelho e mastigando.

– Eles queimaram centenas de bruxas em Suffolk e Norfolk – acrescentou Peterson, ao passarem por um moinho de vento em um campo perto da água.

– Eu prefiro preços altos, trânsito interminável, poluição e restaurantes lotados... – disse Moss, tendo um calafrio e ligando o ar quente. – Está chegando?

– Faltam uns dez quilômetros – respondeu Peterson, consultando seu iPhone.

As árvores engrossaram e a paisagem se transformou em bosque. O carro passou por baixo de um dossel de árvores nuas, e Moss diminuiu a velocidade ao ver um lugar para estacionar ao lado de uma área para piquenique que não passava de um pedaço de terra desmatada e uma mesinha. Uma placa de madeira tinha o número 14 pintado nela.

– O que foi que ela falou? Área de piquenique número 17? – perguntou Erika.

– Foi, chefe – confirmou Peterson, dando um tapinha no celular.

Eles seguiram adiante um pouco mais e a mata foi ficando mais densa. Com a estrada costurando para a esquerda e para a direita, passaram pela área número 15. Fizeram uma curva fechada e a mesinha número 16 ficou para trás. O mato estava alto na área para piquenique. O banco tinha apodrecido e desmoronado.

– Informem o status – solicitou a voz chiada do Detetive Crane no rádio da polícia montado no painel.

– Vamos nos aproximar nos próximos dez minutos, câmbio – disse Moss.

– Okay, mantenham uma linha de comunicação aberta. Foi o que o superintendente pediu – informou Crane.

O Superintendente Marsh tinha sido contra enviar três de seus policiais a Norfolk, para o que ele considerava ser uma loucura.

– Chefe, Barbora Kardosova era uma das amigas mais próximas de Andrea, e ela falou que conhece George Mitchell – Erika argumentou, quando estava sentada na sala dele.

– Por que ela não se apresentou antes? Andrea está nos jornais há semanas. E por que a gente não pede a um policial de lá para colher o depoimento? Vocês vão ficar fora um dia inteiro... Acabaram de fazer um apelo importante em Londres – retrucou Marsh.

– Senhor, essa é a nossa maior pista. Vamos sair cedo e ficar em contato o tempo todo. Repito, quero que o senhor leve minha intuição a sério desta vez.

– Por que ela usou um número confidencial? Não temos ideia do paradeiro dela – disse Marsh, recostando na cadeira e esfregando os olhos.

– Talvez ela não queira ser encontrada. Isso não é crime, é? – questionou Erika.

– As coisas seriam muito mais fáceis se, no nascimento, enfiassem um rastreador por GPS em todo mundo. Economizaríamos uma fortuna...

– Não vou me esquecer de falar isso para o próximo jornalista que eu encontrar – disse Erika.

– Me mantenha informado de tudo o que acontecer – ordenou ele com um tom irritado, mandando-a embora com um gesto de mão.

O céu tinha ficado pesado, e Moss teve que acender o farol. Agora, o bosque ao redor era denso e os galhos nus pareciam impenetráveis. A placa com o número 17 ficou visível à frente, e eles pararam em um trecho de terra vazio. O banco tinha sido retirado, deixando quatro profundas marcas no solo. Moss desligou o carro e apagou o farol, os deixando envolvidos pelo silêncio. Quando Erika abriu a porta, uma brisa fria passou flutuando, trazendo consigo o cheiro úmido de folhas podres. Ela abotoou o casaco, e Moss e Peterson juntaram-se a ela.

– E agora? – perguntou Moss.

– Ela disse que ia encontrar com a gente aqui; foi muito específica – respondeu Erika, pegando o pedaço de papel em que tinha anotado as coordenadas. Olharam para a estrada. Estava vazia em ambos os lados.

– Olhe ali, parece que tem uma trilha – disse Moss.

Eles foram até uma abertura no matagal de arbustos espinhosos mortos. Depois de avançarem com dificuldade por vários metros, o lugar transformou-se em uma trilha para caminhadas. Era bem-cuidada e ficava debaixo de um enorme dossel de árvores que se estendia até uma curva, onde a trilha desaparecia. Erika imaginou que no verão aquele frio e arrepiante cantinho de bosque provavelmente dava uma sensação diferente.

Eles esperaram por quase 40 minutos, o rádio fazia vários ruídos quando Crane confirmava o status deles.

– Esta porcaria foi uma brincadeira – disse Peterson. – Sem dúvida foi uma mulher qualquer que falou...

A voz dele sumiu quando escutaram o barulho de um galho se quebrando e o som de folhas sendo remexidas. Erika colocou o dedo sobre os lábios. Ouviram um farfalhar, e, pelo meio do matagal, apareceu uma mulher loira de cabelo curto. Estava com uma jaqueta impermeável rosa e legging preta. Segurava uma faca em uma das mãos e o que parecia ser uma lata de spray de pimenta na outra. Ela parou a quase 50 metros de onde estavam.

— Mas que porra é essa? — xingou Moss.

Erika disparou o olhar na direção dela.

— Barbora? Barbora Kardosova? Sou a Detetive Erika Foster; estes são os meus colegas, Detetive Moss e Detetive Peterson.

— Peguem as suas identificações e joguem pra cá — mandou Barbora, com a voz trêmula de medo, chegando perto o suficiente para que vissem que as mãos dela também tremiam.

— Espera aí — começou Moss, mas Erika enfiou a mão no bolso, tirou seu distintivo e o arremessou. Ele caiu a alguns centímetros de Barbora. Relutantes, Moss e Peterson fizeram o mesmo. Ela os recolheu, mantendo o spray de pimenta na direção deles, mostrando que sabia usá-lo, e conferiu as identificações.

— Okay, você já viu que somos quem a gente está falando que é. Agora, por favor, larga a faca e o spray — falou Erika.

Barbora os colocou no chão e aproximou-se cautelosamente dos três. Erika então conseguiu discernir o rosto que tinha visto nas fotos do facebook. Ainda era bonito, mas o nariz estava menor e mais reto. O rosto, mais cheio e o cabelo comprido escuro agora era curto e tingido de loiro.

Um homem de cabelo escuro e uma garota loira... Erika pensou.

— Porque a gente tem que fazer tudo isso pra falar com você? — começou Moss. — Você sabe que podíamos te prender aqui e agora por causa dessa faca. Ela tem mais de 15 centímetros, isso pra não falar do spray...

Barbora tinha lágrimas nos olhos.

— Estou com muito medo, mas eu tinha que falar com vocês. Tem coisas que eu preciso contar, senão nunca vou me perdoar... Não devia ter entrado em contato com vocês usando meu nome verdadeiro — disse ela. — Estou no programa de proteção a testemunhas.

CAPÍTULO 58

Eles ficaram paralisados por um momento, Moss, Erika e Peterson. O vento soprava forte pelas copas das árvores.

— Não vou contar a vocês o meu nome novo – disse Barbora, com a voz trêmula.

— Não – disse Erika, pegando a mão dela. – Não fale mais nada.

— Merda, essa porcaria era óbvia – reclamou Moss. Um bipe fraco saiu da janela aberta do carro, e eles escutaram Crane perguntar sobre o status.

— Temos que reportar isso, chefe... Se alguém no programa de proteção a testemunhas se revela ou é descoberto a gente tem que reportar – alertou Moss.

— Você vai precisar de uma identidade nova – disse Peterson, tentando esconder sua irritação.

— Espere. Por favor. Tenho que contar algumas coisas. Eu me encontrei com vocês porque tenho que falar de George Mitchell... – disse Barbora, engolindo em seco e começando a tremer ainda mais. – Tenho que contar a vocês qual o verdadeiro nome dele.

— E qual é o nome verdadeiro?

Barbora engoliu em seco e falar parecia um esforço físico.

— Igor Kucerov – ela finalmente falou.

Peterson saiu na direção do carro, onde o rádio estava.

— Por favor! Me deixe contar tudo o que sei antes de você... antes de você oficializar isso.

Houve outro silêncio momentâneo. A voz de Crane flutuava de longe, pedindo o status deles.

— Peterson, diga a ele que ainda estamos esperando. Está tudo bem... E por favor, Peterson, nada sobre isto até termos escutado o que ela tem a dizer – disse Erika.

Ele concordou e saiu correndo na direção do carro.

– Não queremos saber o seu nome novo nem onde está morando por aqui – falou Erika.

– Moro longe daqui. Tenho mais a perder do que todos vocês juntos, mas eu finalmente decidi falar – anunciou ela. – Se voltarmos um pouquinho, tem uma área para piquenique ali em cima.

Elas a seguiram e deixaram Peterson tomando conta do rádio. Depois de uma caminhada de cinco minutos, chegaram a uma clareira com uma mesinha. A luz tinha dificuldade em penetrar o dossel de galhos acima delas. Novamente, Erika pensou que aquele lugar devia ser bonito em um dia de verão, mas, no frio e na escuridão, era opressivo. Ela descartou esse pensamento e sentou-se com Moss do lado oposto ao de Barbora, com a mesa entre elas.

Erika ofereceu um cigarro a Barbora, que aceitou, demonstrando estar agradecida. Ela inclinou-se para a frente e protegeu a chama com a mão para acendê-lo. Erika acendeu um para si e o de Moss, elas tragaram em conjunto. Barbora dava a impressão de querer vomitar. Ela passou a mão pelo cabelo loiro curto. Ele era amarelo como palha e tinha sido descolorido com produto vagabundo. A moça engoliu em seco e começou a falar com a voz trêmula.

– Conheci George Mitchell... Igor Kucerov... três anos atrás, quando eu tinha 20 anos. Eu morava em Londres e tinha dois empregos. Um em uma boate só para sócios no centro de Londres chamada Debussy's. – Ela deu outro trago no cigarro e prosseguiu: – Eu fazia turnos lá, e trabalhava em um café em New Cross chamado The Junction. Era um lugar bacana e animado, onde os artistas, pintores e poetas locais se encontravam. Foi também onde conheci o Igor. Ele era um freguês regular, e toda vez que ia lá, a gente conversava. Naquela época eu achava que ele era lindo e muito divertido. Também me sentia lisonjeada por ele passar o tempo todo conversando comigo... Um dia, eu estava muito aborrecida no trabalho; meu iPod tinha estragado, e nele eu tinha músicas e fotos que eu não conseguiria substituir. Igor era gentil, mas eu não esperava nada demais dele. Quando voltei para trabalhar alguns dias depois, ele estava lá, me esperando com uma sacola de presente, e dentro dela havia um iPod... Não era igual ao pequenininho que eu tinha, mas o mais novo e mais caro que existia, que valia 700 libras.

– E foi aí que você começou um relacionamento com George/Igor? – perguntou Moss.

Barbora fez que sim com a cabeça. Estava ficando escuro, e uma nuvem crescia acima delas.

– No início, ele era maravilhoso. Eu achei que estava apaixonada e que tinha encontrado o homem com quem passaria o resto da minha vida.

– O que a sua família achou dele?

– Éramos só eu e minha mãe. Ela veio para a Inglaterra quando estava com pouco mais de 20 anos. Queria encontrar um homem e viver uma vida normal de classe média, mas acabou sendo abandonada grávida de mim. O namorado dela na época não quis saber de filhos, então ela assumiu tudo sozinha e pelejou como mãe solteira. Aí, quando eu tinha 10 anos, ela foi diagnosticada com esclerose múltipla. Foi lento no começo, mas quando eu estava com 16 anos ela ficou muito mal. Tive que sair da escola e tomar conta dela. Consegui esses empregos... de manhã no café e à noite na boate.

– Há quanto tempo você estava no relacionamento com Igor? – perguntou Moss, fazendo gentilmente com que ela prosseguisse com a história.

– Mais ou menos um ano. Ele fez tanto por mim naquela época. Nos ajudou. Pagou um banheiro especial para atender às necessidades da minha mãe. Pagou meus cartões de crédito... – Barbora sorriu distante, com a memória ainda viva na cabeça. Deu um trago no cigarro e sua expressão ficou sombria. – Já tinha alguns meses que estávamos juntos; certa noite fomos ao cinema em Bromley... uns garotos ficaram fazendo comentários sobre mim quando estávamos comprando os ingressos, coisas sobre o meu corpo. Igor ficou nervoso, mas eu falei para ele deixar pra lá. Nós entramos, vimos o filme e achei que ele tivesse esquecido. Quando saímos já estava tarde e não tinha muita gente lá. O Igor viu um dos garotos sair e passar na nossa frente, andando para o estacionamento. Quando a gente estava perto do nosso carro, ele simplesmente partiu pra cima do cara dando socos e chutes. Parecia um animal. O garoto caiu no chão, e o Igor continuou dando chutes, pisões na cabeça. Eu nunca o tinha visto daquele jeito. Aquilo me chocou... Tentei puxar o Igor, mas ele me deu um soco no rosto também. Por fim, quando já não tinha mais energia, ele simplesmente saiu andando. Deixou o corpo do garoto caído no chão, no escuro...

Barbora começou a chorar. Moss pegou um pacotinho de lenços e segurou-o na direção de Barbora, que pegou um. Ela respirou fundo e limpou o rosto.

– E eu o segui – continuou ela. – A gente largou o garoto no chão entre os carros... O Igor me fez dirigir, mesmo eu não estando listada no seguro dele, e eu dirigi. Ele pegou a minha bolsa, achou um removedor de maquiagem, e limpou o sangue dos nós dos dedos e um pouco que tinha espirrado rosto. Depois me deixou em casa. Não o vi durante um tempo, até que ele apareceu um dia e minha mãe ficou muito feliz. Eu simplesmente deixei pra lá e segui em frente como se nada tivesse acontecido.

– O que aconteceu com o garoto? – perguntou Erika.

Barbora deu de ombros. Um raio clareou o céu e ouviu-se um distante estrondo de trovão.

– E onde Andrea entra nesse esquema todo? – perguntou Moss.

– Algumas semanas depois de eu começar a trabalhar atendendo no bar da boate Debussy's, Andrea apareceu para beber alguma coisa. Estava tranquilo, eu servi a bebida pra ela e ficamos batendo papo. Ela começou a aparecer com mais frequência e aos poucos eu fui conhecendo aquela garota. Ela me contou que odiava todas as meninas esnobes com quem tinha estudado. Quando soube que eu morava ao sul do rio, disse que ia adorar ir lá me visitar. Falou aquilo como se ela estivesse planejando viajar em um pacote de férias ou coisa assim... mas New Cross fica só a dez minutos de trem de Chicago Cross. – Barbora deu um sorriso amargo.

– E Andrea foi à sua casa?

Barbora negou com a cabeça e disse:

– Não, ela costumava ir ao The Junction, o café em que eu trabalhava. Ela adorava! Era muito boêmio e sempre havia gente interessante lá; gente que vivia livre, não em uma gaiola, era isso que ela dizia... Eu costumava falar que a gaiola dela era de ouro, mas ela não entendia. Acho que ela não sabia o que aquilo significava.

– Quando ela te contou quem era o pai dela?

– Demorou um pouco, e ela fez mil recomendações para que isso ficasse em segredo. Mas aí começou a passar mais tempo no café, e foi ficando bem competitiva em relação às outras meninas que saíam com os artistas e pintores. Então começou a deixar isso escapulir nas conversas.

– E o que as pessoas falavam? – perguntou Erika.

– A maioria deles ficava bem *blasé*... mas o George... Igor... se interessou. Quando ele descobriu, foi como se de repente tivesse notado Andrea...

– Ele teve um caso com ela?

Barbora confirmou com um gesto de cabeça e disse:

– Aconteceu tão rápido e eu estava tão hipnotizada por tudo aquilo...

– Nesse estágio, ele estava sendo violento com você, Barbora?

– Não... quer dizer, às vezes. Era mais a ameaça de violência, o controle... A primeira vez que ele realmente me bateu foi quando descobri sobre Andrea.

– Onde foi isso? – perguntou Erika.

– Em casa. Foi em um sábado à noite enquanto minha mãe estava no banho. Não sei por que o assunto surgiu naquele dia, mas surgiu e eu o confrontei.

– O que aconteceu?

– Ele me deu um soco na barriga. Foi com tanta força que eu vomitei, depois ele me prendeu no armário debaixo da escada.

– Por quanto tempo?

– Não muito; eu implorei para ele me tirar dali porque a minha mãe estava na banheira e ia ficar com frio. Eu tinha que ajudá-la. Ele falou que só ia me deixar sair se eu prometesse não mencionar o caso dele com Andrea de novo.

– E você mencionou?

Barbora negou com a cabeça.

– O que aconteceu depois? – perguntou Erika.

– As coisas ficaram normais durante um tempo. Elas meio que se acalmaram. Aí, eu estava em casa um dia, e Igor chegou à porta da cozinha, na parte de trás da casa. Estava com uma garota jovem. Não devia ter mais de 18 anos. Ela mal conseguia ficar em pé. Estava de calça jeans skinny e uma camisa de malha apertada, o rosto emplastado de sangue; um pouco seco e um pouco era novo e tinha escorrido por toda a parte da frente da camisa dela. Ela chorava e... O que é que eu podia fazer? Deixei os dois entrarem, mas o Igor não queria ajudar a menina. Ele foi até o armário debaixo da escada, colocou a garota lá dentro e trancou a porta. Ele estava louco, ficou jurando que só queria saber onde o celular dele estava. Falou que aquela menina tinha pegado o aparelho...

A tempestade aproximava-se e debaixo da árvore estava sombrio.

– O que aconteceu com a menina? – perguntou Erika, de maneira sutil.

– Igor me mandou subir. Falou pra eu ficar no meu quarto, senão eu ia ter problema. Eu escutava a menina gritando e chorando. Aquilo continuou pelo que me pareceram horas... Depois o barulho acabou. Ele abriu a porta e pediu para ir ao quarto da minha mãe, que sorriu quando o viu. Ela tinha dormido durante todo aquele episódio. Igor pediu a minha mala de ginástica, a grandona que eu usava para viajar. Fui ao guarda-roupa, peguei bolsa e ele a levou... estava tão calmo. Desci alguns minutos mais tarde e ele estava saindo com a mala nos ombros.

— O que havia na mala? — perguntou Moss, mesmo que soubessem a resposta.

— A menina — respondeu Barbora. — Ela estava na mala e Igor foi embora carregando-a.

— O que você fez? — Erika perguntou.

— Limpei a bagunça no armário. Havia sangue e outras coisas...

— E depois?

— Ele voltou mais tarde e falou que eu tinha feito um bom trabalho. Até me deu um dinheiro... — Dava para perceber em sua voz que ela sentia nojo de si mesma. — E depois a gente seguiu em frente como se nada tivesse acontecido. Mas ele começou a me falar do trabalho dele, sobre como conhecia meninas no ônibus na estação Victoria Coach, e como elas iam trabalhar para ele.

— Trabalhar de quê? — perguntou Erika.

— Prostitutas. Quanto mais eu ficava sabendo, mais ele me dava dinheiro. Igor comprou uma cadeira de rodas elétrica nova para minha mãe, uma que ela conseguia dirigir sozinha. Ninguém precisava empurrá-la mais. Aquilo mudou a vida dela.

— E como Andrea faz parte disso?

— Eu estava tão estressada que não conseguia comer; minha menstruação parou. Igor não olhava pra mim da mesma forma, aí Andrea dominou a situação. Ela dava ao Igor o que ele desejava.

— Isso tudo estava acontecendo naquela época em que você viajou de férias com a família da Andrea?

— Sim.

— Você sabia que, mais tarde, Andrea ficou noiva?

Barbora fez que sim e aceitou outro cigarro.

— E Andrea sabia a verdade sobre Igor? Ela sabia com que ele trabalhava? — perguntou Erika.

— Não sei. Nunca conversei sobre isso com ela. Ficamos próximas no início, e depois, por mais esquisito que pareça, continuamos próximas nas férias com a família dela, mas com o tempo eu me fechei. Acho que Andrea tinha uma ideia romântica de que Igor era um gângster malandro de Londres, tipo aqueles personagens dos filmes idiotas do Guy Ritchie.

— E como você acabou entrando para o programa de proteção a testemunhas? — perguntou Moss.

— O corpo da menina foi encontrado na minha mala alguns meses depois.

— Onde?

— Em um lixão em East London. A mala tinha o cartão de uma loja no meu nome no bolso de dentro; o que levou a polícia à minha porta. Eles disseram que estavam me vigiando havia muito tempo e que eu podia fazer um acordo se cooperasse fornecendo evidências.

— E você fez?

— Fiz. Minha mãe tinha morrido um pouco antes. Graças a Deus, ela nunca soube... Parecia que Igor estava confiando em mim. Ele queria que eu começasse a ir à estação Victoria Coach para me encontrar com as meninas. Elas achavam que estavam vindo para a Inglaterra para trabalhar como domésticas. O Igor achava que se eu estivesse lá, elas confiariam em mim e entrariam no carro...

— Igor estava traficando mulheres para Londres, para trabalharem como prostitutas? — perguntou Erika.

— Estava.

— Ele estava trabalhando sozinho?

— Não... Eu não sei... Era tudo muito complicado. Havia outros homens envolvidos, e as namoradas deles.

— Para onde as meninas eram levadas? Quantas meninas havia no lugar? — perguntou Moss.

— Não sei... — respondeu Barbora. Ela desabou e começou a chorar.

— Está tudo bem — disse Erika, esticando o braço do outro lado da mesa escura para pegar a mão de Barbora. Ela hesitou e a puxou.

— E o que aconteceu? — indagou Erika. — Igor foi preso?

— Foi. E foi a julgamento — respondeu Barbora.

Erika olhou para Moss. Mesmo no escuro, conseguiu ver o choque estampado no rosto dela.

— Julgamento, que julgamento? Não temos registro... O que aconteceu?

— A acusação da promotoria fracassou. Não havia provas sólidas o bastante. De qualquer maneira, o júri não conseguiria levar o caso adiante... Acho que Igor teve acesso a algumas das outras testemunhas. Ele... ele conhece muita gente – disse Barbora, agora com uma expressão vazia. – Sei qual a impressão que devo estar deixando; as coisas terríveis que fiz. Sei a pessoa terrível que sou. Tudo por amar um homem – disse ela. Erika e Moss estavam em silêncio. – Quando vi aquelas meninas no jornal, quando vocês fizeram o apelo, me lembrei de uma delas... da Tatiana. De quando ela chegou a Londres. Estava tão empolgada, e... eu tinha que falar com vocês. Vocês têm que pegar aquele filho da puta.

– Você se encontrou com Andrea desde então? – perguntou Moss.

Barbora remexeu-se desconfortavelmente e respondeu:

– Encontrei.

– Foi na noite do dia 8 de janeiro, em um pub chamado The Glue Pot? – perguntou Erika.

– Foi.

– Igor estava com ela?

– O quê? Não! Eu nunca ia chegar perto dela se... Ele estava lá?

– Não – respondeu Erika. Moss disparou-lhe um olhar. – Por que você estava em Londres? Você está no programa de proteção a testemunhas.

– Vou a Londres todo mês para visitar o túmulo da minha mãe. Dou uma limpada nele e coloco flores novas. Vocês sabem como é difícil ser um estranho, ter uma identidade nova? Eu mandei uma mensagem para Andrea para saber se a gente podia se encontrar para tomar um café. Sei que foi burrice. Mas Andrea ficou mudando o lugar onde a gente ia se encontrar e... eu sei que eu não devia ter ido, mas eu sentia falta dela.

Moss estava achando difícil mascarar sua descrença.

– A gente se encontrou rapidinho. Ela estava sozinha. Falou que ia se encontrar com um namorado novo mais tarde... Era como se nada tivesse acontecido com ela. Não tinha ficado surpresa com o meu desaparecimento nem com a minha volta naquele momento. Ela não estava nem aí.

– Quando você foi embora do The Glue Pot?

– Não sei. Antes das 20h. Eu sabia que passava um trem na London Liverpool Street um pouco antes das 21h.

– E você não encontrou com mais ninguém?

– Não, Andrea falou que ia tomar alguma coisa no balcão. Tinha uma menina trabalhando... Eu queria falar pra ela: "toma cuidado", tipo... "você hoje sou eu no passado", mas não fiz isso.

– Tudo isso que nos contou... precisamos te levar para fazer uma declaração oficial, Barbora.

De repente, Barbora ficou em silêncio. Quando falou, sua voz parecia muito distante.

– Eu deixei o meu celular ligado e gravei isto – informou ela entregando o aparelho. – Tenho mais coisas pra contar, mas primeiro preciso ir ao banheiro.

– Sério? Está escuro e...

– Por favor, eu preciso – repetiu ela –, muito mesmo.

– Tá, mas não vai muito longe... Vamos estar aqui – falou Erika.

– Aqui, usa essa lanterninha – ofereceu Moss, tirando algo do bolso do casaco. Barbora pegou o objeto e saiu pelo matagal adentro. Os trovões ribombavam agora com uma frequência maior. Um relâmpago acendeu o interior da clareira.

– Vou ligar para o Peterson – disse Erika. – Quando ela voltar, temos que tomar alguma providência. Levar a moça de volta pra Londres. Ela acabou de se revelar, ou seja, a identidade nova não vale mais nada. Não sei qual é o procedimento para lidar com isso.

– Jesus, e aquele julgamento, chefe? Não existe registro de George Mitchell nem de Igor Kucerov. E quando eles jogaram a foto dele no banco de dados nacional não conseguiram resultado nenhum... Não estou gostando disso, está esquisito.

Erika concordou, acendeu um cigarro e disse:

– Temos que confirmar a identidade nova dela. E depois confirmar tudo o que ela contou pra gente...

– Mais uma reviravolta no caso de Andrea Douglas-Brown – comentou Moss.

Erika olhou para o celular pela primeira vez e apertou alguns botões, para tocar novamente um pouco da voz de Barbora.

– A gente tem a gravação do que ela falou. Isso já é o suficiente para intimarmos esse tal de George Mitchell... ou Igor Kucerov. Precisamos conseguir um endereço com ela quando voltar – disse Erika.

Moss ligou para Peterson de seu celular, tentou explicar onde estavam, mas o sinal ali era ruim.

– Está picando, chefe; não consigo falar. – Trovejou e um relâmpago iluminou o céu. – Jesus! – gritou ela. – Não vou usar esta porcaria de celular com esses relâmpagos. O Peterson pode esperar.

– Okay, okay, calma aí; deixa que eu tento – assumiu Erika. Ela tentou com seu celular e depois mais uma vez com o de Moss, mas não havia sinal; não conseguia nem completar a ligação.

Uma estranha sensação arrepiante arrastava-se por dentro dela.

– Pra quem foi fazer xixi, Barbora já saiu há muito tempo – comentou Moss.

A luz do celular de Erika lançava um brilho sobre o rosto delas.

As duas levantaram em um pulo e moveram-se na direção do lugar em que Barbora havia saído da clareira, abaixando a cabeça para passar por um galho enorme. Elas avançaram com dificuldade por entre alguns arbustos mortos e voltaram para a trilha comprida. Pingos de chuva começaram a atingi-las com força quando saíram do abrigo das árvores. Um relâmpago brilhou, e então elas viram, logo adiante, uma árvore alta com vários galhos compridos.

Uma corda rangia e balançava, e na ponta de um nó estava pendurada Barbora. O corpo se movia à brisa, com os pés imóveis.

CAPÍTULO 59

A chuva tinha ficado torrencial, urrava nas copas das árvores e transformava a trilha barrenta em um borrão branco. Trovões ressoavam, e relâmpagos iluminavam Barbora pendurada com os olhos abertos e a pele ao redor do pescoço dobrada pela corda debaixo do queixo. Moss tentou subir na árvore, mas a chuva a impedia.

– Pare! Desça daí! – gritou Erika para se sobressair ao barulho. – É tarde demais... Ela está morta. Vá até o Peterson e peça reforço. Vou ficar aqui.

– Tem certeza, chefe? – berrou Moss para que sua voz ficasse mais alta do que o rugido da chuva

– Tenho, vá! – berrou Erika.

Moss saiu correndo em meio às árvores, e Erika aguardou. Ela andava de um lado para o outro no barro e não se importava em ficar molhada. A cabeça zumbia. Quando mais aprofundavam-se no caso, mais complexo ele ficava.

A tempestade parecia estar bem em cima daquele lugar; a chuva rugia e o ar crepitava com eletricidade. Erika foi forçada a ficar debaixo da árvore, colocando o tronco grosso entre ela e o corpo de Barbora.

Por fim, a chuva diminuiu, e a tempestade começou a se afastar. Ela estava tentando achar sinal de celular quando escutou o som de uma sirene policial. Uma viatura apareceu bem no alto da trilha e lentamente percorreu o caminho até ela com as rodas revolvendo a lama encharcada. Dois jovens policiais saíram do carro, e Erika foi caminhando para se encontrar com eles, levantando o distintivo. Eles olharam para o corpo de Barbora dependurado.

– Vocês não encostaram em nada? Precisamos isolar a área – informou um deles.

– Foi suicídio – disse Erika. – Ela estava com a gente antes de fazer isso.

Levaram várias horas para que Erika, Moss e Peterson fossem liberados para irem embora da cena. O fato de que Barbora estava no programa de proteção a testemunhas tinha feito com que os esforços para descobrir quem era ela fossem maiores. Estava ficando escuro quando voltaram de carro para Londres. Erika e Moss deixaram Peterson a par de todos os detalhes.

— Então esse Igor Kucerov é responsável pelas mortes de Andrea, das três meninas do Leste Europeu e de Ivy Norris? – perguntou Peterson.

— E da garota que ele matou na casa de Barbora. A que ele enfiou na mala de ginástica.

— Ele foi preso por causa disso, foi a julgamento e não está em nenhum sistema nem banco de dados?

— Ele não está em nenhum sistema como George Mitchell – disse Erika. Nesse exato momento, eles ouviram um bipe. Era Crane chamando pelo rádio barulhento.

— Chefe, achamos um endereço no nome de Igor Kucerov nos registros de recolhimento de impostos do município. Ele mora em Kilburn, tem 37 anos e é descendente de romenos e russos. Também é casado. A casa está no nome da mulher dele, uma tal de Rebecca Kucerov. Eles têm um filho de 5 anos.

— Jesus... – surpreendeu-se Moss.

— Há quanto tempo ele está casado? – perguntou Erika.

— Dez anos – respondeu Crane.

— Algum histórico empregatício?

— Ele tem uma empresa de paisagismo e manutenção de jardins. É registrado como diretor, mas a empresa está no nome da esposa. Estamos verificando nos computadores para descobrir se ele teve algum contrato nas localidades em que as meninas mortas foram encontradas.

Houve um breve silêncio.

— Chefe, você quer intimar o sujeito? – perguntou Crane.

Erika olhou o relógio brilhando no painel. Era pouco depois de 17h.

— A gente deve chegar a Londres daqui a umas duas horas – respondeu Peterson, lendo a mente dela.

— Não. Segura um pouco, não leve o Igor pra delegacia ainda. Quero estar pronta para ele. Coloque uma equipe de vigilância em frente à casa. Não deixe o cara ficar sabendo que estão lá. E mantenham o sujeito à vista.

— Combinado, chefe.

— Chegaremos na Lewisham Row em torno de duas horas. Nesse meio tempo, quero que descubram tudo o que conseguirem sobre ele:

extrato bancário, e-mail, empresas que ele tem, se já faliu alguma vez. Investiguem a esposa também, perfil completo. Aposto quanto quiserem que ele está escondendo coisas no nome dela também. E tentem destravar a identidade nova que tinham dado à Barbora Kardosova. Agora que ela está morta isso deve ser mais fácil.

— Já estamos trabalhando nisso — falou Crane. — Vocês estão bem? A gente ficou sabendo que ela se enforcou bem em frente a vocês.

— Estamos todos bem — respondeu Erika. — Agora desligue esse rádio e se concentre em Igor Kucerov.

Do lado de fora do carro estava um breu. Os campos e os brejos ao redor deles eram invisíveis. Não havia lua nem estrelas, e quase nenhuma poluição luminosa; apenas a estrada adiante, iluminada no alcance do farol. Erika ansiava por afastar-se da desolação dos brejos, da árvore em que, rangendo, a corda balançava o corpo de Barbora. Ela precisava voltar à cidade, onde os prédios aglomeravam-se ao redor dela, onde havia barulho e o tempo não ficava parado.

Ela abaixou o espelho acima do banco do passageiro e a luz dele se acendeu. Erika viu que estava com barro no rosto. O reflexo de Peterson a encarava lá de trás, banhado pela luz.

— Não facilita nada as coisas, não é, chefe? Ver um cadáver? — comentou ele.

— Não, não facilita — concordou Erika. Ela limpou o barro com um lenço, e depois fechou o espelho com um tapa, mergulhando o interior do carro de volta na escuridão.

Percorreram o restante do caminho em silêncio, guardando energia para a noite que teriam pela frente.

CAPÍTULO 60

Erika, Moss e Peterson chegaram à delegacia de Lewisham Row pouco depois das 19h. A chuva torrencial tinha se movido com eles durante a viagem de volta de Norfolk e inundava o estacionamento quando entraram apressados na área da recepção. Foram recebidos por Crane, que apertou o interfone para abrir a porta. Erika ficou impressionada ao ver que a equipe inteira estava lá e que a sala de investigação zunia de tanta atividade.

— Boa noite, pessoal. Imagino que Crane tenha *brifado* todo mundo sobre o que aconteceu – disse Erika. Um murmúrio e acenos de cabeça confirmaram. – Ótimo. Então, o que vocês têm para me contar?

Um dos policiais tinha pegado algumas toalhas da academia da polícia no porão e jogou uma para cada. Moss, Peterson e Erika pegaram agradecidos.

— Voltamos nos registros e descobrimos que a garota morta encontrada na mala de ginástica era Nadia Greco, de 17 anos. Um julgamento foi conduzido no tribunal de Southwark – explicou Crane.

— E? – perguntou Erika, esfregando o cabelo com a toalha.

— E é aí que a coisa fica esquisita, chefe. Os registros do julgamento foram classificados como PMC, ou seja, procedimento de material confidencial.

— O quê? – questionou Erika. – Por que o julgamento de Igor Kucerov seria classificado como os julgamentos do serviço secreto?

— Não sei; como eu disse, não há quase nada disponível. As transcrições foram editadas, nomes apagados – respondeu Crane.

— Então, como a gente sabe que esse caso é o dele?

— Ele é compatível com as palavras-chave que usei para fazer a busca do assassinato; a localização onde o corpo foi encontrado e os detalhes da vítima não foram classificados como confidenciais.

— Há alguma coisa sobre o veredito do julgamento? – perguntou Erika.

– Diz que não houve condenação por insuficiência de provas.

– E não tem nenhum registro de prisão em nome de Igor Kucerov, nem de George Mitchell?

– Não. Pesquisamos Igor Kucerov no Google e vários dos resultados da busca foram removidos por ordem da lei europeia de proteção de informações. E se Igor Kucerov tem passagem na polícia, o registro foi apagado. Não existe nada sobre ele nem sobre esse tal de George Mitchell no banco de dados.

– Não estou gostando nada disso.

– Vamos continuar trabalhando, chefe.

– E sobre destravar a identidade verdadeira de Barbora Kardosova?

– Estamos trabalhando nisso agora, mas os tribunais só abrem amanhã às 9h. O departamento de proteção a testemunhas é muito sigiloso; eles trabalham com uma rede de computadores diferente.

Um silêncio pairou na sala. Erika permaneceu em pé e foi até os quadros-brancos, onde estavam pregadas fotos de todas as vítimas. Também havia imagens tiradas de câmeras de segurança da última vez em que Andrea foi vista, quando embarcou no trem, e ao lado estava a foto dela com George Mitchell, agora conhecido como Igor Kucerov. Havia também a foto da carteira de motorista dele e, na ponta do quadro, fotos da família Douglas-Brown de férias com Barbora Kardosova, antes de ter cortado e descolorido o cabelo e desaparecido no esquema de proteção a testemunhas.

– Okay. Eu sei que foi um dia longo – disse Erika, virando-se de frente para a sala. – Mas precisamos pegar as nossas pás e começar a cavar. Eu sei que é pedir muito a vocês, mas gostaria de trabalhar mais algumas horas. Quero voltar ao básico e passar um pente-fino em tudo o que tem a ver com este caso. *Tudo.* Vou pedir comida, café; tudo por minha conta. A gente tem que achar *alguma coisa.* Existe uma ligação entre Andrea Douglas-Brown, Igor Kucerov e o restante dos assassinatos. Temos que encontrá-la, e pode ser uma coisa minúscula que deixamos passar. Como sempre falo, não existe pergunta idiota. Agora, com esse julgamento confidencial, estamos entrando em águas perigosas, mas não tenham medo de cavar mais fundo, particularmente em relação a Sir Simon. Ele já foi intocável nessa investigação, mas não é mais. Temos o depoimento de Barbora Kardosova gravado; vou fazer o *upload* na intranet. Bem... quem está disposto a ficar?

Erika olhou com expectativa para a sala de investigação cheia. Lentamente as pessoas levantaram as mãos. Ela olhou para Moss, que abriu um grande sorriso e levantou a mão, assim como Peterson.

– Se eu não fosse tão amarga, dava um beijo em cada um. Obrigada. Certo... Vamos mandar ver e fazer as próximas horas valerem a pena!

Os policiais na sala de investigação voltaram à atividade.

– Onde você comprou aqueles donuts da última vez? – perguntou Crane, aproximando-se com uma pilha de arquivos.

– Krispy Kreme. Você tem carta branca pra fazer o pedido – disse Erika. – Cadê o Marsh?

– Ele foi embora cedo. Tirou o fim de semana de folga, vai levar a patroa para uma espécie de retiro artístico – disse Crane.

– Não sabia que ele também gostava de pintura – comentou Erika.

– Não, ele vai deixar a Marcie lá; é em Cornwall. Mas acho que ele vai aprontar alguma coisa hoje à noite; falou pra gente que não está de plantão... em nenhuma circunstância.

– Típico; a gente está em um ponto crucial da investigação e ele decide sumir de folga.

– Você quer que eu ligue pra ele, chefe? – perguntou Crane.

– Não... Evite contatar o Superintendente Marsh – disse Erika, se dando conta de que isso podia ser uma vantagem para ela.

CAPÍTULO 61

Na manhã seguinte, o Superintendente Marsh estava deitado com Marcie em um belo quarto de hotel, cujo nome lhe escapava, mas sabia que era longe de Londres e tinha uma vista panorâmica de Dartmoor. Com a cabeça da esposa apoiada em seu peito nu, sentia aquela quente afobação pós-coito. A sensação e o cheiro da pele dela eram intoxicantes. Já havia amanhecido e os dois tinham acordado de uma noite em que fizeram amor várias vezes, algo sem precedentes desde que as gêmeas nasceram.

O telefone ao lado da cama tocou alto, quebrando o silêncio. Marsh rolou e viu que eram 9h30. Ele esticou o braço, levantou o aparelho do gancho e o deixou cair novamente.

– Você pediu serviço de despertador? – murmurou Marcie.

– Lógico que não – respondeu ele.

– Oh... Isto é o que mais me excita: você não atender o telefone – ronronou Marcie. Ela o beijou, descendo a mão pela barriga dele...

O telefone tocou novamente. Marsh xingou, rolou e deu um puxão para arrancar o fio da parede. Então rolou de volta para ela e sorriu.

– Acho que você estava mais ou menos por aqui... – disse ele, colocando a mão dela em sua ereção que crescia.

– *De novo*, Superintendente? – disse ela sorrindo.

De repente, começaram a esmurrar a porta:

– Desculpem, oi... é da recepção – chamou uma voz.

– Que inferno! – exclamou Marsh, quando Marcie estava a ponto de desenrolar uma camisinha na cabeça de seu pênis duro.

– Fala pra ele sumir daqui. Esta é a última do pacote – disse Marcie.

Os murros na porta voltaram:

– Senhor? Senhor? – chamou a voz trêmula do jovem da recepção. – Eu sei que o senhor disse para não ser incomodado em nenhuma circunstância, mas tem um tal de Comissário Assistente Oakley esperando na linha; no seu telefone... Senhor? Ele falou que se não atender haverá consequências... Só estou repetindo o que ele disse...

Marsh deu um pulo para fora da cama e ficou tateando a parede para tentar reconectar o fio.

– Que inferno, onde você estava Marsh? Estamos com uma situação crítica! – berrou Oakley quando Marsh atendeu o telefone.

– Desculpe, Comissário, não sabia que era o senhor...

– Um dos seus policiais, aquela porcaria daquela mulher, a Foster, apareceu na porta de Sir Simon Douglas-Brown às 5h com uma unidade armada. Ela levou em custódia Sir Simon e a filha dele, Linda. Fez a mesma coisa com Giles Osborne.

– Puta merda!

– Estou na Escócia, Marsh, tirando umas férias muito necessárias, e não quero ter que voltar para Londres! Confio em você para corrigir isso.

– Vou corrigir, sim, senhor.

– É melhor mesmo... Não é sempre que sou acordado antes das 9h por alguém da porra do gabinete ministerial. Cabeças vão rolar desta vez se não formos cuidadosos, Marsh.

A ligação foi desligada abruptamente. Marsh ficou em pé, pelado; seu pênis tinha enrugado, transformando-se em nada. Ele pegou o telefone de novo, discou e berrou que queria falar com a Detetive Foster. Imediatamente. Marcie puxou as cobertas, se enrolou nelas e conteve as lágrimas. Aquele seria mais um fim de semana arruinado pelo trabalho do marido.

CAPÍTULO 62

Erika e o restante da equipe pelejavam depois de terem dormido tão pouco. Tinham trabalhado até de madrugada, remontando as evidências com as novas informações, e à 1h eles se depararam com uma reviravolta. Freneticamente começaram a bolar um plano e, às 3h, Erika mandou todo mundo para casa dormir para voltarem algumas horas antes de raiar o dia para darem início à primeira fase do novo plano.

Eram 11h e Erika estava sentada com Moss e Peterson na sala de observação da delegacia Lewisham Row. Em frente a eles, havia quatro telas. Cada uma mostrava uma sala de interrogatório.

Na sala de interrogatório 1, Linda Douglas-Brown estava agitada e andava de um lado para o outro, usando uma saia escura longa e uma enorme blusa branca coberta de gatinhos pretos e manchada de chá. Na tela seguinte, na sala de interrogatório 2, o pai dela, Simon Douglas-Brown, estava impassível, sentado com as mãos sobre a mesa, olhando para a frente. Embora tivesse sido arrancado da cama por um grupo de policiais armados e equipados, ele tinha se vestido elegantemente com uma calça escura, uma camisa azul recentemente passada e uma blusa de gola V.

Na tela seguinte, que mostrava a sala de interrogatório 3, estava Giles Osborne mostrando-se uma figura curiosa. Usava uma calça jeans verde escura colada, e a camisa de malha apertada com estampa de palmeiras tropicais mal conseguia cobrir a barriga dele. Seu cabelo oleoso estava repartido de lado, e ele olhava fixamente para a câmera.

– Ele não tira os olhos da câmera há 20 minutos – disse Crane, cutucando a tela com sua caneta.

– O único que parece não ter a menor preocupação é Igor Kucerov – disse Erika, olhando para a tela da sala de interrogatório número 4.

Igor estava sentado atrás da mesa, esparramado na cadeira, com as pernas abertas. Ele estava malhando quando a polícia chegou para prendê-lo em casa, em uma agradável rua de classe média em Kilburn. Estava de camisa branca apertada com um pequeno símbolo da Nike na parte da frente, um brilhante short preto da mesma marca e tênis. Tinha o corpo magro e musculoso, e a pele muito bronzeada. A barba por fazer das fotos com Andrea já não existia mais. Seus olhos pretos se moviam rapidamente para observar a câmera.

– Vamos dar uma prensa nele primeiro – disse Erika.

Moss e Crane permaneceram na sala de observação; Erika e Peterson saíram. Encontraram-se com o advogado de Igor no corredor, um homem magro que estava ficando grisalho e tinha um bigodinho impecável. Ele começou a protestar sobre o porquê de seu cliente estar sendo mantido ali.

– Recomendarei ao meu cliente que não responda a nenhuma de suas perguntas até que sejam aceitáveis...

Eles passaram direto pelo advogado e entraram na sala de interrogatório. Igor continuou esparramado na cadeira. Ele levantou os olhos na direção de Erika quando ela entrou com Peterson e depois os baixou novamente. Um bipe comprido ressoou quando o equipamento de gravação foi ligado.

– São 11h05 de 24 de janeiro. Sou a Detetive Foster e comigo está o Detetive Peterson. Também presente está o advogado John Stephens.

Erika e Peterson sentaram-se do lado oposto ao de Igor e seu advogado. Ela passou alguns minutos conferindo a documentação e depois levantou o olhar para Igor.

– Okay, Sr. Kucerov. Ou devo chamá-lo de George Mitchell?

– Me chame do que você quiser, querida – disse ele abrindo um grande sorriso. A voz era profunda e tinha um resquício de sotaque russo.

– Pode explicar por que você tem dois nomes?

Ele deu de ombros.

– Você trabalha para o serviço de inteligência britânico MI5 ou MI6? Ou você é um agente secreto envolvido com espionagem? Talvez tenha assinado a Lei de Segredos de Estado?

Igor deu um sorriso torto para ela e esfregou o queixo.

– Não – respondeu ele por fim.

– Vocês vão me desculpar, mas essas perguntas são absurdas – contestou o advogado.

– Não, essas perguntas são válidas. Você tem conhecimento, Sr. Stephens, que o seu cliente foi julgado pelo assassinato de uma jovem chamada Nadia Greco? O corpo em decomposição foi encontrado jogado em uma pedreira, dentro de uma mala.

Erika empurrou uma foto de Nadia pela mesa. Dava para ver seu corpo inchado e enegrecido através das aberturas na mala.

— Descobriram que a mala pertencia à então namorada de Kucerov, Barbora Kardosova. Nadia Greco foi espancada até a morte na casa de Barbora. O DNA de Igor foi encontrado na cena, e Barbora testemunhou contra ele no julgamento. Contudo, o júri não foi capaz de chegar a um veredito, e não houve condenação.

O advogado olhou de lado para Igor.

— Prove... — disse Igor, dando de ombros.

— Esse é o problema, Igor. Os registros e as transcrições do seu julgamento estão agora classificados como PMC, ou seja, procedimento de material confidencial. Essa classificação é reservada apenas a julgamentos criminais que envolvem a segurança nacional. O senhor está ciente disso, Sr. Stephens?

— Tenho ciência do que é PMC, sim — respondeu o advogado, desconcertado.

— Então compreenderá o quanto é incomum que esta restrição tenha sido imposta ao julgamento de assassinato do seu cliente, mesmo sem ele ter nada a ver com o serviço secreto — concluiu Erika.

Igor esticou os braços acima da cabeça, depois mexeu o pescoço de um lado para o outro, estalando as juntas.

— Talvez eu seja um pouco como o James Bond — disse Igor.

— Não, não é isso que vemos quando olhamos pra você — disse Peterson, com um tom frio.

— Não precisa ser tão azedo, cara. Eles não estão sempre falando em fazer um James Bond negro? Você ainda tem uma chance — retrucou Igor.

Peterson ficou em silêncio por um momento e arrastou a foto do corpo de Nadia Greco para um pouco mais perto de Kucerov.

— Por favor, dê uma olhada na foto, você reconhece esta garota? — perguntou ele.

— Estou aconselhando meu cliente a não responder isso — disse Stephens.

— Okay. E esta foto? Este é você com Andrea Douglas-Brown. Você soube do assassinato dela? Esta foto foi tirada quatro dias antes de ela morrer, e esta e mais esta...

Peterson arrastou a série de fotos pela mesa, começando pela que tinha Igor e Andrea juntos em frente ao terreno do Horniman

Museum até chegar às fotos de sexo explícito. Igor contraiu os lábios e recostou-se.

— Esta é a mesma Andrea Douglas-Brown que foi assassinada.

— É, todos nós sabemos quem ela é – disse o advogado. – Vocês estão acusando o meu cliente pelo assassinato dela?

Erika ignorou-o:

— Você foi visto com Andrea horas antes de ela morrer, no pub The Glue Pot, em Forest Hill...

— Não tenho que responder às suas perguntas – disse Igor, levantando-se da cadeira.

— Sente-se – disse Erika. Ele contraiu os lábios e cruzou os braços, ainda em pé. – E você tem sim que responder a essas perguntas. Como eu disse, você foi visto com Andrea.

— Não. Não fui visto em lugar nenhum, porque eu não estava no Reino Unido na noite em que Andrea desapareceu. Fiquei na Romênia de 31 de dezembro a 15 de janeiro. Tenho as passagens, e você pode conferir o meu passaporte.

— Os registros são seus ou de George Mitchell?

— Você sabe que não é contra a lei trocar de nome – disse Igor. – Você é eslovaca, correto? E o seu nome é Foster?

— É o meu nome de casada – disse Erika.

— Casada? – perguntou Igor, levantando uma sobrancelha. – Como você conseguiu essa proeza?

— Estou mandando você se sentar! – berrou Erika, esmurrando a mesa.

— Se vocês vão acusar o meu cliente... – começou Sr. Stephens.

Erika levantou-se e saiu da sala.

— A Detetive Foster acabou de sair da sala. Estou parando este interrogatório às 11h12 – disse Peterson, levantando e saindo depois dela.

— Ele é um filho da mãe, não é? – xingou Erika quando estava do lado de fora com Peterson. Ela tremia de raiva. – Eu não devia ter perdido a paciência com ele tão rápido. É que o sujeito é tão presunçoso... Você pode pedir ao Crane para conferir o álibi dele, se estava mesmo fora do país?

— Posso, chefe. Só não deixa o cara fazer você perder a cabeça. Nós acabamos de começar. Quer voltar lá pra dentro?

Erika respirou fundo e negou com a cabeça.

— Não. Quero dar uma prensa no Simon Douglas-Brown.

CAPÍTULO 63

O advogado de Simon Douglas-Brown era tão grisalho quanto o Sr. Stephens, mas estava com um terno bem melhor. Esperava em frente à sala de interrogatório, ajeitando a gravata.

— Estamos aqui — disse Erika, apontando para a porta da sala de interrogatório 2.

— Vou aconselhar o meu cliente a não responder a nenhuma de suas perguntas até... — começou ele, mas Erika e Peterson simplesmente seguiram caminhando.

Quando entraram na sala de interrogatório, Simon olhou furioso para eles.

— Saibam que quando eu acabar com vocês, vão virar guardinhas de trânsito na porcaria da Old Kent Road. Pelo resto do tempo que trabalharem na polícia!

Erika e Peterson o ignoraram, e todos se sentaram. Ela passou pelas formalidades de gravação e depois abriu uma pasta em frente a si na mesa.

— Onde está Linda? — perguntou ele.

Erika ignorou-o.

— Tenho o direito de saber onde minha filha está!

— Linda foi presa e está detida aqui — respondeu Peterson.

— Deixem Linda fora disso, vocês me ouviram? Ela não está bem! — berrou Simon.

— Não está bem?

— Ela está muito estressada; não está em condições de ser interrogada.

— Quem disse que nós vamos interrogá-la? — questionou Erika.

— Quando policiais armados e com uniforme de combate aparecem do nada na porta de alguém ao amanhecer, não estão querendo bater um papo. Presumo eu, é claro... Estou avisando vocês...

— Sua esposa está na recepção. Onde está o seu filho, David? — interrogou Erika.

— Viajou para uma despedida de solteiro no fim de semana, com amigos. Foi para Praga.

— Onde ele está hospedado?

— Não sei, em um pub ou um hotel... pelo que sei, pode ser em um albergue. É uma festa de despedida de solteiro.

— Despedida de solteiro de quem? – perguntou Peterson.

— Um dos amigos dele da universidade vai se casar. Posso conseguir a informação com minha secretária. Foi ela que reservou tudo.

— Bom, faça isso – disse Peterson. Houve um momento de silêncio enquanto Erika folheava o arquivo.

— Você administra várias empresas que têm ligação com seus interesses profissionais e pessoais, correto?

— Que pergunta idiota. É claro que isso é correto.

— Uma delas é a Millgate Ltda., certo?

— Certo.

— E tem outra chamada... Peckinpath?

— Sim.

— Quantum, Burbridge, Newton Quarry...

O advogado inclinou-se sobre a mesa na direção de Erika.

— Não vejo por que você tem a necessidade de ler isso em voz alta para o meu cliente, Detetive Foster. Ele está consciente das empresas que tem. São todas sociedades limitadas e essa informação é de domínio público.

Simon recostou-se, alerta e furioso.

— Sim, isso é verdade – disse Erika. – Só preciso confirmar para a gravação antes de prosseguir. Me desculpe por fazer o seu cliente perder o *valioso tempo* dele... Então, vou perguntar de novo.

— Sim, sim, *sim*. Estou falando alto o suficiente para a porcaria da sua gravação?

— Eu gostaria de chamar a atenção para um de seus extratos bancários, do mês de setembro do ano passado. – Erika pegou uma folha de papel de sua pasta e colocou-a na mesa. Simon inclinou-se para a frente.

— Espera aí, por que você tem isso? Com autorização de quem?

— Com a *minha* autorização – respondeu Erika. – Você fez um pagamento para a Cosgrove Holdings Ltda., que é a empresa registrada por trás da Yakka Events, a Yakka Events de Giles Osborne. A quantia foi de 46 mil libras. – Erika deu uma batidinha com os dedos no extrato.

– Sim, eu investi na empresa – disse Simon, recostando-se e encarando Erika nos olhos.

Ela pegou outro extrato.

– Também tenho um extrato bancário de Giles Osborne. Da Cosgrove Holdings Ltda., na mesma data, que mostra as 46 mil libras entrando na conta...

– O que está querendo com isto? – perguntou o advogado.

Erika levantou a mão e prosseguiu:

– Só que, no mesmo dia, as 46 mil libras saem de novo.

Simon começou a rir e a olhar ao redor da sala para ver se alguém riria com ele. Peterson permaneceu com o rosto petrificado.

– Por que você não pergunta ao Giles? Não me envolvo com o dia a dia da administração da empresa dele. Sou sócio-capitalista.

– Mas você investiu 46 mil libras. Isso é muito dinheiro para ser só um sócio-capitalista.

– Defina muito. Para mim, 46 mil libras não é uma quantia grande... Tenho certeza de que para você, com o salário da polícia, isso significa muito mais.

– Levando isso em consideração, com certeza você e Giles teriam pelo menos concordado em que o seu investimento seria aplicado – disse Erika.

– Confio no Giles e, se você se lembra, antes do assassinato brutal da minha filha, eu o estava acolhendo na minha família como meu genro.

A expressão nervosa de Simon se desfez, e eles enxergaram a clara dor pela morte de Andrea.

– Okay, então, como seu genro, Giles compartilhou com você por que as 46 mil libras foram pagas diretamente para a empresa chamada Mercury Investments Ltda.?

Simon olhou para seu advogado.

– Sim ou não? É uma pergunta simples – disse Erika. – Sim ou não, Giles compartilhou com você por que as 46 mil libras foram pagas a uma empresa chamada Mercury Investments Ltda.?

– Não.

– Você conhece uma empresa chamada Mercury Investments?

– Não.

– Ela está em nome de Rebecca Kucerov, esposa deste homem: Igor Kucerov. Para o caso de você precisar se lembrar, nós encontramos estas fotos quando recuperamos o segundo celular de Andrea.

Erika tirou as fotos explícitas da pasta e colocou-as em frente a Simon. Ele olhou para as imagens, fechou os olhos e começou a tremer.

O advogado inclinou-se para a frente e começou a juntar as fotos.

– Eu me oponho a mostrarem ao meu cliente estas fotos perturbadoras da filha dele, que acabou de ser enterrada...

– Mas o que o seu cliente tem a dizer sobre as 46 mil libras? Acreditamos que esse homem, Igor Kucerov, esteja ligado ao tráfico ilegal de garotas do Leste Europeu para o Reino Unido. Ele também foi julgado pela morte de uma jovem chamada Nadia Greco.

– Ele foi condenado? – perguntou Simon de forma ríspida.

– Não, e sem condenação, aumenta ainda mais a necessidade de prestarmos atenção nisso. Então, vou te perguntar de novo. Você sabe por que Giles Osborne transferiu as 46 mil libras para Igor Kucerov?

Simon se recostou, mostrando-se perturbado.

– Meu cliente não tem comentários.

– Certo – disse Erika. Ela deu uma olhada para Peterson e ambos se levantaram.

– E? – perguntou o advogado.

– Estamos suspendendo este interrogatório por ora – respondeu Erika.

– Que horas você disse que são? – perguntou Simon.

– 12h15 – respondeu Erika.

– Quero falar com Linda, AGORA! – exigiu ele.

Erika ignorou-o, saindo com Peterson da sala de interrogatório.

CAPÍTULO 64

– **P**arece que ele está dando uma pirada lá dentro – disse Moss quando chegaram à sala de observação. Eles olharam para as quatro telas. Simon esbravejava sobre "aquela piranha daquela policial" não ter o direito de negar a ele o contato com a filha.

– Talvez seja melhor deixar todos eles darem uma extravasada – comentou Peterson.

– É, mas lembrem-se de que só podemos ficar com eles por 24 horas. Se não conseguirmos acusá-los, temos que soltar todo mundo.

– Se pelo menos nós pudéssemos prender Kucerov pelo assassinato de Nadia Greco – disse Moss.

– Não temos nenhuma evidência nova. E não estaríamos usando o nosso tempo com eficiência se tentássemos conseguir isso. Precisamos pegá-lo usando a conexão dele com o dinheiro de Simon e Giles – afirmou Erika. – E Linda é a conexão entre Andrea e Igor.

Na tela, Linda estava sentada com a cabeça na mesa da sala de interrogatório, distraída, traçando círculos no tampo arranhado.

Em outro monitor, Igor estava sentado com as pernas esticadas e a cabeça apoiada na parede. Giles também estava impassível, sentado na cadeira e olhando ao redor, quase como se um garçom tivesse esquecido seu pedido.

– Vamos dar uns minutinhos – disse Erika, pegando um cigarro e saindo.

Quando chegou à escada da entrada principal, Diana Douglas-Brown estava acendendo um cigarro em pé na parte de baixo da escada. Usava um comprido casaco de peles preto, o cabelo com uma escova impecável, emplumado ao redor de seu rosto exausto.

Erika estava prestes a dar meia-volta quando Diana a notou.

– Detetive Foster, o que está acontecendo?

– Estamos fazendo os interrogatórios – respondeu com um tom que dava a entender que a conversa acabava ali.

Ela se virou para entrar novamente, mas Diana disse:

– Por favor, você pode entregar isto a Linda? – Ela tirou o braço que estava enfiado nas dobras do casaco e o esticou, segurando um gato de pelúcia pequenininho com uma argola de chaveiro. Era preto com olhos marrons e tinha um pedaço de tecido rosa minúsculo e desbotado que servia de língua.

– Infelizmente, não posso, sinto muito – negou Erika.

– Por favor... Você não está entendendo, Linda precisa de familiaridade – disse Diana antes de dar um trago no cigarro. – Quando dei à luz a Linda, ela teve falta de oxigênio. Ela tem problemas emocionais. Não consegue lidar com o mundo! – a última parte foi quase um grito.

– O sargento em serviço consegue que um médico chegue aqui em minutos, mas Linda está bem, te prometo. Só queremos fazer algumas perguntas a ela.

Diana desabou a chorar. Abaixou a cabeça e o cabelo caiu para a frente, lhe cobrindo a face. Aos prantos, levou o minúsculo gatinho de pelúcia ao rosto. Erika se virou e foi para a área da recepção.

– Confirmado – informou Crane ao encontrar-se com ela quando chegou à sala de investigação. – Tenho uma lista de passageiros informando que Igor Kucerov saiu do país no dia 31 de dezembro pelo aeroporto London Luton em um voo pra Romênia. Voltou no dia 15 de janeiro.

– Merda! – xingou Erika. Todos os olhos se viraram para ela. – E se ele tiver feito alguma coisa nesse meio tempo? Você tem evidências de câmeras de segurança dele saindo pelo portão de embarque? – acrescentou ela.

– Chefe, essa é a informação no passaporte dele e da Imigração.

– Eu sei, mas temos coisas da Promotoria Pública e de registros de tribunal que foram alteradas. Isso mostra que Igor Kucerov recebeu tratamento especial durante um julgamento! Alguém teve acesso aos registros oficiais e os alterou... Ele tinha como ter voltado de ônibus, carro ou trem e depois ido pra lá de novo...

Crane coçou a cabeça e disse:

– É possível, chefe, suponho eu.

– Vamos parar de supor e descobrir. Quero imagens do controle de passaporte, de câmeras de vigilância quando ele chegou à Romênia; uma impressão digital confirmando que Igor Kucerov saiu do país no dia 31 de dezembro e voltou no dia 15 de janeiro.

– Certo, chefe.

– E lembrem-se, o relógio não para – disse Erika, olhando o horário. – Temos 19 horas.

Erika saiu e se encontrou com Moss e Peterson no corredor. Disse a eles que Igor Kucerov podia estar fora do país quando Andrea desapareceu.

– Então isso significa que ele não matou Andrea ou Ivy. Não temos como associá-lo diretamente aos assassinatos – disse Moss.

Erika sacudiu a cabeça.

– E as outras meninas? Tatiana Ivanova, Mirka Bratova e Karolina Todorova? Temos as datas de quando elas foram descobertas. Dá para sabermos onde ele estava? – perguntou Peterson.

– Só temos levantamentos vagos da perícia forense em relação às três primeiras garotas e aos horários de quando desapareceram. Além disso, fui a público e liguei esses três assassinatos aos de Andrea e Ivy. E realmente acredito que eles estão ligados. A não ser que seja uma cópia, outro assassino imitando os procedimentos de um *serial killer*. Jesus, está tudo tão complicado – reclamou Erika, esfregando o rosto. Ela viu uma troca de olhares entre Moss e Peterson.

– O que foi? Desembuchem!

– O advogado de Simon Douglas-Brown está fazendo de tudo. Está tentando ligar para o Comissário Assistente – explicou Moss.

– Ele está tentando ligar para Oakley?

– Está. E não foi para o telefone da sala dele; ele tem o número pessoal de Oakley.

– Ele conseguiu?

– Não, ainda não. Oakley tirou uns dias de folga.

– Oakley está de folga, Marsh viajou para um evento de pintura no fim de semana e está lá bebericando vinho e jantando com a esposa. Quem é que está no comando desta porcaria aqui?

– Bem, chefe... tecnicamente, você está – explicou Peterson.

– Bem lembrado. Okay... Bom... vamos lá dar uma prensa em Giles Osborne – disse Erika, com determinação.

CAPÍTULO 65

Giles Osborne estava sentado na sala de interrogatório com uma cara amargurada quando Erika e Peterson entraram com o advogado dele, outro homem grisalho com um bom terno, chamado Phillip Saunders.

Depois de ler as formalidades para a gravação, Erika fez as mesmas perguntas a Giles, questionando sobre as 46 mil libras que ele recebeu de Simon Douglas-Brown e por que ele em seguida havia transferido o dinheiro para a Mercury Investments Ltda., propriedade de Igor Kucerov.

Giles inclinou-se na direção do advogado e sussurrou, com a boca perto do ouvido do sujeito.

— Meu cliente precisaria avaliar todas as suas contas para responder a essa questão – disse o advogado.

— Os extratos bancários estão aqui – informou Erika, arrastando-os pela mesa. – Você pode ver nitidamente o dinheiro entrando em uma conta e saindo para outra. O que mais você precisa avaliar? A Mercury Investments é uma empresa de paisagismo. A Yakka Events não faz praticamente nada relacionado a jardins.

Giles ficou cutucando os lábios com os dedos, refletindo. Por fim, respondeu:

— Creio que esse dinheiro foi usado para adquirir uma árvore rara da Nova Zelândia.

— O quê?

— Eu queria que ela fosse o centro do meu pátio, a árvore. Esqueci o nome dela – disse Giles com tranquilidade. – Posso, no momento oportuno, apresentar a nota fiscal que prova isso. Vocês sabem que o Sr. Kucerov tem uma empresa de paisagismo?

— Sabemos – respondeu Erika.

— Então... mistério resolvido. Foi por isso que transferi 46 mil libras para a conta dele.

— Ele poda cercas vivas e corta grama, embora em grande escala — argumentou Erika.

— E Simon Douglas-Brown não tem nenhum conhecimento dessa transação? — acrescentou Peterson.

— E por que teria? Ele era um sócio-capitalista. Concordou em comprar uma certa quantidade de ações, o que fez dele proprietário de parte da Yakka Events. Acho que ele agora é dono de 13,8%, para ser mais preciso. Mas, como vocês podem ver, não tenho como acessar essa informação, porque vocês me arrancaram da cama quando o dia estava amanhecendo e confiscaram o meu equipamento — falou Giles, dando um sorriso sarcástico para Erika.

— Como você foi apresentado a Igor Kucerov? — perguntou Erika.

— Pela Andrea — respondeu ele.

— E você sabia que Kucerov estava tendo um relacionamento sexual com Andrea?

— Na época, não. Desde que me mostraram as fotos, é claro que sim.

— Você sabe como Andrea conheceu Igor Kucerov?

— Acho que ela falou alguma coisa sobre uma amiga, hã... Barbora alguma coisa...

— Kardosova, Barbora Kardosova?

— É, acho que sim.

— E você sabia que Barbora Kardosova estava envolvida em um relacionamento com Igor Kucerov?

Giles deu a impressão de ficar desnorteado e sacudiu a cabeça.

— Meu cliente respondeu às suas perguntas sobre o investimento das 46 mil libras, não vejo porque ele tem que responder a questões sobre os relacionamentos particulares da amiga da noiva dele — argumentou o advogado.

— Isso é tudo por enquanto — disse Erika.

— Meu cliente pode ir embora? — perguntou o advogado.

— Eu não falei isso.

Erika e Peterson levantaram-se.

— E agora? — perguntou o advogado.

— Nós voltaremos — disse Erika.

Eles saíram e voltaram para a sala de observação.

— Que inferno! — xingou Erika, olhando para Moss e Peterson.

– Vocês acham que essa bobagem sobre a árvore rara se sustenta no tribunal, se chegarmos até lá? – perguntou Moss, que estava assistindo a tudo pelas telas.

– Vimos o escritório dele, é cheio de toques pretenciosos. Encaixa com o que ele está falando – suspirou Peterson.

– Está bem, mas onde está a árvore? – perguntou Erika. – O pagamento foi feito há quase um ano.

– Talvez estejam esperando que ela cresça – observou Moss, com um tom sombrio.

Bateram na porta da sala de observação. Era Woolf.

– Chefe, Marsh está no telefone. Ele está exigindo falar com você. Está no carro voltando pra Londres.

– Ele falou onde está?

– Ainda está em Devon – respondeu Woolf.

– Fala pra ele que você não conseguiu me achar.

– Chefe, ele sabe que você está interrogando todos eles.

– Use o cérebro, Woolf. Inventa alguma coisa. Eu vou assumir as consequências; só quero que consiga mais tempo para nós.

– Está bem, chefe – disse Woolf.

Depois que o sargento foi embora, eles voltaram a olhar para as telas.

– Vamos ver o que Igor tem a dizer sobre isso – disse Erika. – E depois vamos trazer Linda para dentro da confusão.

CAPÍTULO 66

–Ele queria que eu achasse uma árvore para o escritório dele – disse Igor, recostando-se na cadeira e esticando os braços acima da cabeça.

Erika notou que ele estava com manchas amarelas debaixo dos braços e que a sala de interrogatório começava a feder a suor.

– E você consegue isso, com a sua habilidade paisagística? – perguntou Erika.

– Isto aqui é Londres. A maioria das pessoas quer coisas malucas no jardim, e com a internet é fácil.

– Por que a empresa está no nome de sua mulher?

– Não tem um porquê.

– E quem te apresentou a Giles? – perguntou Peterson, ainda que já soubessem a resposta.

– Andrea, é claro – riu Igor.

– E a sua esposa sabe de Andrea?

– O que você acha?

– Ela sabia do seu relacionamento com Barbora Kardosova?

– A minha esposa é uma boa mulher!

– O que isso significa? Ela sabe quando manter a boca fechada? Faz vista grossa? Ela sabe que você está envolvido com tráfico de garotas do Leste Europeu para Londres? Que você as pega na estação Victoria Coach? – disparou Erika.

– Meu cliente não precisa responder a essas perguntas. Isso é mera especulação. Você não tem evidências – interrompeu o advogado.

– Temos um depoimento de Barbora Kardosova gravado, em que ela declara tudo isso, e que você assassinou Nadia Greco.

– E onde está a testemunha? – perguntou o advogado.

– Ela cometeu suicídio pouco depois do depoimento – disse Erika, observando Igor. – Estava com tanto medo de contar a verdade sobre você que se matou.

– Eu dificilmente poderia chamá-la de testemunha confiável, uma suicida. E essa declaração não foi juramentada – argumentou o advogado.

Igor recostou-se na cadeira, presunçoso e confiante. O advogado dele continuou:

– Enquanto você estava perambulando de uma sala de interrogatório para a outra, aproveitei para dar uma olhada nos documentos do julgamento em questão. O que você alega não passa disso mesmo: uma alegação. Muitas partes dos registros do julgamento foram editadas. Do ponto de vista legal, elas não existem. Você tem consciência de que muito em breve vai ter que oficialmente acusar o meu cliente de algo? O tempo está passando, Senhorita Foster.

– É *Detetive Inspetora Chefe* Foster – disse Erika, tentando esconder sua frustração.

Ela acrescentou que estava suspendendo o interrogatório e, depois de registrar o horário para a gravação, ela e Peterson saíram da sala.

CAPÍTULO 67

Erika, Moss e Peterson estavam prestes a entrar na sala de interrogatório 1 para conversarem com Linda, quando o advogado os lembrou que legalmente os suspeitos tinham direito a um intervalo para o almoço. Uma hora depois, já era final da tarde. O dia parecia estar desaparecendo.

– Linda, você sabe porque nós a prendemos? – perguntou Erika.

Linda se recostou na cadeira, calma e serena.

– Vocês acham que eu tenho informações. Vocês acham que eu conheço alguém que matou Andrea ou talvez achem que eu atirei em JR.* Ou no Presidente Kennedy.

– Isto não tem graça, Linda. Este é Igor Kucerov, ele também usa o nome de George Mitchell. Andrea estava envolvida em um relacionamento sexual com ele antes de estar com Giles, e durante também – informou Erika, arrastando as fotos pela mesa.

Linda olhou para as imagens dispostas à sua frente, encarando as mais explícitas de maneira apática.

– Nós sabemos que ele tirou essa foto de você e Andrea – acrescentou Erika.

– Vocês não sabem disso – fungou Linda com os olhos pulando de um policial a outro. – Como podem saber?

– Porque nós prendemos Igor Kucerov por suspeitarmos que ele é o responsável pelo assassinato de Andrea, e pelas mortes de Tatiana Ivanova, Mirka Bratova, Karolina Todorova e Ivy Norris. Neste momento, ele está sendo interrogado na sala ao lado – falou Erika.

– Vocês estão mentindo, e eu não falo com mentirosos. Tenho que falar com esses mentirosos? – perguntou Linda, olhando para o advogado.

---

* Personagem da série de TV americana *Dallas* (1978-1991) que sofreu uma tentativa de assassinato. Por quase um ano os fãs se perguntaram "quem atirou em JR?", frase que ficou gravada no imaginário do público. (N.E.)

– Vocês têm provas de que esta foto da minha cliente foi tirada pelo homem a que se referem? – perguntou o advogado.

Erika ignorou-o.

– Você se lembra de uma garota chamada Barbora? Ela era amiga da Andrea.

– Lembro.

– Ela acompanhou sua família em algumas férias de verão, não é?

– Ela era um doce. Talvez um pouco doce demais... e ansiosa. Mesmo assim, boa demais para Andrea e... Andrea enxotou a menina. Que novidade...

– Como ela a enxotou?

– Ah, o de sempre. Primeiro ela achou que Barbora era a top das tops, depois o entusiasmo esfriou e ela fez a garota se sentir a parente pobre. Na última vez em que ela viajou com a gente de férias, Barbora tinha perdido muito peso. Estava definhando. Andrea achou que aquele era o físico da moda e isso, provavelmente, foi o suficiente para excomungar a coitada da menina.

– Andrea falou para onde Barbora foi?

– Só falou que ela tinha se mudado. Por quê? – perguntou Linda, apertando os olhos.

Erika explicou a conexão de Barbora com Igor e que ela tinha se envolvido sexualmente com ele no mesmo período que Andrea.

– Permita-me informá-la de que essa informação foi desconsiderada – disse o advogado.

– O fato de que Barbora estava sexualmente envolvida com Igor Kucerov, que ela entrou para o programa de proteção a testemunhas e que cometeu suicídio não será desconsiderado – disse Erika. Ela percebeu que Linda tremia, e que seus olhos se encheram de lágrimas, que rolaram bochecha abaixo.

– Como foi que ela fez isso? – perguntou Linda.

– Ela se enforcou. Estava aterrorizada. Agora você vê o quanto é importante descobrirmos a verdade sobre Igor Kucerov? Ele está diretamente ligado a Andrea.

Linda limpou as lágrimas e disse:

– Eu me encontrei com ele duas vezes; em uma boate em Kensington e em um pub em Chiswick. Como eu disse antes, Andrea tinha uma tonelada de atenção masculina, e ela sempre enganava os caras. Usava os homens como absorventes internos: gostava que ficassem nela por um tempinho, mas depois dava descarga neles.

Houve silêncio. O advogado não conseguia esconder seu desgosto. Erika abriu uma pasta, pegou o bilhete que havia recebido e o colocou na frente de Linda.

– O que você pode me dizer sobre isto? – perguntou Erika, observando o rosto de Linda.

– É o mesmo bilhete que você me mostrou antes. Quando você foi à floricultura – disse ela levantando o olhar para Erika. – Enviaram para você?

– Sim. Você pode ver que, assim como é algo pessoal, em relação a mim, também diz respeito à polícia por causa da morte de Andrea e de outras vítimas de assassinato.

– E por que você está mostrando pra mim? – perguntou Linda, com um tom gelado.

– Linda, nós vimos a sua ficha. Você fez disto praticamente um hábito, mandar mensagens ameaçadoras. Já mandou cartas ameaçadoras para Giles Osborne e outras pessoas. Professores, um médico, amigos de Andrea... Você mandou cartas até pra Barbora. Ela falou sobre isso no depoimento dela, que temos gravado.

– Repito, Detetive Foster, isso tudo é circunstancial – afirmou o advogado. – Você está se esforçando para ligar os pontos de maneira grosseira e tentando induzir a minha cliente a falar. O que ela não vai fazer.

– Bom, ela pode falar ou o silêncio dela pode falar por ela. Linda... você, seu pai, Giles, Barbora, Igor. Vocês estão todos conectados. Estamos com o seu notebook e estão fazendo uma busca nele. Apreendemos os computadores do seu pai e de Giles também. É uma questão de tempo até fazermos todas as conexões. Conversa comigo, Linda... eu posso te ajudar.

– Não, não vou falar – disse Linda, recostando-se na cadeira; pegando um fiapo da blusa, ficou olhando para os policiais. Ela agora parecia controlar totalmente suas emoções. Erika mal podia esconder sua frustração.

– Você gosta de gatos? – perguntou Peterson.

– Ai, querido, estão desesperados, né? – sorriu Linda, de modo insinuante. – Sr. Lloyd, devo prosseguir e responder a isso? Não gostaria de me comprometer com um escândalo envolvendo gatos.

O advogado revirou os olhos e a autorizou com um gesto de cabeça.

— Gosto, sim, Detetive Peterson, eu gosto de gatos.

— Você tem gatos?

— Neste momento, não – respondeu ela, assertiva.

— Vocês têm alguma outra pergunta *relevante*? – perguntou Lloyd.

— Não. Por enquanto, é só – respondeu Erika, tentando conservar sua dignidade. Quando voltaram ao corredor, Woolf estava esperando.

— O quê? – perguntou nervosa.

— É o Marsh.

— Agora, não. Eu ligo pra ele depois.

— Ele está aqui, na sala dele... e quer falar com você.

CAPÍTULO 68

Marsh estava andando de um lado para o outro em frente à janela quando Erika bateu na porta da sala dele. Ao entrar, ele parou e a encarou. Estava com uma calça branquíssima, uma camisa com a gola aberta e uma boininha estilosa. Apesar de tudo, Erika teve que conter um sorriso.

— É o seu look David Beckham, senhor? Ou esse é o seu modelito pintor?

— Senta — ordenou ele, tirando o chapéu e jogando-o na pilha alta de papéis sobre a mesa. — Você perdeu o juízo, Detetive Foster? Sabe o tamanho da merda que você desencadeou prendendo os Douglas-Brown? Tem gente ligando do gabinete ministerial.

Ele parecia cansado, de saco cheio de toda aquela situação.

— Senhor, se me escutar...

— Não. Estou mandando você soltar Sir Simon, Linda, Giles Osborne e Igor Kucerov, entendeu? Você expôs uma pessoa que estava no esquema de proteção a testemunhas, você está discutindo abertamente os detalhes de um julgamento confidencial...

— Senhor, Barbora Kardosova se matou, o que significa que ela não faz mais parte do programa de proteção a testemunhas — Erika prosseguiu e explicou a transferência de dinheiro entre Simon, Giles e Igor, e contou sobre o depoimento de Barbora que ligava Igor ao tráfico de mulheres do Leste Europeu. Ela deixou de fora a dúvida sobre ele estar fora do Reino Unido na data do assassinato de Andrea. — O senhor tem que admitir, Superintendente, mesmo como coincidências, isso tudo fede.

Atento, Marsh tinha escutado tudo, e agora estava respirando pesadamente, andando de um lado para o outro. Ela quase conseguia ver as engrenagens girando.

– Que horas são? – perguntou ele.

– Quase 17h – disse Erika.

– E quando vencem as 24 horas de custódia deles?

– Amanhã, às 9h.

– Eles já fizeram o intervalo para a refeição?

– Ainda não.

– Okay, e eles têm direito a oito horas de descanso ininterruptas.

– Eu sei. Preciso de mais tempo. O senhor consideraria estender? Me dar mais 12 horas? Não posso autorizar isso, mas o senhor pode. Estou esperando o resultado da perícia. Eles pegaram os notebooks de Simon e de Linda. E também estamos analisando extratos bancários.

– Não, não posso estender – negou Marsh, aproximando-se e sentando. – Olha, Erika, você é uma policial brilhante...

– O senhor sempre diz isso antes de me falar para não fazer alguma coisa.

Marsh ficou em silêncio por um breve momento antes de continuar:

– Falo isso porque é verdade. E também porque sei como isso vai acabar. Você está se metendo com gente poderosa aqui e a sorte não está a seu favor.

– Está soando bem *Jogos Vorazes*...

– É sério, Erika. Solte os seus suspeitos e eu vou fazer o melhor que puder para te proteger.

– Me proteger? – perguntou Erika, incrédula.

– Erika, você está cega em relação à maneira como as coisas funcionam? O poder sempre ganha. Nós dois já vimos isso. Por favor, se afaste. Salve sua carreira. Às vezes você tem que desistir de algumas coisas.

– Não. Sinto muito, senhor. Isso não é o suficiente. Cinco mulheres morreram. *Cinco*. Que direito as pessoas no chamado *poder* têm de esconder tudo isso? Para que eles possam ganhar mais dinheiro? Para manterem suas vidas confortáveis?

– Você sabe o que vai acontecer, não sabe? Você pode perder o seu distintivo, a sua reputação...

– Senhor, já tiraram praticamente tudo de mim. Mark, uma vida que eu amava, lá no Norte rodeada de amigos, um lugar que eu podia chamar de lar. A única coisa que tenho para me segurar é um senso de moralidade... e até amanhã às 9h eu ainda posso conseguir justiça para essas mulheres.

Marsh a encarou. A raiva entre eles havia desaparecido. A única coisa que os separava era uma mesa bagunçada, mas era como se eles estivessem sentados em lados opostos de um vasto cânion. E Erika estava no lado que tinha menos estabilidade.

– Okay, você tem até amanhã às 9h para conseguir justificar sua posição. E vai assumir as consequências! – disse Marsh.

– Obrigada, senhor.

Erika se levantou e saiu da sala, notando a tristeza nos olhos dele.

CAPÍTULO 69

Erika e sua equipe continuaram a interrogar os suspeitos, mas o início da noite esvaia-se, parecendo levar o caso consigo. Igor, Simon, Giles e Linda estavam cada vez mais confiantes, sentiam que faltavam provas, e por isso ficavam calados ou enrolavam para responder às perguntas. Os advogados ficaram incrédulos quando Erika avisou que eles seriam mantidos ali durante a noite e interrogados novamente pela manhã.

Era quase meia-noite, Crane e Erika eram os dois últimos na sala de investigação.

— Tem mais alguma coisa que eu possa fazer, chefe? – ofereceu Crane, apresentando-se ao lado dela. – Ainda estamos esperando as câmeras de segurança de Igor Kucerov. Não acho que vai chegar mais nada nas próximas horas.

Erika estava revendo os detalhes do caso, voltando ao rapto de Andrea. A tela do computador borrava diante de seus olhos.

— Não. Vá para casa e descanse – disse ela.

— Você também. Já voltou para o seu apartamento?

— Não. A Polícia Metropolitana me fez um agrado e me colocou em um hotel. Só até eu colocar as coisas em ordem.

— Onde você está ficando?

— Park Hill Hotel.

Crane assobiou e disse:

— Bom! O aniversário de 90 anos da minha avó foi lá. Eles têm um campo de golfe bacana... Boa noite.

— Te vejo amanhã, bem cedo – disse Erika quando ele saiu.

Já passava da meia-noite no momento em que ela chegou ao hotel. Ao entrar no quarto sofisticado e elegante, sentiu-se a milhões de quilômetros do caso. A distância não ajudou.

Ela acordou às 4h30, ensopada de suor do agora familiar sonho. Tiros zumbindo ao redor dela, e Mark desabando no chão. Ela fechou os olhos, a última imagem queimando em seu cérebro: a parte de trás da cabeça dele explodida por um tiro.

Estava abafado. Ela saiu da cama e foi até a janela, sentindo o aquecedor debaixo dela emanar calor. Seu quarto era no sexto andar, e depois do negrume do campo de golfe, ela via fileiras de casas espremidas na direção de Lewisham. Poucas delas tinham luzes acesas, a maioria estava escura. A janela só abria cinco centímetros. Tinha uma trava para evitar suicídio.

– Só queria um pouco de ar frio – disse ela. – Não vou me matar.

Erika se vestiu e desceu para o grande lobby luxuoso, que estava vazio, salvo um recepcionista de olhos turvos. Ele os levantou de seu jogo de paciência e cumprimentou-a com um gesto de cabeça.

Erika saboreou a sensação ao chocar-se com o ar frio do lado de fora. Havia uma fileira de bancos em frente ao prédio. Ela escolheu o primeiro, tirou um cigarro do maço, acendeu e soprou um feixe de fumaça no céu noturno. Ela estremeceu, um tremor para livrar-se do sonho e forçar seus pensamentos a voltarem para a investigação.

Talvez aquele fosse o tal caso. Aquele que escapa. Todo policial era assombrado por um caso não solucionado. Ela bateu a cinza no cascalho e um miado anunciou que havia, debaixo do banco, um gato preto e grande, que saiu de seu esconderijo e se esfregou nas pernas dela.

– Oi – cumprimentou ela, inclinando-se para afagá-lo. O gato ronronou e saiu empertigando-se na direção de dois pratinhos debaixo de uma das janelas. Ele bebeu um pouco de água e cheirou a tigela ao lado, que estava vazia.

Linda Douglas-Brown surgiu na mente de Erika. *Linda, a senhora dos gatos*. Tantas evidências antigas ligadas a ela. Era para Linda ter se encontrado com Andrea naquela noite no cinema, o que não aconteceu. Ela assistiu ao filme com David. Eles sabiam disso, mas o que aconteceu depois? Linda e sua obsessão por gatos... O que mais ela sabia sobre Linda? Ela era uma vítima na vida? Obviamente não era a favorita da família. Era amarga e invejosa. Ela *podia* ter matado Andrea, mas e as outras mulheres? As prostitutas que tinham se envolvido com Igor? Linda sabia de Igor, ela o tinha conhecido. E se ela também soubesse que Igor tinha matado as outras três prostitutas? Poderia ter agarrado a oportunidade para fazer com que o assassinato de Andrea parecesse obra de outro assassino, uma *copycat*?[*] *Copycat. Cat*, ou seja, gato. Linda, a senhora dos gatos.

Aquilo ficou dando voltas na mente de Erika. No entanto, Linda não tinha um gato. Peterson havia perguntado no interrogatório se ela tinha um gato. Ela respondeu de forma estranha, "não agora", e uma sombra pairou em seu rosto, um olhar estranho. Erika não percebeu no momento, mas agora algo a havia despertado.

Erika voltou para o quarto, onde se vestiu rapidamente e, depois de passar pelo desinteressado rapaz na recepção pela segunda vez, pegou o carro e foi para a delegacia de Lewisham Row. Era um pouco mais de 5h. Ela não conhecia o sargento da recepção do turno da noite, mas ele fez o registro de que ela retirou as chaves da casa dos Douglas-Brown. As ruas por onde passava de carro na direção de Chiswick estavam tranquilas. Os prédios comerciais se aglomeravam altos e vazios enquanto ela avançava pela região de Elephant and Castle, atravessava o Tâmisa pela ponte Blackfriars e depois seguia o rio ao longo da Embankment. A água estava pouco visível devido a um nevoeiro baixo, que se tornava azul à medida que a aurora irrompia.

Erika ligou para Moss, mas quem atendeu foi a secretária eletrônica.

– Oi, é a Erika. São quase 5h30. Estou a caminho da casa dos Douglas-Brown. Tem uma coisa sobre Linda me inquietando. Quero dar uma olhada no quarto dela. Se eu não tiver voltado até às 7h, interrogue-a de novo... e peça ao Peterson para conduzir, parece que ela tem uma queda por ele. Faça com que fale sobre gatos. Sei que parece loucura, mas acho que tem alguma coisa aí. Ainda não saquei direito o que é... Ela é louca por gatos, mas não tem gato...

O celular dela repetiu um barulhinho três vezes e desligou.

– Merda! – gritou Erika, olhando para o celular descarregado. Ela não tinha ficado tempo suficiente no hotel para carregá-lo. Chegou à rua comercial de Chiswick. Enfiou o celular no bolso e estacionou em uma das ruas de trás, consciente de que teria que ser rápida e que precisaria voltar de metrô para ter alguma chance de conseguir chegar à delegacia antes de as 24 horas expirarem.

---

[*] Cópia; pessoa que age como outra, imitando a aparência, as ações, os hábitos, etc. Expressão também usada para se referir a assassinos que imitam outros crimes, reais ou fictícios. (N.E.)

CAPÍTULO 70

A casa lustrosa e resplandecente dos Douglas-Brown dominava a ponta da rua sem saída. Uma névoa pairava no ar e as luzes dos postes piscavam enquanto ela se aproximava da casa. O portão da frente estava bem lubrificado e abriu silenciosamente. As janelas a encararam desinteressadas. Ela foi até a porta da frente e apertou a campainha, tentando escutar algo dentro da casa. Um momento se passou, depois ela começou a experimentar as chaves do molho na fechadura. A terceira abriu a porta. Ela escutou por um momento, entrou e fechou a porta.

Passou pelo corredor de entrada, pelo relógio de pé com seu pêndulo em movimento, e entrou na vasta cozinha de aço e granito. Estava silenciosa e imaculada. Havia panelas de cobre penduradas em uma armação acima de uma grande ilha de granito, e a parede de trás era de vidro, do chão ao teto, dando vista para o jardim imaculado. Um pássaro preto pousou na grama macia, mas ao ver Erika movendo-se lá dentro, saiu voando.

Erika saiu da cozinha e subiu a arrebatadora escadaria até o segundo andar, passou por quartos de hóspedes, elegantes e neutros, e por um banheiro de mármore, até que, no final do corredor nos fundos da casa, encontrou o quarto de Linda. A porta estava fechada com uma plaquinha que dizia: *BEM-VINDO AO QUARTO DA LINDA. POR FAVOR, BATA ANTES DE ENTRAR.* Debaixo dela, e quase apagado por rabiscos, estava escrito: porque eu posso estar sem calcinha! Erika não conseguiu ficar sem rir, e achou que devia ter sido David o autor do complemento. Irmãos caçula gostam de importunar. Ela abriu a porta e entrou.

CAPÍTULO 71

– Recebi uma mensagem da chefe – disse Moss ao entrar na sala de investigação. Peterson tinha chegado no mesmo horário, carregando uma bandeja de café. Ele os estava distribuindo para os policiais que regressavam com os olhos turvos, e tiravam os casacos.

– Ela quer que a gente siga em frente e interrogue Linda primeiro.

– O advogado dela já apareceu? – perguntou Peterson.

– Já, acabei de vê-lo na recepção. Ele não parece muito satisfeito por ter que vir pra cá nesse horário infame.

– Tudo bem, às 9h já vai ter acabado – comentou a Agente Singh, se aproximando para pegar o último café.

– Desculpe, vou precisar desse aí – negou Moss. – Vá pegar um na máquina.

– Você foi um pouquinho grossa – disse Peterson depois que Singh saiu.

– Do jeito que ela falou parece que vamos ficar olhando para o relógio até às 9h... só para cumprir o prazo.

– E, não é? – perguntou Peterson, meio sem jeito.

– Não – disse Moss, enfaticamente. – Agora escute, a chefe teve uma ideia...

CAPÍTULO 72

O quarto de Linda era pequeno e escuro. Uma janela guilhotina com um assento estofado no peitoril dava vista para o jardim, e ali do alto Erika via que o gramado ainda estava salpicado com algumas manchas de neve. Havia um guarda-roupa pesado e escuro ao lado da janela. A porta rangeu quando Erika a abriu. De um lado estava pendurada uma seleção de saias volumosas, seguidas por uma sequência de blusas brancas perfeitamente passadas, algumas com renda no colarinho. O restante do guarda-roupa era tomado por uma enorme seleção de blusas com estampa de gato, todas grossas e pesadas. Na parte de baixo, havia uma confusão de scarpins, algumas rasteirinhas, um par de tênis de correr azul-claro, um par empoeirado de patins de gelo e um acessório rosa para malhar as pernas.

Uma cama de solteiro com uma armação de madeira escura estava alojada no canto, encostada na parede dos fundos, e sobre a cabeceira curvada havia um grosso crucifixo de metal. Uma fileira de gatos de pelúcia cobria a colcha de *patchwork* muito bem-arrumada. Eles estavam organizados em ordem de tamanho, do maior para o menor. Seus olhos estilo Disney tinham uma aparência otimista de cortar o coração em meio à triste escuridão do quarto. Erika refletiu por um breve momento sobre a possibilidade de Linda ter feito a cama e arrumado os gatos antes de ser levada para o carro de polícia.

Na mesinha de cabeceira, havia um pequeno abajur estilo Tiffany e uma caixinha de plástico que continha uma placa transparente para bruxismo. Havia também um porta-retratos com uma pequena foto de Linda sentada em uma cadeira de balanço no jardim com um bonito gato preto no colo, tirada alguns anos atrás. Ele tinha pelo branco nas patas. Erika pegou o porta-retratos e o virou, desprendeu as travas de metal e retirou o apoio de papelão. Atrás da foto, com uma caligrafia perfeita, estava escrito:

Meu queridinho Boots, e eu.

Erika ficou segurando a foto enquanto investigava o lugar. Havia uma escrivaninha de madeira escura encostada na parede no pé da cama, combinando com o restante. Estava cheia de canetas e material de escritório típicos de menininhas. Um retângulo grande sem poeira mostrava de onde a polícia havia removido o notebook de Linda. Uma penteadeira entre a janela e a escrivaninha amparava o mínimo de maquiagem, um pote de creme hidratante E45 e um saco de bolinhas de algodão. Ao lado, havia uma escova, e fios do cabelo castanho acinzentado de Linda capturavam a luz da janela. A parede ao lado da porta sustentava uma prateleira repleta de livros de Jackie Collins e Judith Krantz, e dezenas de romances históricos. Havia algumas fotos das férias da família na Croácia, em Portugal e na Eslováquia, principalmente de Linda e Andrea com gatos de rua, e uma delas era de Linda em pé à base de um penhasco com um homem grande, bronzeado e com o cabelo loiro sujo. Ela usava equipamento de escalada e um capacete de plástico vermelho. Seu sorriso era tão largo, que a correia do capacete no queixo dela apertava seu brilhante rosto bronzeado. Não havia nada escrito atrás da foto.

Na parede ao lado da porta ficava um grande mural de cortiça com fotos. Estavam presas umas sobre as outras e eram todas de Boots, o bonito gato preto de patas brancas: Linda sentada com as pernas abertas em uma bicicleta com cestinha de vime onde Boots aconchegava-se em um cobertor; Linda em um balanço no jardim com Boots no colo; Andrea e Linda tomando café na cozinha, com Boots esparramado de costas na bancada segurando um pedaço de torrada com as patas brancas. Linda e Andrea estavam com as cabeças tombadas para trás, rindo. Em uma das fotos, Boots se espreguiçava em uma pilha de documentos. Embora estivesse trabalhando, Simon tinha permitido que Linda tirasse uma foto de sua tarefa sendo interrompida. Erika começou a remover as tachinhas, retirando as fotos. Em várias delas, nas partes sobrepostas, uma pessoa tinha sido cortada, ou a ponta da foto tinha sido rasgada de qualquer jeito. Analisando as imagens dos encontros de família, Erika descobriu quem era a pessoa que faltava.

CAPÍTULO 73

Linda parecia esgotada quando Peterson entrou na sala de interrogatório. O cabelo estava desgrenhado e, pela aparência, não havia dormido muito. O advogado terminou de limpar os óculos e os colocou de volta no rosto.

– Aqui, eu trouxe um café pra você, Linda – disse Peterson, sentando-se do lado oposto da mesa e empurrando o copo da cafeteria na direção dela. O advogado viu que Peterson tinha um café também e ficou aborrecido por não ter sido incluído.

Peterson inclinou o copo na direção da luz.

– Olha, eles nunca acertam. Falei que o meu nome era Peterson; eles escreveram "Peter Son".

Linda olhou para ele fixamente por um instante, em seguida estendeu o braço para pegar o seu e verificou a lateral.

– Escreveram o meu nome certo – comentou ela, depois virou o copo e seu rosto abriu-se em um sorriso. – Ah, e eles desenharam um gatinho! Olha!

Ela girou o copo para que Peterson pudesse ver.

– Achei que você ia gostar – comentou Peterson abrindo um sorrisão.

Linda semicerrou os olhos.

– Percebi o que você está fazendo... – disse ela, recostando-se e afastando o copo. – Não sou tão fácil assim.

– Nunca achei que fosse – argumentou Peterson. Ele falou seu nome em voz alta, o horário e o aparelho do interrogatório começou a gravar.

– Linda, você disse ontem que não tem gato.

– Não. Não tenho – confirmou ela, tomando um golinho cuidadoso do café.

– Já teve?

– Já, já tive – disse ela suavemente. – O nome dele era Boots.

– *Boots*? Como "botas" em inglês?

– É, ele era preto, mas tinha quatro patas brancas, como se estivesse usando botas...

Os minutos tiquetaqueavam, e Linda ficou bem animada, falando de Boots. Ela estava contando a Peterson como o gato costumava dormir debaixo das cobertas com ela, quando o advogado interrompeu.

– Detetive Peterson, o que isto tem a ver com a sua investigação?

– Ei! Estou falando sobre o meu gato. Com licença... – reclamou Linda.

– Estou trabalhando para você aqui, Srta. Douglas-Brown...

– É, está mesmo, e eu estou falando sobre a porra do meu gato, okay?

– Pois bem, como queira – disse o advogado.

Linda voltou-se para Peterson.

– Estou cheia das pessoas que acham que gatos são só animaizinhos de estimação. Eles não são. São criaturas inteligentes, bonitas...

Na sala de observação, Moss e Crane estavam assistindo.

– Faça com que ela continue falando do Boots... – pediu Moss baixinho no receptor que Peterson estava usando no ouvido.

– O nome do Boots era composto? O nome de um cachorro que eu tive era Barnaby Clive – disse Peterson.

– Não. Ele era Boots Douglas-Brown, e já estava de bom tamanho. Eu queria ter um nome composto ou pelo menos um nome mais legal do que *Linda*, que é antigo e chato.

– Sei lá... eu gosto de Linda – elogiou Peterson.

– Só que Boots é muito mais exótico...

– E o que aconteceu com Boots? Imagino que ela não esteja mais entre nós – comentou Peterson.

– Ele, o Boots era ELE... E não. Ele não está mais entre nós – disse Linda. Ela agarrou a beirada da mesa.

– Você está bem? Te incomoda falar sobre como o Boots morreu? – pressionou Peterson.

– É lógico que incomoda. Ele MORREU! – gritou Linda.

Houve silêncio.

– Okay, vai firme, Peterson. Continue azucrinando. Estamos tirando a moça do sério – disse Moss, no ouvido dele.

CAPÍTULO 74

A casa dos Douglas-Brown estava em silêncio e dava a sensação de que segredos e perguntas sem respostas pesavam e a oprimiam. Erika não tinha notado o tempo que passou no quarto de Linda, olhando as fotos da família e absorvendo a tristeza que emanava das coisas dela. Ela estava agora movendo-se pelo corredor, ainda segurando com força as fotos de Boots, o gato, se certificando se havia algo atrás das portas. Passou por quartos de hóspedes vazios, um banheiro grande, uma enorme rouparia e duas janelas panorâmicas no corredor que davam vista para a parede dos fundos da casa ao lado.

Na outra ponta do corredor, no lugar mais distante do quarto de Linda, Erika encontrou o quarto de David. A porta estava aberta.

Em comparação ao de Linda, era estiloso e claro, tinha uma cama de casal com armação de metal e um comprido guarda-roupa espelhado, um pôster de Che Guevara emoldurado na parede, ao lado de um calendário da Pirelli que exibia uma loira bonita no mês de janeiro, com os braços cruzados sobre o peito nu. Havia um leve cheiro de loção pós-barba cara; sobre uma mesa grande, um MacBook prata estava aberto e, ao lado dele, um iPod acoplado a um conjunto grande de caixas de som. Na parede acima, um rack guardava seis pares de fones de ouvido da marca Skullcandy em cores brilhantes variadas. Erika viu um carregador de celular que serpenteava por trás da mesa, pegou seu iPhone e o conectou. Depois de alguns instantes, quando viu que tinha começado a carregar, ligou-o. Foi até o MacBook e passou o dedo sobre o *trackpad*. A tela acendeu e mostrou que era necessário inserir uma senha. Fotos grandes em preto e branco da estação Battersea Power, do National Theatre, e do Billingsgate Fish Market adornavam a parede ao redor.

Um grande conjunto de prateleiras estava abarrotado de livros de arquitetura, que iam de guias baratos a enormes livros de fotos.

Quando Erika estava olhando as prateleiras, uma capa azul-claro chamou sua atenção: *Os 50 melhores lugares para nadar em Londres*. Erika pegou o livro e começou a folhear fotos de piscinas e balneários públicos de Londres. Uma sensação arrepiante emergiu da boca de seu estômago.

CAPÍTULO 75

Moss e Crane assistiam ao interrogatório desdobrar-se pelas telas de vídeo. Peterson estava ouvindo Linda falar de Boots, seu amado gato. Após o barulho de alguém batendo na porta, Woolf enfiou a cabeça pelo vão.

— Isto acabou de chegar para a Detetive Foster — informou Woolf. Ele entregou a Moss um pedaço de papel. Ela leu rapidamente.

— Chegou lá da Harley Street, é do médico particular de Linda Douglas-Brown. Ele declara que ela é mentalmente incapaz de ser interrogada pela polícia.

— Nossa, com o que estamos lidando aqui? — questionou Crane.

— Quem trouxe isto? — perguntou Moss.

— Diana Douglas-Brown. Ela apareceu com outro advogado — disse Woolf. — Vocês têm que parar o interrogatório.

— Fomos informados de que ela não sabe de nada, e mesmo assim este documento é entregue pouco antes das 7h? — indagou Moss.

— Você sabe que eu te dou cobertura, mas este negócio é coisa de peixe grande. Esquema de gente poderosa. Já estou conseguindo enxergar a beirada do penhasco se aproximando — comentou Crane.

— Só mais um pouco, Woolf. Vá lá pra fora e volte em dez minutinhos.

Woolf concordou com um relutante gesto de cabeça e saiu.

— Okay, Peterson, pressiona mais — pediu Moss no microfone.

* * *

— Como ele morreu, Linda? — perguntou Peterson na sala de interrogatório. — Como o Boots morreu?

O lábio inferior de Linda estava tremendo, ela agarrou o copo de café e ficou passando o dedo pelo minúsculo desenho do gato.

— Não é da sua conta...

— Sua família ficou triste quando Boots faleceu?

— Ficou.

– Andrea e David, eles deviam ser mais novos, né?

– É claro que eles eram mais novos! Andrea ficou triste. Mas David...
O rosto de Linda ficou sombrio e ela mordeu o lábio com força.

– O que tem o David? – perguntou Peterson.

– Nada... Ele ficou triste também – disse Linda, sem rodeios.

– Você não me parece muito convicta. David ficou triste ou não, Linda?

Ela começou a respirar mais rápido, puxando e soprando o ar, quase hiperventilando.

– Ele... ficou... tris... te... também – disse Linda, com os olhos arregalados, olhando para o chão.

– David ficou triste? – pressionou Peterson.

– ACABEI DE FALAR QUE FICOU! ELE FICOU TRISTE, PORRA! – berrou Linda.

– Acho que isto está ficando... – começou o advogado, mas Peterson continuou.

– David viajou para uma despedida de solteiro, não viajou, Linda?

– Viajou. Fiquei surpresa com o quanto foi difícil deixá-lo ir – disse ela, franzindo a testa e ficando imóvel.

– Ele só vai ficar fora alguns dias, não é? – perguntou Peterson.

Linda tinha começado a chorar, lágrimas escorriam por suas bochechas.

– Está tudo bem... Ele vai voltar, Linda... David vai voltar – disse Peterson.

Linda estava segurando a mesa com força e apertando os lábios.

– Minha cliente está... – começou o advogado.

– Eu não quero que ele volte – soltou Linda entredentes.

– Linda, por que você não quer que David volte? Está tudo bem, sou eu... Você pode me contar – instigou Peterson. Ele quase conseguia sentir o peso do ar de tão tenso que estava o clima na sala de interrogatório.

– Longe – disse Linda com um tom sombrio. – Quero que ele vá para bem longe... que vá embora... EMBORA!

– Por que, Linda? Me conte por quê... Por que você quer que David vá embora para bem longe?

– PORQUE ELE MATOU O MEU GATO! – gritou ela, de repente. – ELE MATOU BOOTS! Matou Boots! Ninguém acredita em mim! Todo mundo achou que eu estava inventando, mas ele matou o meu gatinho.

E matou o gato de Giles também, e fez parecer que fui eu! Aquele filho da puta...

– David? David matou o seu gato? – perguntou Peterson.

– Matou!

– Como ele o matou? – perguntou Peterson.

Linda estava ficando roxa, segurando a mesa com força, tentando sacudi-la, mas estava parafusada no chão. As palavras agora jorravam de sua boca.

– Ele estrangulou o Boots... Estrangulou... Como, como...

Linda mordeu o lábio com tanta força que uma gota de sangue escorreu.

– Como o quê, Linda?

– Como aquelas garotas – terminou ela, em um sussurro torturado.

CAPÍTULO 76

As mãos de Erika estavam tremendo quando começou a folhear o livro no quarto de David. À media que via as páginas, seu coração dava solavancos mais rápidos. Ela viu uma parte do balneário público Serpentine, outra do Brockwell, dos lagos de Hampstead Heath... todas as cenas dos crimes, com exceção do Horniman Museum. Em cada parte, anotações tinham sido feitas ao redor das fotos e do texto com uma caligrafia maníaca. Em algumas páginas, as anotações preenchiam todos os espaços vazios ao redor das fotos, apontando onde ficavam as saídas, se havia câmeras de segurança, qual era o horário de funcionamento de cada local, o melhor lugar para entrar com o carro e escondê-lo.

Então, Erika chegou a um mapa que ocupava duas páginas no fim do livro, em que todos os locais haviam sido marcados e circulados. Era idêntico ao mapa na sala de investigação. Erika soltou o livro, que fez um barulho surdo ao cair, e foi para a mesa em que o celular estava carregando. Ela pegou o aparelho e começou a procurar os números de Moss e Crane na Lewisham Row.

Foi quando percebeu um movimento e uma sombra atrás de si. Uma mão se fechou sobre a dela, arrancando-lhe o celular.

CAPÍTULO 77

O Superintendente Marsh tinha entrado na sala de observação quando Linda sucumbiu, revelando que David era o assassino. Ele observou, ao lado de Moss e Crane, um silêncio horrorizado, Linda perder o controle. Ela estava enfurecida, puxando o cabelo, com o rosto vermelho e cuspe voando boca afora.

— David matou Boots na minha frente! Matou! Ninguém acreditou quando eu contei que tinha sido ele! Ninguém! Todo mundo achou que eu estava mentindo! Que eu tinha feito aquilo!

— Você falou que David matou garotas? Que garotas? – perguntou Peterson.

— Garotas... do tipo das que você paga por elas. Ele gastava tanto com essas garotas...

— O que você quer dizer com gastava tanto?

— Dinheiro, seu idiota! – urrou Linda. – E não o dinheiro dele. Ah, não! Papai bancava. Papai bancava as garotas, mas não comprava um gato novo pra mim... Porque eles falavam que eu tinha mentido sobre David ter matado o gatinho, acreditando NELE, e não em MIM. Um assassino de merda. Eu tenho menos valor do que um assassino? TENHO? Papai ficava satisfeito em gastar milhares de libras. Milhares!

— Por que ele tinha que gastar milhares de libras, Linda? Para quem ele dava essas milhares de libras? – perguntou Peterson.

— Para o Igor, a porra do amigo de Andrea! Pelas garotas!

— E o seu pai pagava Igor? – perguntou Peterson.

— Ele dava o dinheiro para Giles pagar Igor. E ele deu dinheiro para David sair do país. AQUELE DINHEIRO TODO E ELE NÃO COMPROU UM GATINHO PRA MIM!

Linda inclinou a cabeça para trás e a bateu na mesa. Levantou-a e bateu de novo.

— Pare! Pare! – gritou Peterson.

O advogado tinha se afastado para o canto da sala. Peterson foi até a parede e acionou o alarme de pânico, que disparou um som alto pela delegacia. Ele virou-se, olhou para a câmera e disse:

– Preciso de ajuda aqui, AGORA!

– Cadê a Detetive Foster? – perguntou Marsh na sala de observações.

Moss ficou em silêncio por um instante com a cor esvaindo-se do rosto.

– Jesus! Ela foi para a casa dos Douglas-Brown...

CAPÍTULO 78

Erika virou e ficou cara a cara com David, que estava em pé em frente a ela no quarto, de suéter verde, um colete escuro e calça jeans. Ele arrancou o chip do celular dela e o quebrou na metade. Jogou o aparelho no chão e o barulho dele se quebrando ressoou quando David pisou nele sobre o carpete com o calcanhar de sua bota.

Erika olhou fixamente para o rosto de David. Era como se sua máscara de juventude e confiança tivessem caído. As narinas dilatavam-se e os olhos ardiam. Ele estava diabólico. Erika conseguia ver tudo nitidamente agora. Tinha sido tão burra.

— Pensei que você estivesse viajando, David — comentou Erika.

— Eu vou viajar. Para uma *despedida de solteiro*...

Erika olhou para o livro. Ele estava no carpete, aberto nas páginas do mapa de Londres.

— Não está marcado no livro, mas você matou Andrea também, não matou? — perguntou Erika, calmamente.

— Matei. Matei, sim. Uma pena, na verdade. Ela era bem mais legal do que Linda — respondeu David. — Sei o que você está pensando... Por que Andrea e não Linda?

— É isso o que você está pensando, David?

— Não. Linda provou ser útil. Ela vai levar a culpa pelo assassinato de Andrea. Igor Kucerov vai ser preso por causa das putas. Eram as putas *dele*, no final das contas. E Ivy Norris... bom, o lugar daquele lixo era mesmo na sarjeta.

— Você está se ouvindo?

— Estou, sim — respondeu David, sorrindo com desdém.

— Por que você fez aquilo?

David deu de ombros.

— Você consegue simplesmente dar de ombros? Eu não acredito nisso — disse Erika.

– Acredite – falou entredentes. – Você acha que consegue me analisar, racionalizar o que eu fiz, por que eu matei? Eu matei porque eu POSSO.

– Só que você não pode, David. Você não vai escapar dessa. Há consequências.

– Você não tem ideia do que é crescer com privilégios e poder. É intoxicante. Observar o quanto as pessoas tratam você e seus pais de maneira diferente. O poder é como um gás que sai pelos seus poros e infecta as pessoas ao seu redor. O poder corrompe, envolve, instiga... Quanto mais poderoso o meu pai se torna, mais ele fica com medo de perder o poder.

– Então ele sabe que você matou Mirka, Tatiana e Karolina?

– É claro... Não que ele tenha vibrado com isso, mas elas eram garotas do Leste Europeu, todas elas acham que o caminho para a grandeza é feito de boquetes e sexo.

– E Andrea? Ela era sua irmã! A favorita de seu pai!

– Ela estava ameaçando falar para a nossa mãe. Ela falou que ia contar pra porra da imprensa! Garota burra. Primeira lição para lidar com pessoas poderosas: mantenha a boca fechada. Senão alguém vai fechar pra você, permanentemente.

– Não consigo acreditar que seu pai estava disposto a encobrir até isso... deixar pra lá o fato de você ter matado a filha amada dele.

– Cala a boca. Você não sabe do que está falando. O maior de todos os medos dele é cair do poder. Ele tem medo de que os outros lobos desçam e o rasguem em pedaços... O medo é mais poderoso do que o amor. Ele teve que decidir quem salvaria: Andrea ou eu. De qualquer maneira, Linda não demora muito para despirocar de vez, e ela odiava tanto Andrea que provavelmente ela mesmo teria feito aquilo.

– Linda não teria matado Andrea – disse Erika.

– Agora você está do lado dela? Jesus! Bom, eu acho que a maioria das pessoas sente pena quando visita o quarto dela... Sabe, quando meus amigos vinham passar a noite aqui, nós achávamos o gatinho dela e o trancávamos em uma das caixas de dinheiro trocado do escritório do meu pai... e a gente botava a Linda para fazer todo tipo de coisa para conseguir a chave de volta.

Esforçando-se para manter contato visual com David, Erika disse:

– Boots. Era o gato dela.

– É, o bom e velho Boots... Linda costumava ter ataques terríveis de raiva quando não conseguia que as coisas saíssem do jeito que ela queria.

Usei um desses ataques para despachar Boots… Estrangulamento, caso esteja curiosa. Já tentou estrangular um gato?

– Não.

– Já matou coelho? Vocês eslovacas gostam um pouco de coelhinhos, não gostam?

– Não.

– O problema dos gatos são as *garras*. Eles piram. A luta para sobreviver é admirável.

– Os seus pais são inteligentes. Eles devem saber que foi você que matou o gato – disse Erika.

– Esse é o problema de quando você delega a criação dos filhos. Quando contrata babás, você assume um papel secundário. Vê as crianças antes do banho, uma hora aqui, outra ali. *Não chegue muito perto, querido. Estou arrumada para sair hoje à noite...* Seus filhos se transformam em um monte de estatísticas: *ele tirou A em Matemática, ele sabe tocar* Für Elise *no piano... Vamos comprar um pônei de polo para que ele possa se entrosar com o time.* – David deu a impressão de ter divagado por um momento, e depois voltou a atenção para o quarto. – Enfim. Imagino que o seu interrogatório, mesmo envolvendo todo aquele pessoal, não deu em nada. Meu pai transformou o silêncio deles em algo muito lucrativo. E Linda vai levar a culpa por matar Andrea. Eu a fiz prometer.

– Por que ela prometeria?

– Falei que, se prometesse, ela poderia ter outro gato e não teria que viver com medo de eu despachá-lo.

– Você não pode estar falando sério... – disse Erika.

– Estou. Ela vai alegar insanidade e ficará em alguma clínica cara durante uns anos. Meu pai provavelmente vai enfiar uma grana na mão de algum funcionário para ele dar umas cutucadas naquele lugarzinho desejoso entre as coxas dela... Eles devem até deixar Linda ter um gato. Ela dá a *xaninha* para ter um *chaninho*... – David começou a gargalhar, de forma aguda e desvairada.

Erika aproveitou a oportunidade para se arremessar na direção da porta, mas David foi mais rápido. Ele agarrou-a, passou as mãos ao redor do pescoço dela e a empurrou com força contra as prateleiras de livros, arrancando-lhe o ar dos pulmões. Mas desta vez ela estava pronta para ele. Levantando o braço e deu um soco no nariz de David. A cartilagem se quebrou com um estalo e ele a soltou. Erika conseguiu empurrá-lo e correr para a porta, mas ele a agarrou pelo braço antes de ela sair e deu um puxão que a fez girar o corpo. A detetive bateu com força na mesa, e ele a dominou novamente. O sangue escorria pelo queixo dele e uma expressão de pura fúria contorcia seu rosto. Erika chutava e se debatia, o tempo todo tentando respirar e forçar o ar a entrar em seus pulmões sem fôlego. Lutava para se soltar das mãos de David, mas o rapaz não a largava e tentava controlar os braços da policial, subindo em cima dela, até conseguir prender um deles usando o joelho.

Tateando desesperada com a mão livre por cima da mesa, pegou um peso de papel e o socou na orelha de David. Erika conseguiu fugir debaixo dele, correndo novamente na direção da porta, mas ele se recuperou rápido, esticando uma de suas longas pernas e passando uma rasteira nela. A detetive caiu e ele cresceu para cima dela, com o rosto agora emplastado de sangue, que cobria inclusive seus dentes expostos em um sorriso maníaco. Ela lutava, arranhando e chutando, se debatendo como um animal para sair de debaixo dele, mas estava presa. Ele levantou o braço e esmurrou o rosto dela, uma vez, duas vezes... quando a golpeou a terceira vez, Erika sentiu um dos seus dentes descer pela garganta. Em seguida, tudo ficou preto.

CAPÍTULO 79

– Senhor, a Detetive Foster ligou o telefone meia hora atrás. O sinal veio da casa dos Douglas-Brown – informou Peterson. A sala de investigação estava agora em plena atividade, preparando uma caçada a David Douglas-Brown.

– Quero que enviem uma equipe de policiais à casa agora. Quero que conduzam uma busca armada. Façam um isolamento em um raio de oito quilômetros ao redor da casa. Providenciem um mandado de prisão para David Douglas-Brown. Ponham a foto dele em circulação.

– Senhor, Simon e Diana Douglas-Brown disseram que David saiu do país para ir a uma festa de despedida de solteiro em Praga. De acordo com a Imigração, ele ainda está aqui. Não saiu do país – informou Crane.

– Quero que o encontre, agora! E rápido! A Detetive Foster pode estar em perigo – disse Marsh. – E tirem Simon Douglas-Brown da porcaria da cela dele e o coloquem em uma sala de interrogatório de novo...

– É claro, você tem consciência de que tudo isso é inadmissível – disse Simon, 20 minutos mais tarde, quando Marsh resumiu a confissão de Linda. – O meu advogado me informou que você recebeu um fax do médico dela afirmando, claramente, que tudo o que sai da boca de Linda é inadmissível. Ela é louca... sempre foi. No que diz respeito a David, ele alterou seus planos sem me avisar, e isso não é nenhum crime. Devem ter mudado o lugar da despedida de solteiro.

Simon se levantou da cadeira na sala de interrogatório e disse:

– Vou ligar para o Comissário Assistente Oakley mais tarde e recomendarei que...

– Cale a boca, Simon – ordenou Marsh.

– O que você disse? – desafiou Simon.

– Cala a boca e senta. Você ainda está sob custódia e eu não terminei. Senta! Agora!

Simon ficou chocado e afundou lentamente na cadeira.

– Escute. Emitimos um mandado de prisão em nome do seu filho, que acreditamos ser responsável pelas mortes de cinco mulheres, inclusive de Andrea, sua própria filha.

Simon ficou em silêncio.

– Também descobrimos que o celular que Andrea perdeu, e pelo qual solicitou reembolso à seguradora, estava no seu nome. Andrea mentiu que ele tinha sido roubado e nós temos o aparelho para provar – informou Marsh, que abriu um envelope e jogou um saco plástico com o celular quebrado na mesa. – Portanto, é assim que vejo a situação. Na melhor das hipóteses, você vai ser preso por fraude contra a seguradora. E você sabe o quanto o governo tem feito lobby em relação a essa questão. Isso pode significar um período preso e, além de você já ser um cara muito impopular na prisão, isso vai, sem dúvida, abrir as portas para todos os tipos de pessoas que têm problemas com você. Jornalistas, políticos... Adicione à mistura o fato de seu próprio filho ter matado a *sua* filha e você, tendo conhecimento disso, falou para ele fugir do país enquanto incriminava a sua outra filha...

– Já chega! JÁ CHEGA! – berrou Simon. – Okay. Vou te contar...

– Simon Douglas-Brown, Barão de Hunstanton, você está preso sob a acusação de obstruir o trabalho da justiça e ocultar atividade criminal. Nós também suspeitamos que você tenha usado sua posição de poder para influenciar o resultado de um ou mais julgamentos da Promotoria Pública. Okay. Comece a falar, e rápido – ordenou Marsh.

CAPÍTULO 80

David se limpou rapidamente no banheiro e encheu o nariz de lenços para estancar o sangramento. Em seguida, pegou a mala, o passaporte e o dinheiro, e carregou Erika no ombro para o andar de baixo. Ele ficou surpreso com quanto ela era pesada, apesar de tão esquelética. Chegaram na garagem do subsolo e as luzes se acenderam, depois de piscarem algumas vezes. Ele se aproximou do porta-malas do carro, lá dentro estava a prostituta de cabelo escuro comprido que ele havia pegado na estação Paddington.

Os dois tinham rodado de carro por um tempo, com a prostituta com as mãos dentro da calça dele, tentando fazê-lo ficar duro, mas aquilo não o interessava. Era uma noite agitada e todos os lugares habituais, os parques e balneários públicos, estavam movimentados. Pessoas passeando, carros de polícia passando lentamente...

David então, foi forçado a levá-la para casa. Quando ele entrou de carro na mansão dos pais, ela ficou muito empolgada, conferindo o rosto no espelhinho acima do banco do passageiro, como se não tivesse sido contratada para transar. Parecia achar que podia ser apresentada aos pais dele. David se perguntava se ela tinha assistido ao filme *Uma linda mulher* muitas vezes. Ele deu uma gargalhada ao pensar naquilo e ela se juntou a ele.

Puta burra.

Assim que chegaram à garagem no subsolo e saíram do carro, ele bateu o rosto dela na parede de concreto. A garota não recuperou a consciência e aquilo tornou o momento em que ela morreu decepcionante.

No entanto, agora ele tinha o prêmio supremo. *Detetive Foster.*

Quando abriu o porta-malas do carro, viu a garota morta deitada de costas. Ele tinha dado uma olhada nela três vezes desde que a estrangulou até a morte, e em todas fascinava-o ver como ela tinha mudado: os olhos arregalados por causa do *rigor mortis*,* em seguida a tonalidade roxa de sua pele, quando ela parecia estar dormindo, e agora, com suas ossudas maçãs do rosto enterradas debaixo da carne inchada, fazendo com que seus hematomas florescessem escuros como manchas de tinta. David riu do rosto da garota. Ela odiaria ver o quanto estava ficando gorda. Ele ergueu o corpo mole de Erika e o colocou lá dentro, ao lado da outra, fechou o porta-malas e o trancou.

A manhã ainda estava no início quando ele saiu da garagem no subsolo e chegou à rua, dirigindo cuidadosamente pelos três quilômetros que levavam ao cruzamento com a rodovia M4. Uma vez na estrada, poderia juntar-se ao trânsito da hora do *rush*, sair depressa pela rodovia M25 e dar a volta pelos arredores de Londres.

Erika começou a recuperar a consciência, mas a escuridão era absoluta. Seu rosto estava pressionado contra algo áspero, e um dos braços estava dobrado e preso debaixo de si. Ela levantou o outro braço para tocar no rosto, mas sua mão atingiu algo sólido alguns centímetros acima da cabeça. Ela se mexeu e sentiu uma dor excruciante em seu rosto; tinha gosto de sangue na boca e dor ao engolir. Havia um movimento oscilante debaixo dela. Tocando as superfícies ao seu redor, sentiu as laterais curvas de seu espaço confinado, o metal acima, o mecanismo interno da tranca, e se deu conta de que estava no porta-malas de um carro. Então, um cheiro repulsivo, com um toque de putrefação, a atingiu. Ela ofegou, quase sem conseguir recuperar o fôlego depois de ser forçada a inspirar o repugnante cheiro que tomava conta do espaço. O carro acelerou e fez uma curva. A força da gravidade empurrou Erika para a beirada do porta-malas, e algo pesado rolou contra ela.

Foi quando soube que estava no porta-malas de um carro com um cadáver.

---

*Rigidez do corpo que ocorre cerca de sete horas após a morte, devido ao endurecimento muscular, e que desaparece no período de um a seis dias, quando tem início a decomposição do corpo. (N.E.)

CAPÍTULO 81

Informações chegavam rápido à sala de investigação, e, apavorados, Moss e Peterson estavam se dando conta de que a Detetive Foster poderia ser a próxima vítima. Tinham feito uma busca na casa dos Douglas-Brown, e ela estava vazia. O carro de Erika foi encontrado a duas ruas de lá, e a placa do carro de David tinha sido fotografada saindo pela seção oeste da zona de pedágio urbano.

— A secretária de Simon Douglas-Brown comprou para David uma passagem de trem da Eurostar só de ida para Paris — informou Crane, desligando o telefone.

— Não tem nada de Praga, então...

— Merda! E a Detetive Foster? — perguntou Peterson.

— Ela não está na casa, nem no carro dela. Deve estar no dele — respondeu Moss. — Crane, em quanto tempo a gente consegue um helicóptero?

— Depois que o Superintendente Marsh der a ordem, quatro minutos — respondeu Crane.

— Okay, vou ligar para o Marsh — disse Moss.

CAPÍTULO 82

A placa que indicava a entrada para a estação de trem internacional Ebbsfleet aproximava-se adiante. David deu seta e pegou a pista para sair da rodovia, diminuindo a velocidade quando chegou à via de acesso que fazia uma curva e transformava-se em pista simples. A estrada estava congestionada, mas o trânsito ficava mais leve no caminho para o Bluewater Shopping Center, com suas futurísticas torres de vidro emergindo do terreno onde era uma antiga pedreira de calcário. David seguiu em frente, acelerando por áreas industriais abandonadas, gramados e eventuais árvores pontilhando a vegetação rasteira. Ele reduziu a velocidade e, quando viu o acostamento à frente, entrou. David parou o carro e teve que sair para baixar uma corrente que ficava pendurada de um lado ao outro de uma pequena estrada de terra.

Erika se esforçava para controlar o medo que subia pela garganta; o medo de estar encaixotada com uma garota morta e do que aconteceria quando chegassem ao destino. Tinha se forçado a procurar sinais de vida e, ao fazer isso, descobriu que o corpo era de uma garota de cabelo comprido, cuja vida há muito a havia deixado. Os olhos já tinham se acostumado ao escuro, e Erika conseguia distinguir dois feixes de luz ao lado da tranca. Passando a mão sobre ela, a princípio lentamente, sentiu seus contornos agudos e engraxados em busca de um ponto fraco, de uma maneira de forçar sua abertura. O carro sacolejou, e o corpo inerte rolou para cima dela de novo e, por um breve momento, Erika entrou em pânico, raspando com força a tranca e quebrando duas unhas que ficaram em carne viva. A dor a afastou da iminência de enlouquecer, forçando-a a pensar, a permanecer calma.... a sobreviver.

Ela encontrou um pequeno buraco no carpete debaixo de si, usado para puxar a camada que ficava em cima do local onde estavam as ferramentas e o estepe. Erika teve que ficar de lado, por cima da garota morta, para levantar o carpete o suficiente para enfiar a mão por baixo e encontrar a chave de roda. Segurando-a com força, sentiu a chave fria em suas mãos suadas. Ela percebeu o carro parar e se preparou. Uma porta foi aberta, e um peso deslocado. Momentos depois, o carro balançou quando David entrou nele novamente. Ela notou uma porta se fechar e depois o carro arrancou devagar, sacolejando de um lado para o outro, rangendo a suspensão. Sentiu o corpo atrás dela se mover, e o peso foi deslocado, rolando para cima dela de modo que couro cabeludo ficou pressionando a parte de trás de sua cabeça. Erika fechou os olhos e tentou pensar, concentrando-se no que faria.

David seguiu lentamente pela estradinha esburacada que se abria para uma vasta e desativada pedreira de calcário. No centro dela havia uma fossa profunda cheia de água. Ele parou a 20 metros da beirada e desligou o veículo. Saiu do carro e caminhou até a ponta. As paredes da pedreira eram lisas, tufos de grama cresciam aqui e ali, e uma pequena árvore emergia de uma rachadura na rocha. 15 metros abaixo, a água estava parada e o sol fraco da manhã ricocheteava em placas turvas e opacas de água ainda congelada. À esquerda, o Bluewater Shopping Center encontrava-se baixo no horizonte e, alguns quilômetros na direção oposta, um trem-bala saia da estação Ebbsfleet, riscando silenciosamente seu caminho na direção do Eurotúnel que atravessava até Paris.

David conferiu seu relógio. Tinha o tempo exato. Tirou a mochila e colocou-a no chão a uma pequena distância do carro. Abriu a porta do banco traseiro e certificou-se de que a trava para crianças estava acionada. Em seguida, pegou a pesada trava de volante no carpete do passageiro e deu a volta até o porta-malas do carro. Ficou escutando por um momento, se preparou com a trava e abriu a tampa.

O fedor era ainda pior no ar puro da pedreira, e o cheiro pútrido subiu, atingindo-o. Os dois corpos estavam imóveis. Ele se abaixou para puxar Erika para fora, mas ela moveu o braço com violência e o acertou na lateral da cabeça com a chave de roda.

David cambaleou para trás por um momento, vendo estrelas, mas quando ela começou a sair do porta-malas ele balançou a trava do volante para os lados e a acertou na lateral do joelho esquerdo. Ela caiu no chão, gemendo. Ele fez o mesmo com o joelho direito dela, que berrou novamente. David agarrou-a e a arrastou para o banco de trás.

– Não lute comigo – disse ele.

– David, isto não precisa acabar assim – disse Erika sem fôlego em meio à dor, vendo a vasta porção de água estendendo-se diante deles. Ela não conseguia mover as pernas, e um dos seus braços estava dormente por ter ficado preso debaixo dela no porta-malas. Não conseguia raciocinar direito por causa dos golpes que tinha levado no rosto, e lutava para pensar. Tinha batido a cabeça na lataria quando David puxou o corpo dela para dentro do carro. A porta foi fechada; Erika olhou ao redor e viu que estava atrás do banco do motorista. Viu seu rosto no espelho retrovisor. Um olho estava tão preto e inchado que não abria. O cabelo loiro ensebado de sangue em um lado grudava na cabeça. Ela tentou abrir a porta do seu lado, mas ela estava trancada. Esticou-se até a outra, gemendo de dor, e tentou abri-la. Também estava trancada.

Quando David abriu a porta do passageiro na frente, o ar de dentro do carro foi sugado e substituído pelo fedor da morte. David carregava o corpo da garota morta, cuja aparência era muito mais horrenda do que Erika tinha imaginado. A garota tinha cabelo escuro comprido, mas o rosto estava inchado, cheio de cortes, e os dois olhos, enegrecidos. Tufos de cabelo haviam sido arrancados da lateral de sua cabeça. Erika olhou para baixo e viu que eles estavam enfiados na jaqueta da própria garota.

David jogou a garota no banco do passageiro e a cabeça dela despencou para o lado. Erika viu que os olhos da jovem eram um borrão perolado, a língua tinha inchado e escorria para fora da boca como uma enorme lesma roxa e preta.

– David, escute. Não sei o que você está planejando, mas não vai escapar... Se você se render agora, eu...

– Você é uma piranha arrogante mesmo, né? – xingou ele, olhando entre os bancos. – Você está toda fodida de tanta porrada, enfiada em um carro no meio do nada e acha que eu vou me render a você...

– David!

Ele se inclinou e deu um murro com força no rosto de Erika. A cabeça dela deu um solavanco para trás e ricocheteou no vidro. A escuridão inundou sua visão por um momento. Quando voltou a si, sentiu um cinto de segurança sendo preso ao redor do corpo, e ouviu um clique. A porta ao lado dela foi fechada com força. David olhou por entre os bancos e soltou o freio de mão. Ela sentiu as rodas ficarem soltas.

– Parece que, de novo, o frio de hoje à noite vai ser de congelar – disse ele, batendo a porta de trás. Segundos depois, o carro começou a andar para a frente, para a beirada da pedreira.

O veículo pegou velocidade rapidamente. David começou a correr, ainda empurrando. Ele parou a alguns metros da beirada, mas o carro seguiu adiante e desapareceu.

Erika sentiu as rodas deixarem o solo. O horizonte parecia estar levantando voo e foi substituído por um azul-claro, atingindo violentamente o para-brisa. David tinha colocado o cinto de segurança nas duas, nela e na garota morta, mas, mesmo assim, o solavanco do impacto foi excruciante. O carro ficou submerso no azul por um momento, depois endireitou e emergiu, com o interior cintilando de luz natural. Erika procurou freneticamente a trava do cinto de segurança, mas ele não soltava. David tinha deixado as janelas abertas alguns centímetros, e a água geladíssima entrava e enchia rapidamente o carro. Ela achou que pudesse ter tempo de reagir, tentando abrir a porta, mas a trava para crianças ainda estava ativada. A água gelada inundava o carro pelas janelas e, em questão de segundos, chegou ao peito dela. Em pânico, Erika respirou o mais fundo que podia; o borbulhante barulho cessou quando o carro submergiu. Ele começou a afundar a uma velocidade aterrorizante, com força, para o fundo, para a escuridão. O peso do motor enviou o veículo para uma colisão de frente, no fundo da pedreira.

Moss e Peterson estavam dentro do helicóptero da polícia quando chegaram à pedreira no momento em que, lá embaixo, viram o carro de David despencar do barranco e atingir a água. Eles tinham um rádio conectado com a sala de investigação na Lewisham Row, e veículos de apoio e uma ambulância estavam a caminho.

– O suspeito está correndo – disse Moss, apontando a câmera fixada no assoalho do helicóptero, transmitindo as imagens para a sala de investigação. – Alertem as unidades terrestres. O suspeito está fugindo da cena, para o norte, na direção da estação Ebbsfleet.

– Merda. E se ela estiver no carro? A que distância estão os veículos de apoio? – perguntou Peterson.

– Os veículos estão a quatro ou cinco minutos de distância – informou Marsh, pelo rádio.

– A Detetive Foster deve estar no carro. Pousa! Pousa! Pousa! – gritou Moss no rádio.

O helicóptero desceu rápido. O calcário branco da pedreira subiu com força na direção deles, e a aeronave mal tinha encostado no chão quando Moss e Peterson pularam dela, abaixando as cabeça debaixo das hélices, com as mãos levantadas para se protegerem da poeira. Os segundos corriam, e, lá embaixo, bolhas subiam à superfície, fazendo um agitado círculo na água.

– Vocês têm permissão para atirar, mas queremos que o tragam vivo – escutaram Marsh falar no rádio.

Peterson correu para uma rampa de acesso na lateral da pedreira, que se estendia em linha reta. Moss continuou berrando no rádio:

– Acreditamos que há uma policial no carro que foi jogado na água. Repito, uma policial está presa no carro debaixo d'água.

– Três minutos de distância – disse uma voz no rádio.

– Merda! Não temos três minutos! – berrou Moss.

O helicóptero estava sobrevoando a área, passando pela borda da pedreira e descendo até ficar exatamente em cima das bolhas que se propagavam na superfície. Peterson já estava na beirada e, sem hesitação, arrancou a jaqueta e a arma, se jogou na água e começou a nadar com os braços arqueados. Ele chegou ao local onde o carro afundou e mergulhou mais para o fundo.

– Têm informações? O suspeito está fugindo, temos reforço na estação Ebbsfleet? Repito, temos reforço? Se ele chegar à porra do trem... – ressoou a voz de Moss no rádio.

– O reforço está a caminho e a estação está sendo fechada – respondeu uma voz.

– Moss, reporte o que está acontecendo. A imagem mostra Peterson na água...

– Sim, senhor, o Detetive Peterson está debaixo d'água. Repito, o Detetive Peterson está debaixo d'água – informou Moss, no rádio. Ela estava em pé na beirada da água.

– Jesus! – disse Marsh.

Houve silêncio no rádio enquanto o helicóptero, com seu barulho ensurdecedor pairava sobre a água, desenhando nela um contorno oval. Os segundos tiquetaqueavam.

– Vamos, por favor, vamos! – resmungava Moss, impaciente. Ela estava prestes a se jogar na água atrás de Peterson, quando ele irrompeu na superfície segurando o corpo mole de Erika.

De repente, no alto da pedreira, a sirene barulhenta de uma ambulância encheu o ar, seguida por um carro de bombeiros e viaturas de apoio da polícia. Acima da água, uma corda de salvamento foi lançada do helicóptero, e Peterson conseguiu prendê-la tanto nele quanto em Erika. O detetive levantou o polegar e eles foram içados, com os pés raspando na água enquanto eram meio carregados, meio arrastados na direção de Moss na beirada.

– Parece que a detetive está muito ferida e inconsciente – informou Moss pelo rádio. – Há uma estrada de acesso no lado esquerdo de onde vocês chegaram, estamos aqui embaixo, às margens da água. Repito, parece que a Detetive Foster está inconsciente! – gritou Moss.

Peterson e Erika chegaram próximo à beirada da água, e o helicóptero os baixou. Quatro paramédicos desceram a rampa correndo, tiraram Erika da corda de salvamento e a deitaram no chão com delicadeza.

Peterson estava ensopado e tremendo, e rapidamente uma manta térmica foi colocada em volta dele. Os médicos começaram a trabalhar em Erika. Foram momentos tensos e então, Erika engasgou, tossindo água.

– Tudo bem, estamos do seu lado – disse o médico, colocando-a na posição de recuperação.

Ela tossiu, expeliu mais água pela boca e respirou com dificuldade para levar ar puro e frio aos pulmões.

– A Detetive Foster está fora da água e viva – informou Moss. – Obrigada, cacete! Ela está viva.

CAPÍTULO 83

Ao som de um silvo suave e um bipe ritmado, lentamente a visão de Erika retomou o foco. Ela estava no quarto de um hospital, ao lado de uma janela. A persiana estava fechada, e uma suave luz noturna preenchia o quarto. Pelo canto do olho, ela via outra cama. As cobertas levantaram e depois abaixaram, no mesmo ritmo do bipe que ela tinha ouvido. Erika passou a língua pela boca seca e percebeu que o paciente na cama ao lado estava recebendo oxigênio.

Cobertores azuis a envolviam, e grandes áreas de seu corpo estavam dormentes: as pernas, um braço, o lado esquerdo do rosto. Não sentia dor, apenas a sensação desconfortável de que a dor estava ali. Naquele momento, ela flutuava acima da dor, mas ela chegaria em breve, e Erika teria que suportá-la. Por ora, conseguia flutuar acima dela, sentindo o corpo e as emoções dormentes.

Fechou os olhos e adormeceu.

Quando acordou, estava escuro, e Marsh encontrava-se sentado ao lado da cama. Usava uma camisa elegante e jaqueta de couro. A dor começava a invadir seu rosto, suas pernas e braço. Ela também se sentiu mais próxima de suas emoções, do medo, das memórias, da sensação de que iria morrer, da queimação nos pulmões quando não foi mais capaz de prender a respiração e inalou água... A garota morta no porta-malas do carro com ela e, em seguida, o rosto desfocado quando o carro afundou, e seu cabelo escuro formou uma auréola ao redor da cabeça.

– Você vai ficar bem – disse Marsh, inclinando-se na direção de Erika e pegando gentilmente sua mão.

Ela percebeu que a mão esquerda estava enfaixada e que só conseguia ouvir de um lado, o oposto àquele que Marsh estava sentado.

– Você fez uma operação, colocou um pino em uma das pernas; e fraturou a face... – disse Marsh, antes de sua voz sumir. Ele estava pegando um cacho de uvas no colo. Era quase cômico. – Você vai se recuperar totalmente... Deixei um cartão na sua mesinha de cabeceira. Todo mundo da delegacia assinou... Você mandou muito bem, Erika. Estou orgulhoso de você.

Erika esforçava-se para falar alguma coisa. Na terceira tentativa, conseguiu:

– David?

– Eles o prenderam na estação Ebbsfleet. Está em custódia, junto ao pai, Giles Osborne e Igor Kucerov. Isaac reviu as provas forenses e achou pequenas fibras de cabelo encontradas em Mirka Bratova, a segunda vítima. Elas eram compatíveis com o DNA de David. Temos o testemunho de Linda, e o carro está lotado de evidências forenses. Eles o tiraram da pedreira com... com a garota lá dentro... – Marsh sorriu sem graça. Estendeu o braço e pegou a mão de Erika novamente: – Enfim, vamos ter muito tempo para te contar tudo. O que eu realmente queria dizer é que estou aqui, caso precise de alguma coisa. E estou aqui como amigo... Marcie mandou falar que te ama e que te deseja melhoras. Ela saiu e comprou algumas coisinhas de higiene pessoal para você. Coloquei tudo no seu armário.

Erika tentou sorrir, mas a dor estava ficando muito forte. Uma enfermeira entrou e deu uma olhada na ficha de Erika. Foi até o controlador de gotas e pressionou um botão.

– Peterson... Quero agradecer ao Peterson – disse Erika.

Depois de um bipe, sentiu algo gelado passar pela mão. Marsh e o quarto do hospital foram ficando embaçados e transformando-se em uma brancura indolor.

EPÍLOGO

Erika respirou fundo, sentindo o ar puro encher seus pulmões. Ao lado dela, no banco de madeira, Edward fez o mesmo. O silêncio era confortável naquele momento em que observavam o campo, que se estendia verde e marrom. Nuvens pesadas pendiam ao longe, torcendo-se de modo a formarem um laço azul e preto que seguia na direção deles.

— Tem uma tempestade vindo aí — comentou Edward.

— Só mais um minuto... adoro este lugar. Até a grama no Norte é mais verde — disse Erika.

Edward riu ao lado dela, e perguntou:

— É uma metáfora, mocinha?

— Não. É mais verde mesmo.

Ela abriu um grande sorriso. Moveu os olhos da bela paisagem para Edward, que estava sentado ao seu lado envolvido em um grosso casaco de inverno. Uma pequena trilha de cascalho separava a lápide de Mark do banco em que estavam sentados.

— Estou achando mais fácil vir aqui agora — confessou Edward. — Depois que você supera a afronta daquelas letras douradas, a data de nascimento dele e a data em que ele, você sabe... Venho muito aqui e converso com ele.

Erika começou a chorar novamente.

— Eu não sei por onde começar... o que falar para ele — disse ela, fungando e procurando um lenço no casaco.

— É só começar... — incentivou Edward, entregando a ela um pacotinho de lenços. Ele puxou o rosto dela para perto do seu. O cabelo de Erika estava começando a crescer novamente na lateral da cabeça onde havia uma longa fileira de pontos.

— Okay — disse ela, pegando um lenço e enxugando o rosto.

— Tive uma ideia... Vou dar um pulo lá em casa, botar uma chaleira para esquentar. Apenas fale. Lógico, você se sente um lunático no início, mas não tem ninguém aqui...

Ele deu um tapinha no ombro de Erika e começou a percorrer o caminho. Ela o observou ir embora. Ele virou e sorriu, antes de escolher cuidadosamente o trajeto em meio aos túmulos, para descer para a vila. Ela notou como o jeito de andar e os movimentos dele eram parecidos com os de Mark. Olhou de novo para o túmulo.

– Então... Solucionei cinco assassinatos... e escapei por pouco, duas vezes, de ser assassinada – disse ela. – Mas não é isso que eu vim aqui te contar.

O celular tocou no bolso. Ela o pegou. Era Moss.

– Oi, chefe. Eu pensei: *já faz uns dois meses, acho que vou dar uma ligada pra ela...*

– Oi – cumprimentou Erika.

– Liguei em uma hora ruim?

– Não, bom, eu... eu estou no túmulo do Mark.

– Oh, que bosta, ligo pra você depois.

– Não. Eu estava tentando falar com ele. O meu sogro diz que eu tenho que falar com ele. Ele acha que ajuda. Só que eu não sei o que falar...

– Pode contar pra ele que o assassino que você pegou vai a julgamento em maio. Você viu as notícias hoje? Declararam que David Douglas-Brown já pode ir a julgamento. Eles também retiraram o título de *Sir* do Simon... E parece que Igor Kucerov vai a julgamento de novo por causa do assassinato de Nadia Greco. Só estamos esperando a decisão da Promotoria Pública sobre Giles Osborne. Estou confiante de que ele vai ser acusado de obstrução ao trabalho da justiça... Está aí, chefe?

– Estou. E entendi. E o Mark não quer escutar essas coisas.

– Se eu estivesse enfiada seis palmos debaixo da terra, ia querer que os meus amados me mantivessem informada sobre os acontecimentos...

Houve silêncio. O vento agitou a grama. O laço de nuvem negra já estava quase em cima dela.

– Desculpe, estou sendo grossa...

– Não, você está sendo honesta, o que é muito melhor. Peterson recebeu o meu cartão?

– Recebeu. Mas você conhece o cara. O tipão forte e calado. Ele foi te ver depois, no hospital, mas você estava apagada.

– Eu sei que ele foi.

Houve outro silêncio.

– Então... Quando é que você volta, chefe?

– Não sei. Em breve. Marsh falou que eu podia ficar fora o quanto precisasse. Vou passar um tempinho com Edward aqui no Norte.

– Bom, a gente quer muito que você volte, chefe. Você vai voltar, não vai?

– Vou, vou voltar, sim – respondeu Erika. – Eu te ligo.

– Beleza. Bom, aproveite aí em cima, e quando você... você sabe... falar com Mark, fale que eu mandei um oi.

– Esse é o pedido para cumprimentar alguém mais esquisito que eu já ouvi – disse Erika, ironicamente.

– Eu gostaria de ter conhecido Mark – falou Moss.

Erika desligou o celular quando trovões começaram a soar acima de sua cabeça. Ela voltou-se para o túmulo e olhou para as letras douradas no granito preto.

EM MEMÓRIA DE MARK FOSTER
1º DE AGOSTO DE 1970 - 8 DE JULHO DE 2014
SERÁ SEMPRE AMADO E LEMBRADO

– Essa é a palavra mais difícil, Mark – disse Erika. – *Sempre*... Eu sempre estarei sem você. Não sei como aguento viver sem você, mas tenho que fazer isso; seguir em frente. Tenho que te deixar partir em algum momento. Tenho que continuar, Mark. Continuar a trabalhar. Continuar a viver. Na maioria dos dias eu não acho que consigo continuar sem você, mas tenho que conseguir. Há tanta coisa ruim por aí que acho que continuar trabalhando é o único jeito de eu conseguir enfrentar tudo isso.

Uma gota escorreu pela bochecha de Erika, e desta vez não era uma lágrima. A chuva começou a cair, gotejando no cascalho e na lápide de Mark.

– O seu pai está fazendo um chazinho pra mim... Então eu vou indo. Mas eu volto, prometo – disse Erika. Ela levantou, colocou os dedos nos lábios e depois pressionou-os contra a lápide, logo abaixo do nome de Mark.

Erika pendurou a bolsa no ombro e começou a caminhar pelo cemitério, em direção ao chá com bolo e ao calor da cozinha de Edward.

UMA MENSAGEM DO AUTOR

Em primeiro lugar, gostaria de mandar um enorme muito obrigado a você por escolher ler *A garota no gelo*. Se gostou dele, eu ficaria muito agradecido se você escrevesse uma resenha. Não precisa ser longa, só algumas palavras, porque isso faz muita diferença e ajuda novos leitores a tomarem conhecimento dos meus livros.

Eu também adoraria saber a sua opinião. O que você achou da Detetive Foster? O que você gostaria que acontecesse? A Erika retornará logo, logo.

Você pode entrar em contato comigo pelas minhas contas no facebook, twitter, goodreads ou pelo meu site. Leio todas as mensagens e sempre respondo. Tenho mais um montão de livros para lançar e espero que você venha comigo nessa jornada!

Robert Bryndza

P.S.: Se você quiser receber um e-mail quando o meu próximo livro for lançado no Brasil, você pode assinar o mailing na minha página no site da Gutenberg: www.grupoautentica.com.br/robert-bryndza. O seu endereço de e-mail nunca será compartilhado e você pode cancelar o recebimento a qualquer momento.

AGRADECIMENTOS

Agradeço a Oliver Rhodes, Claire Bord, Keshini Naidoo, Kim Nash e à maravilhosa equipe da Bookouture; vocês são incríveis e estou muito feliz por trabalhar com vocês. (E muito obrigado por não terem rido da minha cara quando mandei aquele primeiro e-mail dizendo que eu queria escrever um romance policial!)

Um agradecimento especial para Claire Bord, pelo incentivo e por fazer com que eu me esforçasse para que este livro fosse melhor do eu jamais imaginei que poderia ser.

Obrigado, Henry Steadman, pela capa assombrosa, e Gabrielle Chant, por editar o manuscrito com precisão e cuidado. E obrigado, Angela Marsons, pela amizade, apoio e por me incentivar a encarar essa empreitada. E, como sempre, obrigado, Stephanie Dagg.

Agradeço à minha sogra Vierka, que parece ter uma habilidade psíquica para descobrir quando as coisas ficam difíceis e a escrita empaca e bater na porta de casa com deliciosas comidas quentinhas, amor e afeto, o que sempre me anima.

Obrigado ao meu marido, Ján, que de alguma maneira consegue me encher de elogios e incentivos quando é necessário, mas que não deixa de brigar comigo para que eu cumpra os prazos. Continue a elogiar e incentivar, mas as brigas também são essenciais. Sem esse amor durão e o seu inabalável apoio, eu ainda estaria ralando em um emprego que não gosto e apenas sonhando em ser escritor.

E, por último, obrigado a todos os maravilhosos leitores e blogueiros literários, tanto os que descobriram o meu trabalho agora quanto aqueles que seguem a minha escrita desde a Coco Pinchard até os romances policiais. O boca a boca realmente funciona, e sem vocês todos comentando e escrevendo em seus blogs sobre os meus livros, eu teria uma quantidade muito menor de leitores. Obrigado! Eu disse a vocês que seria um passeio empolgante!

LEIA TAMBÉM

UMA SOMBRA NA ESCURIDÃO
Robert Bryndza (autoria),
Marcelo Hauck (tradução)

SOB ÁGUAS ESCURAS
Robert Bryndza (autoria),
Marcelo Hauck (tradução)

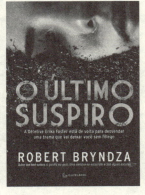

O ÚLTIMO SUSPIRO
Robert Bryndza (autoria),
Marcelo Hauck (tradução)

SANGUE FRIO
Robert Bryndza (autoria),
Marcelo Hauck (tradução)

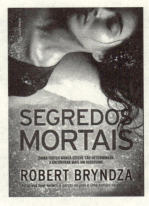

SEGREDOS MORTAIS
Robert Bryndza (autoria),
Marcelo Hauck (tradução)

TESTEMUNHA FATAL
Robert Bryndza (autoria),
Guilherme Miranda (tradução)

Este livro foi composto com tipografia Electra Std e impresso
em papel Off-White 70 g/m² na Gráfica Rede.